TRENTE MILLE JOURS

MAURICE GENEVOIX
DE L'ACADÉMIE FRANÇAISE

TRENTE MILLE JOURS

ÉDITIONS DU SEUIL
*27, rue Jacob, Paris VI*e

IL A ÉTÉ TIRÉ DE CET OUVRAGE
SOIXANTE EXEMPLAIRES
SUR PAPIER SIRÈNE DE SAINTE-MARIE
NUMÉROTÉS DE 1 À 60
ET CINQ HORS COMMERCE
NUMÉROTÉS DE H.C. 1 À H.C. 5
LE TOUT CONSTITUANT
L'ÉDITION ORIGINALE

ISBN 2-02-005603-8 BROCHÉ
ISBN 2-02-005622-4 RELIÉ
ISBN 2-02-005624-0 LUXE

© ÉDITIONS DU SEUIL, 1980

I

J'avais, lorsque j'ai découvert les Vernelles, trente-sept ans; la quarantaine, à quelques mois près, lorsque j'y ai fixé mon ancre, pour vingt ans. Mais si je veux donner à sentir la nature et la force des liens qui m'unissent à ce fleuve, à ce Val, à cette lumière, il me faut remonter bien au-delà, en fait jusqu'à ma naissance. Je le ferai, mais librement, avec une spontanéité qui admette le primesaut, l'imprévu, les digressions, les détours et les retours qui font le charme des promenades, même au fil de chemins familiers.

Pour le moment, j'en reste aux Vernelles, à cette maison, à ce jardin. Dès la fin de la guerre, au début de 1919, grièvement mutilé, démoli de surcroît par la grippe espagnole, j'avais rallié la maison paternelle, à *Châteauneuf-sur-Loire*. C'est un gros bourg du Loiret, à quelques kilomètres d'ici. Maison sans autre caractère que d'être devenue *notre* maison. Nous y avions été heureux, mes parents, mon frère et moi. Nous y avions aussi souffert, mais d'une de ces souffrances — la mort d'une mère, d'une jeune mère — qui déchirent jusqu'au fond de l'être et qui ainsi, paradoxalement, contribuent à nous attacher davantage à des murs et à un toit.

J'aimais aussi cette maison parce qu'elle était proche du fleuve. Je ne le voyais pas, mais je le savais là. Notre rue dévalait vers lui. Combien de fois depuis l'enfance, ma gaule de pêcheur à l'épaule, avais-je précipité mes pas vers ses mouilles et ses courants! Devenu homme, mon retour n'avait rien oublié. Près de mon père vieilli, depuis des années déjà j'y travaillais des heures, quotidiennement. J'y occupais une pièce d'angle, à la fois chambre et bureau, orientée à l'ouest et au midi. Alors déjà, volontairement, je m'astreignais à une discipline de travail que j'ai respectée très longtemps. Elle comportait entre autres une séance de labeur nocturne dont je retrouve encore le charme étrange, feutré, cerné par le silence de la petite ville endormie. Et dans ce silence...

Dès le printemps, j'ouvrais toute grande l'une des fenêtres, celle qui s'orientait vers la Loire. Au revers des maisons du bourg, bordant une frange de jardinets, sinuait un sentier qui existe encore aujourd'hui et que les anciens cadastres désignaient de ce nom parlant : *Sentier de Roanne à la mer.* Parmi les potagers utilitaires, un jardin mystérieux dérobait ses merveilles derrière des murs touffus de thuyas et de lauriers. C'est lui qui dépêchait vers moi, avec l'odeur nocturne du miellat et des feuilles nouvelles, le chant des premiers rossignols.

L'été venait. La nuit d'août avivait ses étoiles. A de longs intervalles, des éclairs muets tremblaient sous l'horizon du sud. Un calme immense régnait par l'étendue. Pas d'autre bruit que le grattement menu de ma plume sur le papier. Ou peut-être... D'où venu? Soupir fluide, lent friselis de source ou de surgeon qui s'attarde sous le ciel. Ma plume reste en suspens, j'écoute, et mon cœur s'émeut : c'est la Loire, le courant de la Loire qui atteint l'étrave d'une pile, se soulève au musoir de pierre, s'entrouvre en éventail, et passe... Et toute la nuit vivante est là, dans la chambre. Et je sais, je saurai tout à l'heure, à l'instant de céder au glissement du premier sommeil, que le saut d'une ablette à la lune, le long cri d'un courlis sur le Val, ou l'orage silencieux d'une éclosion d'éphémères vont traverser mes rêves et revivre avec mon réveil.

C'est ainsi que grandit l'amour. Je voulais désormais une maison au bord même de la Loire. En 1927, deux ans après le prix Goncourt et sa manne providentielle, il y avait beau temps que je prospectais autour de Châteauneuf. Par deux fois déjà, j'avais trouvé : au hameau de la Ronce, à la levée de Sigloy. Deux maisons dont chacune, l'imagination aidant, avait de quoi me combler.

La première, qu'une pente légère, une espèce de socle herbu exhaussait au-dessus du niveau des plus fortes crues, faisait face à une courbe de la Loire dont le mouvement, venu vers elle du plein midi ensoleillé, semblait aux yeux comme une continuelle bienvenue. Pour ne rien dire d'un arbre immense, un frêne s'il m'en souvient bien, un dôme feuillu hanté d'oiseaux dont le surplomb « cadrait » le paysage en si juste et parfait éloignement que je m'exaltais d'avance à la pensée de mon installation prochaine, au bonheur qui m'était promis, au fil des jours et des saisons, de contempler ce mien paysage de mon seuil ou de ma fenêtre, à mon gré et tout mon saoul, rien qu'en tournant vers lui les yeux.

L'autre maison, à trois kilomètres de là, sur la rive gauche du fleuve, on la voyait très bien de la maison au frêne géant. Elle surgissait à l'horizon au-dessus de la levée, parmi des toits de métairies tapies au ras du chemin de berge et les dépassant toutes, hautainement. On l'appelait, on l'appelle encore la *Grand'Maison*.

C'est certainement un homme du fleuve qui l'avait fait bâtir au siècle dernier. Celle-là aussi, Dieu sait si je l'ai mesurée, convoitée, transformée! Elle plongeait son reflet dans la même coulée de la Loire, mais à l'opposé de sa courbe. De là, on eût dit qu'elle fuyait. C'est un fleuve femme et qui diversifie ses séductions.

En cet endroit et à son midi, c'est le Val. D'une platitude merveilleuse. Tout récemment, au bord d'une terrasse municipale qui le domine d'une douzaine de mètres, j'entendais au passage un inconnu s'écrier dans l'enthousiasme : « Rien de plus beau que ces pays plats lorsque... » La suite m'a échappé, j'étais déjà passé. Mais j'ai achevé à part moi, tout uniment : « ... lorsqu'ils sont beaux. »

Celui-là l'est. Riche, fertile, parsemé de métairies, morcelé en parcelles nombreuses, il se prête à une polyculture qui le fait de toutes parts chatoyer. Singulièrement au printemps. Roses les fleurs du sainfoin, pourpres celles du trèfle incarnat, d'un jaune éblouissant celles du colza, d'un vert frais et doré les tendres pousses du blé qui lève, il harmonise et unit ces couleurs dans un air qui lui est propre : non pas voilé, brumeux imperceptiblement, mais d'une transparence fluide, caressante, qui émane à la fois du beau fleuve déployé sous le ciel et d'un autre, invisible, né de lui et qui court, souterrain, jusqu'au puissant surgeon du Loiret qui le rend à la lumière du jour.

Il était dit que de ces deux maisons aucune ne serait jamais mienne. J'ai appris, à cause d'elles, la complexité décourageante des lois successorales, précisé mes faibles notions quant aux droits légitimes des héritiers mineurs, et celles qui touchent aux indivisions. Mais j'ai rencontré les Vernelles.

Tout à fait par hasard : ce qu'on appelle le hasard a quelquefois de ces bontés. C'était en 1927, aux beaux jours. Un de mes oncles cherchait une chasse à louer. Il m'arrivait de seconder ses recherches. Elles nous avaient conduits, ce jour-là, vers la maison d'un garde-chasse, à quelques centaines de mètres d'ici. Mission achevée, j'ai laissé l'oncle à sa palabre : « J'ai envie de marcher un peu et de remonter par la Loire. Tu me retrouves dans une demi-heure, à Saint-Denis, à l'entrée du pont; et nous rentrons ensemble à Châteauneuf. »

Je n'ai pas eu à marcher longtemps. Juste la traversée d'un ruisselet sous un tunnel de prunelliers sauvages; et simultanément, au débouché de ce couvert et après une brève grimpette, j'ai découvert ensemble trois lieues de fleuve et *la* maison.

Une vieille maison, une paysanne, tassée sur elle-même, abandonnée, au bord de l'effondrement; et néanmoins — comment dire? — rêveuse, pleine de mémoire et souriant à ses secrets. Ai-je dit « abandonnée »? Inhabitée, oui, délaissée par les hommes; mais abandonnée, non. Il y avait les herbes folles, drues, fleuries de muscaris et de compagnons-blancs, les églantiers, leur odeur de pommes chaudes, les grappes de jais noir du sureau penché sur le puits, les pirouettes piaillantes des mésanges, le chant vers le talus de la fauvette babillarde et, ronflant de tout près sur ma tête, le vol des rouges-queues s'envolant des avant-toits.

Oui, bien sûr, raconter tout cela, c'est me faire plaisir à moi-même. Mais n'est-ce pas déjà une réponse? Encore suis-je loin d'avoir tout dit, ne serait-ce que sur les hommes. J'en voyais quelques-uns dans les champs, dans les vignes. Ces vignes, alors, tenaient presque tout le terroir sur la rive droite de la Loire. Mais j'y reviendrai tout à l'heure. Je m'informai au hasard des rencontres, et j'appris que le propriétaire de « ma » maison (déjà!) était parti depuis plusieurs années « pour s'embaucher à la Reconstruction ». Je passe sur mon cheminement de limier sur sa trace. Je suis enfin tombé sur lui dans un ghetto de maçons italiens, à Saint-Mandé.

Banlieusardisé quelque peu, mais point n'était besoin de gratter longtemps ce vernis pour retrouver intégralement la matoiserie originelle. Roué, retors, astucieux, obstiné. Je suis sûr que, de nous deux, c'était lui qui s'amusait le mieux, jouant de moi, tour à tour feignant de céder, de se ressaisir brusquement, et se lançant alors dans une improvisation étonnante, évoquant son amour du pays, ses aïeux, ses entrailles déchirées, à me tirer les larmes des yeux.

Si j'ai enfin obtenu la maison et ses clés, ç'a été sans avoir réussi, non, jamais, à le persuader. Il m'a fallu en acheter une autre, à Jargeau, au cœur de Jargeau. C'est l'orgueil d'être propriétaire au bourg, sur le Martroi, derrière la statue de Jeanne d'Arc, qui l'a finalement vaincu. Ce n'est donc pas un achat, c'est un troc, mais « par-devant notaire », qui m'a enfin — *notarius dixit* — « envoyé en possession ».

Une brève pneumonie a emporté mon père dans les premières semaines de l'été 1928. Je m'étais fait d'avance un bonheur de passer avec lui la belle saison dans ma maison-au-bord-de-la-Loire. Nous y sommes allés seuls, Angèle et moi. Depuis trente ans, bien avant la mort de ma mère, elle avait partagé nos jours, leur lot de chagrins et de joies. Non plus servante, mais l'une des nôtres.

Pendant l'hiver et le printemps, j'avais préparé ce séjour. Un ami architecte, un camarade de jeunesse devenu entrepreneur avaient conjugué leurs efforts, remplacé les chevrons vermoulus, les lattes pourries, armé de fers puissants et bétonné le linteau de la porte qui menaçait de se laisser choir : car la poutre maîtresse, pesant sur lui de tout le poids du toit, lui avait fait bomber le ventre. Gloire au maçon de Saint-Mandé! Jusqu'à son avènement ici, on empruntait une autre porte, étroite et basse, qui donnait sur un cagibi. Il avait trouvé plus commode d'entrer directement dans la « salle » et ouvert en pleine façade, à coups de pic, juste sous cette lourde poutre vertébrale, un huis spacieux et digne de lui.

L'été de cette année-là, comment en retrouver à plein le rayonnement et le bienfait? Chaque jour était comme une naissance. Persistante, ma tristesse devenait consentement. Autant la mort de ma mère avait rué mes douze ans vers la détresse et la révolte, autant celle de mon père s'intégrait à un ordre du monde qui m'intégrait moi-même à la coulée du temps, à la réalité d'un univers qui tout ensemble dissolvait mon être et l'augmentait inépuisablement. Pas une aube, pas une heure du jour qui ne me fussent révélation, ferveur. Aujourd'hui, je pense que la guerre avait passé par là, sa cruauté, ses aberrations, sa bêtise. Les Vernelles me réconciliaient, me rendaient à une liberté où il m'était donné de me connaître dans ma vérité la plus vraie, et ainsi à ma vocation.

Et voici l'un des instants où le train même de mon récit m'amène à l'un de ces détours que je m'étais promis de ne pas éluder. Il ne sera pas le seul. C'est ce premier été qui m'a littéralement dicté un livre à cet égard révélateur. Je veux parler de *Rroû*. Un roman ? Soit. A condition que l'on souscrive à une définition très large, très souple. Apparemment, c'est le récit d'un incident mineur, peut-être même, aux yeux de beaucoup, dérisoire : la mésaventure d'un chaton noir qu'Angèle avait embarqué avec nous quand nous avions quitté la maison de Châteauneuf. Rroû était encore du voyage, lorsque à l'automne nous avons regagné notre demeure citadine. Qui eût pu soupçonner la force de la nostalgie qu'il allait traîner désormais ? Il n'y a pas tenu longtemps. Il a filé par une nuit de vent véhément, sous la nue bousculée, appelé par les claquements d'ailes, les cris perdus, rauques et doux, d'un grand vol de migrateurs.

Il s'est, je n'en doute pas, arrêté aux Vernelles après une course de dix kilomètres. Et il a passé là tout l'hiver, rôdant autour de la maison fermée, peu à peu s'ensauvageant, aux prises avec les grandes lois naturelles qui régissent la vie ici-bas. J'avais, aux champs de la Meuse, connu le froid, la faim, la sauvagerie de mes semblables. Et je les retrouvais à travers cette humble créature, mais pures dans leur éternité, impitoyables certes, mais sereines. Cet hiver-là j'ai été Rroû, s'il est vrai que n'est romancier l'homme qui écrit l'histoire de Madame Bovary que s'il sent réellement happer aux muqueuses de sa bouche, de sa gorge, l'affreuse âcreté de la poudre d'arsenic. La torture de la soif devant la fontaine gelée, le bond et le claquement du piège refermant sa mâchoire de fer, la souffrance de la patte broyée, le courage et la terreur, l'acharnement à vivre, à durer, le retour, lorsque la mort est là, pour s'en remettre à la vieille fille qui l'avait aimé, tout cela s'est mêlé à la trame de mes jours.

14

Rroû, au premier soleil de mars, a reconnu tout au long le chemin de la maison de Châteauneuf. Angèle l'a trouvé un matin sur le seuil, méconnaissable, édenté par le scorbut, le poil rongé par l'eczéma. Mais elle l'a tout de suite reconnu, au mouvement de sa tête vers elle, à son regard, au miaulement suppliant et tendre qu'a exhalé sa bouche martyrisée. Elle l'a soigné pendant des jours, acharnée autant que lui à sauver l'ultime petite flamme, à obtenir qu'elle ne s'éteigne point. Elle n'y a pas réussi.

En sourie qui voudra. Je viens, et je m'en avise, d'obéir aux impulsions profondes qui m'ont amené à écrire ce livre. Ainsi ferai-je jusqu'à sa dernière ligne. Il n'aurait pas de raison d'être s'il se souciait d'abord ou seulement de narrer au fil de ma vie les épisodes, les accidents qui jalonnent toute vie d'homme. S'il m'arrive d'en parler — et cela m'arrivera, sans qu'il me faille affecter pour autant je ne sais quelle pudeur pharisienne —, ce sera toujours dans la mesure où ils interviendront dans la vie, la longue vie de l'écrivain que j'ai été; dans ses inspirations initiales, ses tendances instinctives, son évolution sans doute, mais aussi ses fidélités.

L'année 1929 a été une année de transition entre les mois de mon premier été vernellien et mon installation définitive dans la maison-au-bord-de-la-Loire. J'y avais laissé ma périssoire et mes lignes, mes espadrilles et mes maillots de bain. La Loire, alors, était encore impolluée. Trois ou quatre garçons de vingt ans, presque chaque jour, m'y rejoignaient en camarades. Nous pagayions, plongions, affrontions le courant de conserve. Grâce à eux j'améliorais mon crawl, retrouvant mon enthousiasme et mes courbatures de Joinville; et j'avais comme eux vingt ans.

Les maçons cependant travaillaient, le plombier, le fumiste, les peintres. La perspective d'un séjour sans limites m'incitait à un sybaritisme dont les continuelles exigences m'enchantaient à l'avance autant qu'elles m'étonnaient. Pas d'eau courante, pas de chauffage, pas d'électricité. Il fallait pourvoir à tout. Sans parler du principal : l'environnement — comme on ne disait pas encore —, le jardin, le jardin sans murs. A cette époque, du Sancerrois à toucher Nantes, tous les coteaux riverains étaient couverts de vigne. Mon grand-père maternel, à Châteauneuf, avait sa vigne au bord de la route, entre deux moulins à vent dont les ailes tournaient encore, mais qui ne moulaient plus. Cinq cents mètres droit sur l'Orient, premières plongées au cœur du vaste monde. Mon frère et moi, nous poussions nos cerceaux vers la Vigne sur le macadam de silex, parfois dans la poussière veloutée du bas-côté lorsqu'une carriole de vignerons nous croisait. Des acacias bordaient la route, qui fleurissaient rose au printemps.

Comment aurais-je su, alors, que nos vignes étaient condamnées? Un mot de noire magie, chargé d'horreur, revenait parfois aux lèvres de mon grand-père : *phylloxéra*. Pour lui, pour nos vignerons de la Bonne-Dame, il gardait sa virulence tragique. Mais je le renvoyais d'instinct à l'Amérique et à la préhistoire. Aux Vernelles, en 1929, je savais. Ce pou ailé avait tué l'auvernat, le cépage ancestral, fils du ciel et du terroir, le seul qui fût servi sur la table de nos rois. Des hybrides l'avaient remplacé, des plants à matricule, ou pis encore, des noahs, des othellos.

Condamnés! Deux fois condamnés! Au nom du bouquet bordelais ou bourguignon, au nom du rendement languedocien. Déjà on arrachait partout, et le jour était proche où nos législateurs allaient tarifer et payer la besogne des arracheurs.

En ce qui me concerne, c'est au profit de l'arbre et par amour pour lui que j'ai proscrit othello et noah. C'est grâce à moi que je vois chaque jour ce qu'un demi-siècle de confiance et d'amitié a pu ici, de saison en saison, « ajouter à la nature ». Il n'est pas un de ces arbres, ce cèdre bleu ramené de Châteauneuf, prélevé par moi au pied du cèdre qu'avait planté mon père en 1896, ces forts tilleuls de la terrasse, cet érable au bord de la pelouse si bellement déployant sa ramure, pas un qui n'ait été planté par moi, par nous. Cette pinède drue, déjà grandette, c'est en 1968 qu'elle a été, dernière en date, plantée touffe par touffe par une équipe de forestiers. Chaque touffe tenait au creux de la main. Un creux à peine plus grand dans la mousse, quelques onces de terre rabattues, le bout d'un soulier qui les tasse, et vive la vie!

Aujourd'hui, lorsque mes quatre-vingt-neuf ans flânent à travers ces quelques arpents, j'y sens une âme; peut-être la mienne, après tout. Et pourtant non : je me perçois à la fois deux et un, en accord continu avec autre chose que moi. Cela dure depuis cinquante ans.

Bien entendu j'y reviendrai, ramené le moment venu par mes *Bestiaires*, par le loriot et l'écureuil, par la forêt retrouvée ou perdue. Mais je voudrais maintenant, pour un demi-adieu, revenir d'abord à Châteauneuf. Je ne le

17

quittais pas sans regret, sans non plus me promettre d'y retourner assidûment. En vérité les Vernelles mêmes, c'était encore Châteauneuf, comme une sublimation rustique de tout ce qui m'avait peu à peu lié au *Chastaing*, à *l'Herbe verte*, au *Sentier de Roanne à la mer*, à notre quartier de *la Croix-de-Pierre*, à tous ces sites et ces lieux-dits qui jusqu'alors et jour à jour m'avaient doucement envahi, je suis tenté de dire : peuplé; jusqu'à faire naître et grandir en moi l'aspiration lancinante et lucide que les Vernelles venaient d'exaucer.

C'est remonter en fait, je l'avais tout de suite pressenti, à peu près jusqu'à ma naissance. Car, Ligérien quand même, je suis né quarante lieues en amont, à Decize, « petite ville en Loire assise » où mes parents, jeunes époux, avaient sûrement été heureux. J'étais leur premier enfant, ma mère avait vingt ans lorsque j'ai ouvert les yeux. C'est dans ses bras que j'ai *valé*, un an plus tard, jusqu'à Châteauneuf.

Valer, cela veut dire, dans le langage de nos vieux mariniers, suivre le fil de l'eau, se confier au courant et, symboliquement, au destin. Un accident cardiaque venait de faire chanceler la santé de mon grand-père. Son fils, frère cadet de ma mère, allait être requis par la conscription de sa classe. Mon père, dans la force de l'âge, avait valé pour assurer, jusqu'à la libération de son beau-frère, la conduite d'une affaire familiale qui réclamait une présence attentive, quotidienne, et quelque autorité.

Mais cela, c'est un point de vue d'adulte. Si j'anticipe aventureusement jusqu'à l'âge des vocations, il ne me semble pas qu'une telle perspective m'eût personnellement séduit. Et pourtant je pressens, dès l'abord, que je vais m'attarder dans le petit monde particulier, animé et chaleureux, que suscite encore à mes yeux l'un de ces mots magiques qui jalonnent toutes les enfances; en l'occurrence, le mot *Magasin*. Tout un monde en effet, anfractueux, bourdonnant, retentissant d'appels, de roulements et de heurts, de hennissements à faire sauter le cœur.

Et d'abord le magasin proprement dit, relié à la maison par une porte à vitraux de couleur qui permettait de voir au-dehors tout en protégeant des regards indiscrets l'intimité familiale. C'était une pièce assez vaste, carrelée de briques, où l'on rangeait chaque soir à même le sol les marchandises des « tournées ». Un des commis préposés à l'épicerie (c'était Jules) répondait à la voix sonore du comptable en second qui « rappelait » (c'était Moïse). Un seul mot, toujours le même : « Voilà! » Chantante mélopée, litanie... Le nom du client d'abord. Et le répons dans la seconde : « Voilà! » Suivaient, une à une énoncées, les succulences des marchandises : le sucre, les pruneaux, les poires tapées, la moutarde... Et « Voilà! Voilà! Voilà! » Une grande verrière ménagée dans le toit laissait ruisseler d'aplomb la lumière du plein ciel. Une galerie, au premier étage, faisait balcon sur les quatre côtés, limitée au bord du vide par une balustrade à barreaux de fer. C'était le royaume de Mademoiselle Louise, qui régnait sur la mercerie.

Dirai-je aussi ce souvenir? Mon frère René, mon « petit frère » (il était de trente mois mon cadet), a trouvé un jour le moyen de passer la tête entre deux de ces barreaux, mais pas celui de l'en retirer. Tout le personnel a défilé chez Louise, chacun essayant sa vigueur pour libérer le lamentable captif. Il a fallu la force herculéenne d'un tonnelier et d'un charretier-livreur pour enfin écarter ces fers et assurer la délivrance. Les artisans de ce temps-là travaillaient bien.

Le « rappel » terminé au mieux, l'aide-comptable regagnait, dans l'angle du magasin, la cage vitrée où Charles, le comptable en chef, compulsait à longueur de jour ses brouillards et son grand livre. C'était l'heure des haquets et des diables.

Ils roulaient bruyamment sur les briques du magasin, étouffaient leur vacarme en atteignant le plancher du quai. Quelques marches, un plan incliné pour les fûts donnaient accès au quai de charge, surélevé à juste hauteur pour être de plain-pied avec le plancher des tombereaux. Toute la cour alors s'animait. Aux mois des journées courtes, dans la nuit commençante, de grandes ombres passaient dans la lueur balancée des lanternes. Hubert, Michel, Gustave, Davron, Blondeau, Paturange, ils étaient tous nos amis. Nous disions en parlant d'eux « les Hommes ». Depuis ce temps, le mot a gardé pour moi quelque chose de charnu, de débonnaire et presque de monumental. A deux, ils poussaient les tombereaux vides à quai. Et ils « chargeaient », répartissant les sacs, les caisses, les pains de sucre drapés de papier bleu, les balais, les bougies, les casiers à bouteilles.

Nous entendions cette rumeur familière, roulements, tintements, voix humaines entrelacées, dans la quiétude de la salle à manger, sous la grosse lampe de la suspension. Le « Magasin » restait présent, circonscrivait autour de nous un cocon d'amitié, de magie toujours favorable, d'aventure toujours sans traîtrise. Nous le savions, mon frère et moi. Cela nous était dû, promis de toute éternité. Jusqu'au cœur de notre sommeil. Cette nuit même, bien avant l'aube, les hommes des tournées reviendraient atteler. Nous verrions sans nous éveiller la lueur des lanternes-tempête tourner lentement au plafond de notre chambre. Pareillement nous laisseraient endormis le pas pesant des percherons, le claquement de leurs fers au sortir de l'écurie, le ronflement puissant de leurs naseaux lorsque l'air du dehors les faisait s'ébrouer. « Tu dors, René ? » Pas de réponse. J'avais moi-même refermé les yeux. Mais j'entendais encore le grelottement de la clochette qui marquait l'ouverture du portail, et, de tout mon corps engourdi, suivais encore le pas du grand cheval, Pompon, César ou le Rouge, qui partait vers le vaste monde, les villages inconnus du Val, de la Sologne ou de la forêt sans rives.

Pourquoi ai-je écrit tout à l'heure, en hasardant un mot qui montait du plus profond de moi : « Je suis *tenté* de dire : " peuplé " » ? J'étais peuplé, je me peuplais de jour en jour, mon enfance était une vraie enfance, avide et tout entière offerte. On connaît le mot de Péguy, celui de Delacroix, le même, celui de Proust, de combien d'autres, le même toujours : « A douze ans, tout est joué. » C'est vrai, archivrai, encore plus. Mais il faudrait réinventer sans fin cette vérité pour chacun des « enfants » que l'âge d'homme a laissés survivre.

J'en suis toujours au Magasin. Les bâtiments étaient à l'angle de deux rues, la Grand'rue et la rue Saint-Nicolas. C'est le patron des mariniers, sa rue descend droit vers le Port et la Loire. Lorsque mon oncle, revenu du régiment, après deux ou trois ans d'association avec mon père s'est marié et a pris seul la direction de l'affaire familiale, c'est sur cette rue, face à la « cour aux vins », que mes parents ont fait bâtir la nouvelle maison des Genevoix. Ce devait être en 1896. Nous la retrouverons souvent.

J'avais alors six ans, j'allais en avoir quarante lorsque je l'ai quittée pour les Vernelles.

La « cour aux vins »? Elle était la seconde, séparée de la cour principale par deux vastes hangars, surélevés d'un étage auquel on accédait par des échelles de meunier. J'ai de bonnes raisons pour me rappeler ces échelles. Notre enfantin domaine, regorgeant de choses à manger, était pour les souris aussi une inépuisable cocagne. Elles s'y multipliaient allégrement, grignotant, couinant, trottinant. Leur pullulement attirait les chats du quartier. Allez savoir pourquoi : la chasse au chat me passionnait, une affinité élective sans doute, un amour instinctif qui ne savait pas encore son nom. Poursuivant un jour un matou et le serrant de très près, je l'avais vu feinter soudain, bondir vers l'une de ces échelles et la gravir quatre à quatre. Moi à sa suite, il va de soi. J'avais fini par le coincer dans le secteur des poteries, en retournant sur lui une grande jarre vernissée sur laquelle je m'étais assis. Déjà fier de cet exploit, à demi replié sur moi dans l'attitude du Penseur de Rodin, je méditais profondément sur les moyens de parfaire ma victoire et de la rendre mémorable. Le temps passait, le chat ne bougeait pas d'un poil. La patience des bêtes excède toujours la nôtre. Décidément à court d'inspiration, je gauchis quelque peu du séant et soulevai le bord de la jarre. Misère de moi! D'un coup de reins, le matou força le pertuis et jaillit d'un trait au-dehors. Déjà il touchait à la porte, mais j'étais dans l'instant à sa queue.

La suite ne prit pas deux secondes : il dédaigna l'échelle et, de quatre mètres, il sauta. Raisonnement éclair, éblouissant : « Tu te crois malin? Tu vas voir!... » Et j'étais à plat ventre dans la poussière du passage, encore surpris

de mon vol plané et regardant de tout près, qui goutte-
lait de mes narines, mon sang d'un si beau rouge emperler
les graviers épars. Un autre de mes oncles, le Dr Léonce
Brunet, médecin à Châteauneuf, raccommoda mon nez
cassé. Praticien hors de pair il dut s'en tirer au mieux,
car mon nez a tenu depuis.

Qu'il est donc dru et serré, ce tissu de la mémoire!
On le touche, on l'effleure à peine, et le voici tout entier
qui tremble. Cet oncle-là m'a sauvé du croup. Je reviendrai sur cette page. Et j'y retrouverai aussitôt un autre
oncle, Albert Genevoix, notaire à Champigny-sur-Veude,
en Chinonnais, que je vois me faire signe aux premiers
rangs de mon peuple secret.

En ai-je trop dit, déjà, du Magasin alors que j'y pénètre
à peine? Je laisse donc à imaginer, dédale ou labyrinthe
hasardeux, un quadrilatère claudicant de bâtiments et
d'appentis qui devaient s'arranger, tant bien que mal,
les uns des autres. Après les quais où l'on chargeait,
séparée d'eux par le portail couvert, c'était la haute et
sonore écurie. Elle nous était interdite et nous attirait
d'autant plus. Pour moi, qu'en ce temps-là déjà la puissance vitale, la force physique et l'harmonie des corps
emplissaient d'admiration, nos percherons, leur port
de tête, leurs naseaux dilatés où affleurait la roseur noire
du sang, leur croupe moirée, colline de muscles, les muaient
en créatures mythiques et m'inspiraient à leur endroit
une craintive idolâtrie. En ces années, à la campagne
et même à Paris, on pouvait encore parler d'une Civilisation du Cheval. J'avais une fois, avec mes parents, visité
une ferme de Beauce où chaque soir l'immense écurie
ralliait une cavalerie de quatre-vingts chevaux; je m'en
souviens mieux que d'hier. Avenue de l'Opéra, au lieu

23

des gaz d'échappement, on respirait l'odeur du crottin frais; et des vols de moineaux, presque entre les jambes du bidet généreux, s'abattaient sur le pavé de bois et picoraient à bec que veux-tu.

Une porte intérieure donnait accès de l'écurie à la sellerie, toute miroitante de cuirs et de cuivres. Haute de plafond, silencieuse, sanctuaire des grands colliers peints, ornementés comme des chasubles, elle m'eût fait penser à la sacristie paroissiale si l'odeur de la cire d'a-beilles n'y eût proscrit celle de l'encens. Par-dessus le portail, l'écurie, la sellerie, c'était une enfilade de greniers, de mansardes, livrée à nos expéditions clandestines. Glaciale l'hiver, torride dès les premiers soleils, il suffi-sait d'un pas lointain, du bourdonnement d'une mouche prisonnière pour faire se lever les fantômes et suspendre les battements de nos cœurs. Parfois, à travers le mur, nous percevions un gazouillis incroyablement aigu, néan-moins d'une douceur merveilleuse. D'où venu, de quel paradis? Il m'a fallu grandir, m'exiler de la première enfance pour découvrir un soir, de la rue, que ce murmure nombreux, confidentiel et tendre, venait des nids accro-chés là-haut, entre les chevrons et le toit : les hirondeaux bavardaient entre eux avant la nuitée de mai.

Le troisième côté de la cour me retrouve le nez par terre, entre les deux hangars de mon laisser-courre brisé. Au-delà c'était encore un autre monde, celui des fûts, des muids, des foudres et des bouteilles. Il a peut-être moins compté dans le déroulement de mes jours, peut-être davantage dans ma mythologie parallèle. Sans qu'il me fût besoin d'y hasarder mes pas, il était là, sous l'autorité de Davron, le maître tonnelier qu'assistaient Gustave, puis Édouard. Des « hommes » encore, avec leur poids charnel, leur épaisseur, la force de leurs bras, l'habileté de leurs mains ouvrières. Monde sonore, presque musical, chaque tonneau ayant sa voix propre pour répondre au frappement des battes. Nos tonneliers en jouaient en virtuoses, en mages de longtemps initiés, attentifs à tous les signes. La trogne rutilante de Davron, sa *mouche* de mousquetaire sous la lèvre, ses crins frisés en auréole, la mâchoire carnassière de Gustave, bleue le lundi en dépit du rasoir, noircissante du mardi au samedi, il me suffit de les revoir en moi pour que s'effacent quatre-vingts années de ma vie, pour que je tende encore l'oreille au chant rebondissant des futailles, xylophones géants, tympanons, sous les battes de nos tonneliers.

Oui certes, et qu'on en soit témoin, j'ai conscience de ne pas refréner autant qu'il conviendrait sans doute tout ce que vient me dicter une mémoire intempérante. Et pourtant, je vais persévérer. Diaboliquement? J'espère que non. Je ne plaiderais coupable que si, venu l'instant de ponctuer ma dernière ligne, je n'avais pu donner à sentir l'appartenance la plus certaine, la mieux vivante dans son intemporalité, de l'écrivain que j'allais devenir, et que j'aimerais demeurer aux yeux de ceux qui me ressemblent.

Aussi bien ne me reste-t-il plus qu'à m'aventurer dans les caves, plus labyrinthiques encore que le dédale de la surface. L'ombre d'abord, la nuit maléfiquement diurne, de loin en loin la lame bleu stellaire dardée d'en haut par un soupirail, une luisance qui s'allume sur une coulée de salpêtre, et de nouveau le linge noir des ténèbres qui revient coller au visage. Parfois un souffle passe, qui couche la flamme du rat-de-cave. Alors : « Donne ta main... » Car, Dieu merci, je ne suis pas seul : il y a là un homme, l'un des hommes, qui me précède, me guide et me protège. Sa paume calleuse a la solidité du roc, mais elle est tiède. Sa voix est grave et caverneuse, mais je le sais : ce sont la bonté, la sagesse qui l'alentissent de la sorte pour que je l'entende plus longtemps, et qu'ainsi mon angoisse devienne enthousiasme et bonheur.

Que le vieil homme qui parle aujourd'hui, encombré de lectures et de réminiscences, hasarde un commentaire sur « l'autre côté du miroir » (par exemple), aussitôt cette voix d'outre-tombe ressuscite et vient animer l'obscurité qui règne ici, interminablement, dans les caves du Magasin. « Mais tu y es, petit, dans ces caves! Tu y es, de l'autre côté! Avec ton '' Père Pascal '', l'homme caparaçonné de cuir et masqué de treillis noir, l'homme de la limonade et des siphons qui éclatent, le grilleur de café du samedi. Et tu t'en souviendras toujours. »

Depuis, vers l'an 1903, un jeune contremaître audacieux, un enfant de Châteauneuf, a doté sa petite patrie de la première « usine électrique ». L'autre côté a reculé d'autant. Mais c'est peut-être le Père Pascal, encore, qui m'a dit de sa voix lente, un samedi de mai où il « brûlait », où l'odeur du café grillé emplissait tout le quartier : « Écoute... » Et rien de plus; mais au juste moment. Il a suffi pour qu'il ait eu raison, il suffira toujours d'écouter à travers le mur le chuchotement d'une couvée d'hirondeaux qui parlent dans le secret d'un nid.

Cette « usine électrique », ce novateur castelneuvien m'ont-ils téléguidé, plus tard, vers *Marcheloup* et les Chambarcaud? Ce n'est pas à moi d'en débattre, encore moins d'en décider. Aussi bien, ce sont là questions mineures, qui relèvent à mon sentiment de curiosités secondaires, de manies où je reconnais, provincial impénitent, la

genèse et les processus des commérages de porte à porte
Mettons, et pour n'en plus parler, qu'il s'agit là d'un jeu
et qui en vaut bien d'autres, une fois admis que les joueurs
s'y plairont sans pour autant se pousser du col, ni s'interdire les illusions, les postulats du « tout est dans tout »,
éventuellement les canulars. En revanche, je veux avoir
dit, et pour n'y pas revenir davantage, le dessein et le
souhait profond qui m'assistent en ces rencontres et
m'encouragent à les poursuivre : partager, n'aller ainsi
au-devant de moi au fil des jours qui m'ont été donnés,
n'y poursuivre ma ressemblance que pour marquer une
dernière fois, pendant qu'il en est temps encore, l'aloi
du témoignage qu'auront laissé mon passage et ma vie.

Comme le chat Rroû aventuré loin du grenier natal
et rasé au bord du trottoir, comme les grands chevaux
des tournées à l'instant de franchir le portail, me voici
à l'air de la rue, et c'est Louise qui me tient la main.
J'ai trois ans, je suis encore en robe. Et pourtant je suis
déjà un « ancien » de l'Asile. On nomme ainsi l'école
maternelle; j'y suis entré à vingt-deux mois, au temps des
demoiselles Grégoire. Cette année, depuis la rentrée,
c'est Mademoiselle Octavie qui nous régente, aidée par
une toute jeune adjointe qui s'appelle Mademoiselle
Suzanne.

— Faites bien attention! dit Louise. Toi, Hélène,
qui es grande... Je te confie Cécile et Maurice.

Hélène, Cécile, ce sont deux voisines. Rituellement,
quatre fois par jour, on nous confie ensemble à Louise
pour le parcours du Magasin à l'entrée des Petits-Sentiers.

Guère plus d'une quarantaine de mètres, mais il faut traverser la rue. Ces petits sentiers viennent de l'est, du Mont-aux-Prêtres, un tumulus du temps des druides. Ils coupent la rue Saint-Nicolas et s'enfoncent au cœur du bourg. Sinuant alors au revers des maisons, bordés de jardinets à laitues et à fraisiers, de haies folles, de chantiers herbus où gisent les grumes des scieurs de long, ils coulent à travers la cité un souvenir de campagne et d'espace qui les rend à leur nom et à leur vrai destin : Sentier de Roanne à la mer. Nous le suivons, tous les trois, en trottinant. Hélène, sérieuse et pâle, nous appelle « les enfants ». Cécile est rieuse, joufflue, vermeille : elle est mon premier amour. Le second ne tardera guère, et non plus le troisième sans doute. Mais chaque amour en son temps.

Nous sommes partis d'assez bonne heure pour n'avoir guère à nous soucier d'une ponctualité laïque et obligatoire. Même pour de petites jambes, il ne faudrait que cinq minutes pour atteindre la « grille du fond », qui donne sur les Petits-Sentiers. D'autres enfants — *gars* et *bouelles*, disons-nous — nous ont rejoints, chemin faisant. On jacasse. On suit des yeux, le printemps venu, le carabe doré qui traverse, les piérides blanches sur la haie, on cueille aux rejets d'acacias les feuilles tendres qu'on serre entre les pouces et qui, sous nos souffles inépuisables, vibrent et strident à déchirer les tympans. C'est une fanfare qui pousse la grille du fond et qui fait son entrée à l'Asile.

Aujourd'hui, dans ce musée intérieur et secret qui rassemble confusément les souvenirs et les symboles, dans cet autre côté traversé de lueurs soudaines, si bellement bleues dans la pénombre, c'est cette vision qui vient éclairer glorieusement les profondeurs de la cave. L'instinct de liberté qui m'a toujours habité, qui m'a guidé aux heures des choix comme un bon et sûr compagnon, c'est au fil des Petits-Sentiers que j'en retrouve invinciblement l'image exaltante et parfaite.

Elle en appelle aussitôt une autre, non moins signifiante à mes yeux, et que je cueille joyeusement au passage. Mademoiselle Suzanne, l'adjointe vouée aux « débutants », nous lut un jour une fable de La Fontaine, celle de la Grenouille et du Rat. Puis, ayant lu, elle s'approcha du tableau noir, à la main une caissette débordante de craies de couleur, qu'elle posa sur une chaise, à sa portée. C'était l'hiver. Elle avait gardé sur les épaules une longue pèlerine à grand col, vert bouteille, doublée d'un écossais à carreaux rouges. Elle n'était certes pas belle, de petits yeux, un visage sanguin que le froid rendait vultueux, et de vilaines engelures aux mains.

Or, l'une de ces mains effleurait le tableau, reprenait dans la caissette un nouveau bâton de craie et revenait au tableau noir. Je regardais, intrigué, déjà séduit par le ramage informel des ocres, des bleus d'azur, des verts tendres. Et voici que tout à coup, oui, presque instantanément, né de cette surface morne et morte, un miracle fleurissait sous mes yeux. Ce bleu devenait un étang, et ce vert de grands roseaux; et la main de Mademoiselle Suzanne, ayant passé sur eux comme une caresse, faisait se balancer sur le ciel, brunes, veloutées, les quenouilles dont elle les couronnait.

Une angoisse délicieuse me serrait la poitrine. J'entendais l'étang clapoter. Je voyais à présent la grenouille, elle aussi surgie du néant, passant et raidissant sur son épaule, comme la *bauline* des haleurs de bateaux, la queue

du rat. Pauvre rat! Lui aussi je le voyais, je l'entendais :
il criait, traîné sur le dos. Et déjà, point roux en plein
ciel, le milan apparaissait, grossissait, grossissait, et fon-
dait, les serres ouvertes, sur la grenouille et sur le rat.
J'eusse voulu tout ensemble adjurer Mademoiselle Suzanne
de s'arrêter, de faire grâce, et baiser les engelures de sa
main.

Plus tard, longtemps plus tard et jusqu'à hier encore,
chaque fois que la même angoisse, violente et douce,
est venue, comme le milan, fondre sur moi, j'ai revu
Mademoiselle Suzanne et mon cœur a battu vers elle.
Il n'y aura fallu rien de moins que les chefs-d'œuvre
de l'art humain, mais l'union de cette transe de tout l'être
et de ce signe venu de ma première enfance ne m'a jamais
déçu ni trompé.

Dès l'Asile, tout Châteauneuf m'était donné, apporté
par ses marmots; tous ses quartiers, la Bonne-Dame et
le Coteau, la Croix-de-Pierre et le Petit-Hameau, le Port
et la Pissason; avec ses trois ou quatre mille « âmes »,
ses vignerons, ses pêcheurs, ses artisans et ses notables,
ses marchands et ses gendarmes, ses pauvresses, ses
instituteurs, son cuirassier de Reichshoffen, son séna-
teur-maire et son curé. Quelle admirable diversité! Quelle
galerie de types humains! Dans ma jeunesse, au temps
où l'on enfante chaque matin une École, un truc en
néo ou en isme (cela n'a pas été mon cas), j'avais au
moins songé à centrer autour d'un clocher tout un cycle
de romans, chacun d'eux autonome, libre dans le choix
des personnages, des milieux, des époques, mais tous
ancrés à cette tour carrée, à son clocher dardé au-dessus
des abat-son, que j'ai vus toute ma vie pointer au bout de
la Grand'rue, en plein ciel, sur la houle des toits. D'au-

cuns penseront : au fond, c'est bien ce qu'il a fait. Et
j'en conviens, malgré tant de fugues à travers les années
et le monde, dans la mesure où j'ai été requis, ensemencé
(rappelez-vous), peuplé par mon enfance à Châteauneuf.

Il est difficile aujourd'hui, et même aux survivants
de ces temps prodigieusement lointains, de seulement
imaginer les modes de vie, le rythme des jours et des
mois dans une petite ville française avant l'avènement
de ce siècle. Bergson, dans *les Deux sources de la morale
et de la religion*, a parlé de ces étroites collectivités distinctes, particularistes et jalouses, un peu repliées sur elles-
mêmes pour se mieux garder des contagions, des influences,
et pour en dire qu'à son jugé elles restaient inspirées par
le sentiment partagé d'un conformisme salutaire, en harmonie avec la nature de l'homme. Elles avaient leurs
défauts, leurs tares trop facilement acceptées, par exemple
un paupérisme résigné, silencieux, dont la conscience
des moins pauvres et des riches se souciait une fois dans
l'année, à la Noël : une pipe en sucre pour les petits,
quelques décimes, un sachet de tabac pour l'homme,
une orange, et l'on se tenait quitte.

Il y avait, tout au bas de notre rue Saint-Nicolas, caché
derrière quelques façades neuves, un amas de masures
misérables qu'on appelait la Cour des Miracles. La tuber-
culose y tuait beaucoup de jeunes. Les vieux, les vieilles,
c'était la pneumonie, dans les taudis sans feu, quand la
terre gelée est de pierre, sans les mâches et les pissenlits,
les champignons roses des jachères, les grandes feuilles
tombées des platanes qu'on enfile en longs chapelets pour
les vendre aux fromagers : quelques sous grappillés çà
et là, de quoi juste ne pas mourir de faim. Là vivait aussi
le pêcheur de grenouilles, familier des mares forestières,

31

des laissées de la Loire dans le « rio », un riche à la saison des coassements et des amours : « Dix sous le quarteron, madame; et vingt-six pour vingt-cinq, comme d'habitude. » Tout ce petit monde allait se retrouver dans mes livres tel que l'avait vu mon enfance, tant il est vrai que les « douze ans » de Charles Péguy et des autres marquent véridiquement une borne et un passage ensemble; et plus véridiquement encore lorsque l'histoire des hommes précipite soudain son rythme et bascule vers des horizons inconnus.

Je retrouverai à coup sûr l'occasion de revenir sur ce sujet. C'est le 2 août 1914 que je situe personnellement le point de rupture dont nous allions être, plus que les initiateurs conscients, les jouets et déjà les victimes. Longtemps après la guerre, frappé par la réalité d'un oubli qu'accélérait de jour en jour la disparition des témoins, j'ai délibérément revécu, la plume à la main, dans un Châteauneuf plus semblable à ce qu'il avait été sous le panache du roi Henri IV qu'à ce qu'il était devenu sous le gibus d'Albert Lebrun. *Au cadran de mon clocher*, à cet égard et dans un tout autre registre, c'est un peu une suite à *Ceux de 14*, une sorte de reportage, en somme; moins inspiré, je crois, par la nostalgie d'un homme fait, vieillissant, que par le même désir de perpétuer ce qu'il tenait déjà pour mémorable au temps où quelques pêches tombées, un verre de lait savourés dans une ferme pendant une promenade à vélo avaient le goût même du bonheur.

Et mes parents, mon as-cen-dan-ce? En bonne logique, c'est par là que j'aurais dû commencer. Hélas! Je n'ai pas cette logique. Et pis : je ne veux pas l'avoir. Dans le monde où j'ai voulu rentrer, les pistes s'entrecroisent souvent. J'essaierai de les démêler sans pour autant (comme disent, et bien disent, les veneurs) « prendre le change ».

Mon oncle Albert Genevoix, frère cadet de mon père, a été sa vie durant notaire à Champigny-sur-Veude. C'est un village du Chinonnais, proche de la Devinière où naquit François Rabelais. Plus tard, lorsque j'ai connu l'épopée de la grande guerre picrocholine, cet oncle a réincarné à mes yeux l'un de ses plus truculents héros : frère Jean des Entomeures. Très corpulent, gros mangeur et gourmet exigeant, grand amateur des vins rouges du terroir (« jus de la treille » où le raisin semble s'écraser encore), insatiable lecteur, peintre du dimanche et, dès qu'il lui chantait, des autres jours de la semaine, chasseur de race, curieux de tout — et j'en passe —, adroit, agile, soucieux de plaire, insoucieux d'une « opinion » publique dont il savait, professionnellement, les secrets et les dessous, il avait su organiser sa vie en sauvegardant au moindre mal sa fantaisie et sa liberté.

Loin de moi la pensée d'esquisser entre lui et moi un parallèle plus ou moins tendancieux ou forcé. Qui, parmi ceux qui me connaissent, me verrait par exemple sous les espèces du gros frocard des Entomeures ? L'oncle Albert, lui, pesait en kilos à peu près ce que je pèse en livres. Mais à mesure que je prenais de l'âge, je devais constater, une à une, assez d'affinités pour reconnaître de lui à moi une espèce de filiation latérale. C'est en tout cas ce sentiment qui m'incite à pousser un peu l'esquisse que m'inspire sa personne à l'instant où je la rencontre.

33

Il était donc notaire. Entendez que, très bon juriste, il a su dénicher par deux fois et « former » l'oiseau rare dont il a fait son principal, son substitut et son homme de confiance. Le premier ne l'a quitté que pour prendre à la fois une épouse et une étude; le second s'est marié aussi, mais il est resté fidèle à l'étude de « Maître Genevoix », du père d'abord, du fils ensuite, mon cousin Charles, « successeur de son père » dans la bonne tradition. Bonne tradition aussi la compétence du principal et la confiance qui lui était faite. Qu'un problème vînt à se poser, un *hic* fortuit qui troublât le train-train, il suffisait de « demander conseil »; et aussitôt, le pinceau suspendu au-dessus de la toile ébauchée, ou l'index marquant la page du roman à demi refermé, l'oncle méditait un instant; et le conseil tombait de sa bouche oraculaire, décisif et clairement formulé.

Tel était l'homme qui se plut un temps, entre un tableau et une lecture, à prospecter à travers les générations et les siècles jusqu'à nos origines françaises. Cela le mena à Genève, où il arrêta ses recherches : la Suisse ne l'intéressait plus. Il s'en tint à la Marche creusoise, à Dun-le-Pallestel et à La Celle-Dunoise, où le premier aïeul de nous connu, ayant trouvé le refuge et l'accueil, reçut son surnom de Genevois et devint citoyen français. Cela date des années 1550-1560.

Si l'oncle Albert a jamais décelé le nom suisse qui fut autrefois le nôtre, à supposer qu'il me l'ait dit, j'avoue que j'ai oublié. Je me rappelle fort bien, par contre, les termes même de son commentaire, la fierté de sa voix lorsqu'elle le formulait : « Un homme de caractère, disait-il, qui entendait ne plier les genoux que devant les autels de sa foi. » Catholique fidèle et résolu? « Libertin » de Genève? Ce n'était pas incompatible. L'air du Léman devait peser lourd lorsque Gruet mourait sur le billot et Servet sur le bûcher.

Genevois donc, la famille des Genevois. Et Léonard le chef de famille, « marchand drapier », le premier en date; car il y en eut d'autres jusqu'à mon arrière-grand-père, marchand drapier à La Celle-Dunoise sous les Bourbons et les Orléans. Mais Genevoix? Pourquoi cet x? C'est un signe d'adoption, ou d'annexion par une province, la désinence du pays des châtaignes, de Limoges à Saint-Yriex, à Malvaleix. J'ai dit un jour à André Chaumeix, dont l'amitié contribua pour beaucoup à m'attirer d'abord vers l'Académie française, puis à m'en ouvrir les portes : « Savez-vous que nous sommes creusois, vous et moi? — C'est vrai, reconnut-il. Mais de qui l'avez-vous appris? — De votre nom, de l'x qui le parafe. » Le père de ma grand-mère paternelle s'appelait Montanceix, avec un x. Devenu chirurgien-chef des hôpitaux de Limoges, il était né un peu plus au sud, à Thiviers, en tirant vers le Périgord noir : il y a aussi des châtaigniers par là.

J'ai vu, enfant de Châteauneuf et de Decize, la vieille maison aujourd'hui séculaire qui fut bâtie par mes aïeux. Ma mémoire la revoit vénérable, patinée par les ans, tout entière reflétée par la Creuse qui vient presque baigner son seuil. Cet accord de reflets, de courants et de feuillages, cette rumeur d'eaux vives que retrouve aussi mon oreille et qui vient exalter toute cette pure alacrité, autant de signes où quelque chose en moi reconnaît une patrie et s'émeut. Il y avait, lors de ma venue, tout un faisceau de cannes à pêche contre le mur du vestibule. Longtemps, l'un de mes rêves familiers allait me dédoubler, spectateur de moi-même, penché la gaule en main à une fenêtre de l'étage, le visage illuminé par des ricochets de soleil, ferrant et remontant des truites miraculeuses, et heureux. L'autre moi qui me regardait était un peu jaloux de moi.

Qui a dit qu'au-delà des grands-parents la notion, voire le sentiment d'une généalogie familiale relèvent d'une historicité qui presque toute échappe au vivant? En ce qui me concerne, c'est vrai. Je n'ai connu mes arrière-grands-parents que par les ouï-dire familiaux. Ainsi le Dr Montanceix resta toujours pour moi un mythe; ce sont les propos de mon père, c'est sa parole vivante qui viennent d'appeler sa présence : « Tu ne peux pas savoir à quel point tu lui ressembles. Silhouette, traits du visage, timbre de la voix, tempérament et jusqu'au caractère... » Il n'allait pas plus loin et je ne l'interrogeais pas plus avant. Nous savions l'un et l'autre à quoi nous en tenir et nous trompions, sans doute, tous les deux.

Je retrouverai bientôt mes grands-parents. Mais je voudrais d'abord évoquer un autre de mes oncles, beau-frère de l'oncle Albert et de mon père par son mariage avec une de leurs sœurs, Marguerite Genevoix. Jeune médecin, interne des hôpitaux de Paris, il l'avait épousée très jeune, sans fortune; et la naissance d'un premier enfant allait bientôt hâter la recherche d'une clientèle. Le Dr Léonce Brunet la trouva à Châteauneuf. Enchaînements : Gabriel y vint voir sa sœur, fit amitié avec le beau-frère, revint, rencontra Camille, s'éprit d'elle, de lui bientôt éprise, l'épousa, et je naquis. C'est une raison suffisante pour me garder ici d'omission. Mais il y en a d'autres, où le hasard et la nécessité ont moins de part que la bonté, le dévouement, le cœur d'un homme. Le

36

Dr Brunet, quatre ans après m'avoir mis au monde, allait me sauver la vie.

Pendant l'hiver de 1894, j'avais contracté le croup. « Monstre hideux, épervier des ténèbres... » Les mamans d'aujourd'hui auraient peine à imaginer l'épouvante des parents d'autrefois, s'ils venaient à entendre, dans la gorge de leurs enfants, « l'affreux coq du tombeau chanter son aube obscure ». Que l'émouvant poème de Hugo en porte pour eux témoignage. Lorsque mon oncle Brunet est mort, je venais d'avoir six ans. Mais Dieu sait si je me souviens de lui! Puissamment « corporé » (c'est un mot maintes fois entendu dans le parler de ma bourgade), il imposait d'entrée par sa personne physique, sa stature, sa tête au crâne volumineux, ébouriffé, encore chevelu mais dégarni du front et promis à la calvitie; et surtout par un regard incroyablement pénétrant dont un chacun pouvait sentir d'emblée la clairvoyance et l'autorité.

Il me soigna comme il savait le faire, en s'y jetant de tout son être, avec violence, avec foi, je devrais dire : avec fureur. Avouerai-je qu'il m'épouvantait? Je n'étais pas un patient facile. Tour à tour crispé, frénétique, serrant les dents contre le viol de la canule abominable, échappant aux bras de ma mère, à l'étreinte tremblante de mon père, insensible aux prières, aux menaces, révolté, irréductible, je provoquais chez le médecin des crises d'une colère désolée, car il savait que la mort était là. Il fallut faire appel à deux hommes du Magasin pour avoir enfin raison de ce petit corps forcené. Ai-je rêvé plus tard, au temps du catéchisme, de l'enfer et de ses supplices? Alors j'y ai certainement vu, parmi les instruments de torture, un irrigateur de cuivre rouge, un tube souple d'un vert reptilien qui se noue à mon cou et m'étouffe, une canule d'os d'une blancheur macabre, et senti en jaillir jusqu'au fond de ma gorge, amer, affreusement astringent, et qui brûle, le poison dont je vais mourir.

Des voies de mon salut, je ne me rappelle rien. Ce que j'en sais m'a été rapporté. Peut-être en désespoir de cause, peut-être obéissant à une décision réfléchie, mon oncle recourut au sérum du Dr Roux. En 1894, dans un chef-lieu de canton rural, il y fallait une prescience quasi divinatrice. Sauf erreur de ma part, la découverte de Roux date de cette année-là. L'avoir seulement et tout de suite connue, c'est un signe. Trancher en conséquence, persuader mes parents, reprendre contact à l'Institut Pasteur avec d'anciens camarades d'internat, y dépêcher mon père d'extrême urgence, m'injecter le sérum à l'instant même de son retour, il y fallait une personnalité non commune. Ma guérison, sa promptitude parurent presque miraculeuses. Deux ans plus tard, le Dr Brunet mourait, surmené, à bout de forces, ayant voué et consumé sa vie à soigner et à guérir.

Pas de repos, jamais. Debout à chaque premier appel, de jour, de nuit, balancé sur les routes dans son cabriolet, à pied l'hiver dans les traverses à ornières, de seuil en seuil, de métairie en métairie, déjà malade, écrasé d'insomnie, il continuait d'aller, d'assister, d'encourager, d'aider à vivre. Coléreux, violent, passionné, on eût dit qu'il avait, contre la maladie et la mort, un compte personnel à régler; mais dans l'action toujours maître de lui. La petite ville l'avait choisi pour maire. Elle l'a unanimement pleuré. Et elle a voulu le garder. Mais qui, après quatre-vingt-quatre ans, s'y souviendrait encore de lui? Sur la dalle du tombeau qu'elle lui a donné, les lettres de son nom se sont peu à peu effacées. Nous sommes deux à nous rappeler encore : son dernier fils, presque nonagénaire, et moi.

Nous avons eu à Châteauneuf, pendant toute notre enfance, trois maisons : celle qui attenait au magasin et à ses cours; et, lorsque mon oncle maternel y installa son jeune ménage, celle que mes parents firent bâtir dans la rue Saint-Nicolas, face à la cour aux vins et à ses chais; celle enfin de mes grands-parents maternels, à peine plus loin dans la Grand'rue et dont je n'ai encore rien dit. Elles n'étaient pas à cinquante mètres les unes des autres; à vrai dire elles se touchaient, elles n'étaient qu'une, tout entière livrée à nos tendresses et à nos jeux. J'ai eu pendant toutes ces années, j'ai encore lorsque je me souviens, le sentiment chaleureux d'une solidarité étroite, naturellement constituée, agrandie, et d'ailleurs indestructible. Les sautes d'humeur, les petites piques passaient comme nuées de printemps. Elles aussi me semblaient naturelles, inscrites dans un rituel établi de toute éternité. Par exemple : « Curieux, disait mon père. Chez ma belle-mère, tout ce qu'on sert a le même goût : lapin, poulet, mouton ou veau, pigeon ou perdrix, rôti, bouilli, en sauce ou frit, le même goût ex-ac-te-ment. » C'était une espèce de comptine. J'y percevais désagréablement un relent d'injustice ou de partialité, mais lui passais, par indulgence, cette manie dominicale.

Chaque dimanche soir nous dînions ensemble, réunis autour de la table dans la salle à manger des grands-parents. Nous étions dix, quatre Genevoix, six Balichon :

le jeune ménage de l'oncle et bientôt leur premier-né André, grand-père, grand-mère et leur plus jeune fille, Marie, de dix ans la cadette de ma mère. Fine, un peu effacée, sensible et tendre, nous l'aimions comme une sœur aînée, mais si proche... Pourquoi, lorsque je revis ces dîners du dimanche, me ramènent-ils toujours vers l'hiver? Peut-être justement à cause du sentiment profond de réunion et d'intimité qu'ils m'inspiraient lorsque j'étais enfant. Au-delà des fenêtres et des volets étroitement clos, c'était la nuit noire et le gel. Mais ici, malgré les engelures que la chaleur faisait bouillir, qu'on était bien! Les boulets rougeoyaient dans la cheminée prussienne, de loin en loin se tassant tout à coup dans un léger bruit d'effondrement. Sous la lumière de la suspension, l'on distinguait un à un les visages, on les reconnaissait pour siens.

Grand-père d'abord, peu loquace, mais attentif, toujours écouté en silence dès qu'il prenait la parole. De petite taille, strict, très droit, toujours cravaté de noir, et d'ailleurs peu enclin au rire, toute sa menue personne inspirait le respect tant on sentait chez lui, dès l'abord, le souci et le respect d'autrui. Son père, officier de santé, grand amateur et connaisseur de simples, avait dû, pour des raisons de famille qui échappaient à mon entendement, prendre la direction et la responsabilité du négoce héréditaire, et il s'y était fourvoyé. Le partage était impossible entre des affaires difficiles et sa boîte verte d'herboriste. C'est à celle-ci qu'il retourna, et au recueil superbement relié — veau et vélin — où il notait d'une écriture admirablement moulée les vertus thérapeutiques de la jusquiame et de l'aconit. Son fils, très jeune encore, dut se vouer à rétablir une situation reconnue tout à trac et jugée « fâcheusement compromise ». Il y fallut presque toute sa vie d'homme. Du moins y parvint-il intégralement, remboursant franc à franc la troupe des créanciers de tout bord, scrupuleusement : « jusqu'au dernier sou », disait-on, en ces temps où la moralité commerciale n'avait pas encore évolué.

J'étais sensible, quant à moi, au prestige qui l'entourait. Ce n'était pas encore, en province surtout, cette « fin des notables » dont Daniel Halévy s'est fait depuis le chroniqueur. Lorsqu'il traversait Châteauneuf pour se rendre à la mairie — il était adjoint au maire —, pas un passant qui ne le saluât. Il rendait le salut, à chaque fois se découvrant. L'un de nos voisins, un riche, un bourgeois, se contentait en l'occurrence de porter une main désinvolte à la ganse de son chapeau melon. On l'avait surnommé *Chapeau-de-plomb* : il n'a jamais été tenu pour un notable.

Une seule fois j'ai vu rire mon grand-père, ce qui s'appelle rire, presque aux éclats. Il avait pris la curieuse habitude de se balancer sur sa chaise, discrètement, en s'appuyant du bout des doigts contre le bord de la table. Comment s'y prit-il ce soir-là ? Le fait est qu'il s'escamota. Il était là, il n'y était plus. Un premier temps nous vit tous debout, un second au bord d'un scandaleux désordre, les uns se précipitant, les autres scrutant d'avance les ténèbres de dessous la table. Mais le vieil homme nous devança tous, sa tête d'abord émergeant, qui semblait posée sur la nappe, hilare comme nous ne l'avions jamais vue. Le buste suivit dans l'instant. Notre jeune tante, filialement, avait relevé la chaise. Assis, réintégré au cercle de famille, le fugueur continuait de rire inextinguiblement : et nous, ainsi autorisés, nous rîmes aussi, et de bon cœur.

41

Entre tous nos dîners du dimanche, celui-là est resté mémorable, de tous et de loin le plus gai.

Notre langage était mieux que correct, puriste jusqu'à l'abus. Un mot trop familier échappé à mon frère ou à moi était non seulement repris, mais châtié. « Flûte! » était toléré. « Zut! » entraînait sommation immédiate. Tandis que le coupable obtempérait, contournant les dos des convives pour se présenter à son censeur et juge, celui-ci serrait un nœud à un angle de sa serviette et le châtiment tombait à l'instant même de l'arrivée : la serviette-knout cinglait les fesses, les coups comptés à partir d'un barème secret dont la clé nous a toujours échappé. Je dois dire que ni mon frère ni moi ne redoutions la punition : si le cher homme croyait frapper fort, il se trompait. Mais j'ai tendance aujourd'hui à croire qu'il le faisait exprès.

Au dire de son mari Florimond, grand-mère, grand-mère Clotilde « était la faiblesse même sitôt qu'il s'agissait de ses petits-enfants ». Elle les gâtait au fil des jours, sans même se rendre compte, la chère femme, « qu'elle les gâtait ainsi *ad aeternum*, pour leur malheur de futurs hommes et, qui sait? de leur descendance ». J'étais son petit-fils premier-né. Elle en avait gardé, en ma faveur, un faible qu'elle ne cachait qu'à peine. Je n'avais pas tardé à m'en apercevoir et à en tirer aussitôt quelques conclusions personnelles. Maintenant que je suis son aîné de quinze ans, il ne me semble pas que ses « gâteries » d'autrefois aient jamais eu la moindre part aux « malheurs » qui allaient traverser, comme toute vie, ma vie. Ma mémoire m'en persuade à l'instant où elle ressuscite — madeleine de Proust inattendue — l'image, dans un garde-manger suspendu à l'entrée de la cave, de trois feuilles de laitue

confites et d'une corne d'omelette froide sur une soucoupe
à bordure rose. Restes de la veille ? Que non pas ! Friandises
à moi seul destinées et deux fois, de ce fait, succulentes.

Écoliers, chaque jeudi, notre couvert est mis dans
la salle à manger des dimanches soir. Mais ce jour-là,
« jour sans école », il y a toujours du soleil. Grand-père
lui-même, comme par contagion, a de la joie sur le front,
dans les yeux. Il s'en ira d'ailleurs sans bruit, on dirait
sur la pointe des pieds, après avoir plié sa serviette et
essuyé, à petits tapotements, son épaisse moustache en
brosse. Le soleil à travers la rue, par-dessus les toits d'en
face, crible à longs rais les rideaux de guipure : le cartel
va marquer une heure. Nous guettons le premier coup
de sonnette, le loquet de la porte extérieure qui s'ouvre,
le clop-clop des galoches enfantines sur les dalles du
vestibule. C'est le voisinage qui s'engouffre. Vivent désormais la cour, la remise et son grenier, les « massifs »,
les cachettes du jardin ! Tout est nôtre, tout est livré ;
que le seul monde soit notre monde !

Pauvre grand-mère Clotilde ! Elle comprend tout. Elle
nous aime jusqu'à s'effacer. Petite, boulotte, le teint
clair, les joues en fleur, les yeux bleus et plus bleus encore,
aussi prompte aux larmes qu'au rire, elle a gardé en
elle intacte une fraîcheur d'enfance qui la met de plain-
pied avec nous. Ce n'est pas toujours réciproque. Il m'arrive de m'étonner devant une compréhension si entière
et si proche qu'elle lui ouvre, seule entre toutes les grandes
personnes, les portes du « Jardin dans l'île ». Et elle est
vêtue de noir, la tête toujours couverte du bonnet des
vieilles dames, noir aussi, où brillent des paillettes de
jais. Son âge ? Guère plus de cinquante ans. Vieille dame
donc, en dépit du paradoxe qui abolit entre nous toute

43

frontière. Mais quels ne sont pas ma stupeur et mon trouble, presque au bord, je le confesse, du scandale et de la réprobation, le jour où...

J'avais peut-être sept ou huit ans. Quelque événement familial, le mariage de mon jeune oncle ou le baptême de son fils nouveau-né, avait appelé chez elle la femme de notre coiffeur, Mme Blanche. Signe des temps : qui eût cherché, à Châteauneuf et à Orléans même, un salon de coiffeur pour dames? Lorsqu'une solennité l'exigeait, Blanche se rendait à domicile. Elle officiait, en l'occurrence, dans la chambre de grand-mère. C'était l'après-midi, la chambre eût dû être déserte. Emporté dans quelque partie de cache-cache ou quelque course-poursuite, j'en poussai violemment la porte, et restai interdit sur le seuil. Grand-mère, assise, me tournait le dos, à demi cachée par Blanche dont les mains s'activaient sur sa tête. Sur sa tête délivrée du tulle noir et du jais, et qui libérait à mes yeux une chevelure royale dont les ondes ruisselaient sur ses épaules, le long de ses reins, superbement. Je dus rougir et balbutier, je refermai doucement la porte, plus que confus, honteux, coupable d'avoir découvert malgré moi, en grand-mère Clotilde, une femme.

L'autre grand-mère, c'est grand-mère Marie, née Montanceix, femme de mon grand-père Genevoix. Ils vivaient à Champigny-sur-Veude, près de leur fils Albert, dans une belle maison de tuffeau qui s'ouvrait sur la rue des Cloîtres. Nous n'y allions qu'une fois l'an, pendant les vacances d'été. Deux cents kilomètres, avant la révolution des voitures sans chevaux et du goudron sur le macadam des routes, c'était alors cinquante lieues pleines, une grande distance : il y fallait huit heures et trois changements de train, à Orléans, à Tours, à Chinon. Dès que le tortillard, vers trois heures de l'après-midi, crachait sa grosse fumée sous les peupliers de la Veude, mon frère et moi courions à la portière pour apercevoir du plus loin, menue, vêtue de noir elle aussi, un peu voûtée, la silhouette de grand-mère Marie. Elle rayonnait. Les bandeaux bruns de sa jeunesse avaient blanchi, mais ses yeux avaient gardé l'éclat, la vivacité expressive d'autrefois. Si je pense à elle aujourd'hui, c'est pour me dire, à la lumière de ce que j'ai vécu, que s'il m'a été donné de respirer, passant de quelques jours, le même air qu'un vivant aussi proche de la sainteté, ç'a été auprès d'elle, à Champigny. Je ne le savais pas, et pourtant... Percevoir une aura, son rayonnement secret inexplicablement sensible, par un soupir, un silence, une paupière qui s'entrouvre, un regard où vient passer quelque chose qu'on n'oserait nommer mais qui murmure tout bas son nom : amour, abnégation, charité... n'est-ce pas savoir ?

Elle était pieuse profondément, mais toute donnée au siècle, fût-il douloureux ou cruel. Son fils, en décembre 1892, avait vu mourir sa jeune femme d'une fièvre puerpérale. Elle lui laissait un petit garçon, Paul, de deux ans mon cadet, et que je devais retrouver, dix ans plus tard, interne comme moi au lycée d'Orléans. Mon grand-père, alors pharmacien à Paris, céda son officine et rejoignit sa femme à Champigny. Il y est mort quatre ans après, septuagénaire. Je me rappelle un vieillard chenu, les joues, les tempes d'un blanc neigeux, le crâne caché sous une calotte de soie. Toujours assis, les jambes enveloppées d'un plaid, grand-père noblement hugolien, il nous attirait contre lui, Maurice, Paul et René, pensant, je gage, à la tribu de ses autres petits-enfants : il eût pu en compter vingt-quatre. Et il chantait pour nous, d'une voix de baryton encore pleine et chaudement timbrée, *les Bœufs* de Pierre Dupont, un couplet d'Offenbach ou le grand air de *Patrie* :

> *Pauvre martyr obscur, humble héros d'une heure,*
> *Je te salue et je te pleure.*

Ce furent là, je crois bien, les premiers vers qui, se nichant incontinent dans un coin de ma mémoire, en révélèrent une particularité singulière, une faculté d'imbibition qui allait, pour la fierté de mon père, me permettre d'apprendre et de réciter d'un trait devant un cercle d'amis *Souvenir de la nuit du quatre* et, pour l'admiration et la joie de nos trois bonnes des dimanches soir (une par maison), d'apprendre en un tour de minutes et de chanter sur place, allégrement debout contre la porte de la cuisine, une chansonnette d'almanach dont l'anodine stupidité effaçait aussitôt ce qu'elle pouvait avoir de « coquin ». Le pis est qu'au grand jamais je ne m'en suis débarrassé. Que je dise seulement aujourd'hui : « L'enfant avait reçu deux balles dans la tête », et je ne m'arrêterai qu'au dernier alexandrin : « ... Cousent dans le linceul des enfants de sept ans. » Pareillement pour la chansonnette, paroles et musique toujours.

Grand-mère Marie est partie à quatre-vingt-quatre ans, emportée par la grippe espagnole. Apparemment, prétendument. Elle savait simplement qu'elle pouvait s'en aller. Son fils, comme elle l'avait longtemps souhaité, s'était enfin remarié, elle avait eu le temps de connaître et d'estimer sa femme. Paul était mort en août 1914 : elle allait enfin le rejoindre.

Tels furent, de part et d'autre, mes ascendants directs. On s'accordait autour de moi pour dire que nous étions, moi « Genevoix » et mon frère « Balichon ». Peut-être tout bonnement parce que j'étais brun, basané dès les premiers soleils, et mon frère blond. Ces propos des adultes nous dépassaient d'ailleurs l'un et l'autre. S'ils étaient effectivement perçus, c'était pour provoquer des interprétations qui eussent bien surpris et vraisemblablement peiné les responsables. Autre antienne à nos oreilles : « Que Maurice est intelligent! » (à cause sans doute de mon psittacisme). « Que ce petit René est beau! » (à cause d'une chevelure vaporeuse, onduleuse et d'une blondeur ensoleillée). D'où nous concluions l'un et l'autre et chacun pour notre part, René : « Suis-je donc si bête? » Et Maurice : « Suis-je donc si laid? »

A d'autres ces histoires de gènes et de caprices génétiques! Je m'en tiens, acteur et témoin, aux milieux où j'ai personnellement vécu, et à ceux dont j'ai ouï parler par des vivants inoubliés. Du côté maternel le négoce et son train, du côté paternel la médecine et la pharmacie. Mon aïeul Léonard, resté fidèle, après trois siècles presque, à la province et à la Creuse, eut trois fils d'un premier mariage, un quatrième d'un second lit. Tous les quatre furent pharmaciens, trois à Paris; le dernier-né, pour maintenir l'appartenance, à Dun. Rue des Lombards mon grand-père Charles, rue de Flandre son frère Edmond. L'aîné Émile, gloire de la famille, maire de Romainville et député de Paris aux premiers pas de la IIIe République, docteur en médecine de surcroît, auteur en ses loisirs des *Rimes de l'officine*, fut longtemps directeur de la Pharmacie centrale de France. Autrement dit le codex en personne, en ces temps où le médecin « formulait » ses ordonnances, faisant ainsi confiance au pharmacien, à ses mortiers, à ses compte-gouttes, à ses balances et à sa main.

Ai-je dit « gloire »? Pourquoi m'en taire, au moment où me revient en tête un souvenir qui me sourit? Un souvenir et une leçon, qui touche à la relativité des gloires et que (la preuve) j'ai retenue. Je venais de recevoir le prix Goncourt. En 1925, les cymbales en étaient moins qu'aujourd'hui retentissantes mais leur écho s'en propageait loin : jusqu'à Pau, où je me trouvais par hasard. J'y entrai dans une pharmacie pour quelque insignifiant achat. Le pharmacien était un homme âgé, au visage fin, à l'expression amène; sur son chef, aussitôt reconnue, la calotte de soie des grands-pères. J'étais pressé, un retour à l'hôtel m'eût retardé encore. « Monsieur, dis-je alors au vieil homme, puis-je recourir à votre obligeance? Et vous est-il possible de faire remettre à mon hôtel...
— Mais bien volontiers, monsieur. A quel nom? » Je déclinai mon patronyme et vis passer dans les yeux de mon vis-à-vis une lueur d'intérêt non douteuse. J'eus aussitôt et d'avance à la bouche la réponse modeste et flattée qu'appelait la question prévisible. Et en effet : « Est-ce que... » Je n'avais pas exactement prévu. Car j'entendais à ma surprise : « ... vous seriez apparenté à M. Émile Genevoix qui fut... » Et enfin, *ore rotondo* : « ... directeur de la Pharmacie centrale de France? » Ma réponse, dans ses termes, ne fut pas du tout la même, mais, la même, oui, dans le ton et l'esprit, empreinte de la même modestie, à peine confuse, non moins flattée : « C'était mon grand-oncle, monsieur. » Nous nous quittâmes enchantés l'un de l'autre.

Je n'ai connu ni Émile, ni Edmond; mais Arthur, leur demi-frère, le pharmacien de Dun; et après lui son fils Émile, filleul de l'oncle prestigieux, pharmacien comme son père à Dun et père d'un troisième pharmacien qui assure encore aujourd'hui, toujours à Dun, la persistance et la fidélité de la lignée au berceau de la famille.

Mon enfance était loin lorsqu'en 1950 les contraintes académiques me ramenèrent progressivement de la rive droite de la Loire à la rive gauche de la Seine : ainsi n'eus-je à franchir ni l'une ni l'autre. Je retrouvai alors, de plus près et plus assidûment, mon cousinage paternel : le bon Dr André Genevoix, fils d'Arthur et frère d'Émile II, qui exerça boulevard Raspail tout au long d'un demi-siècle et avec qui je me liai d'amitié; et le deux fois Dr François, en médecine et en pharmacie, fils insigne d'Émile Ier, de qui la fille Hélène nous fut longtemps voisine et amie, rue Bonaparte, puis rue de l'Abbaye, à l'ombre de Saint-Germain-des-Prés.

Où vais-je, moi qui n'ai rien d'un généalogiste, moi qui me fourvoyais, cagneux, dans les filiations des porte-couronne de ce monde, alors que tels de mes condisciples y frétillaient comme poissons dans l'eau? Et voici, parce que je suis partie, que je me prends à m'y complaire; à répondre, chemin faisant, à tous les signes que j'entrevois aux marges de mon champ visuel, à toutes les voix naguère entendues, qui se sont tues, et de nouveau m'appellent.

« Je vous entends, je vous entends toutes quatre, Jeanne, Alice, Marie-Louise et Berthe ! » Elles étaient filles d'Edmond qui leur donna trois frères : sept enfants c'était alors, si l'on ose ainsi parler, courant. Parmi les vingt-quatre petits-enfants que les enfants de mes grands-parents leur apportèrent, leur seule fille aînée en avait mis quatorze au monde. Est-ce à cause de pareils excès que les quatre filles d'Edmond se vouèrent ensemble au célibat ? Toutes les quatre étroitement unies, fidèles leur vie durant au même appartement, très sociables, très familiotes, elles se plaisaient à y réunir leur parentèle et leurs amis. C'est chez elles que pour la première fois j'ai rencontré Jean-Louis Barrault, sauf erreur en 1913. Il devait avoir trois ans, je doute qu'il s'en souvienne aujourd'hui. Encore un fils de pharmacien, venu de l'avenue de Wagram. Soit dit en passant : il n'apparaît ni pour lui ni pour moi que cette honorable filiation ait été déterminante.

C'est par la femme d'Edmond Genevoix, née Barrault, qu'il était parent des « cousines ». Ainsi les nommions-nous, unanimement, entre Genevoix. Chez les Barrault, elles étaient « les petites tantes ». J'ai pu, longtemps plus tard, à l'éloge d'un Jean-Louis Barrault devenu entre-temps célèbre, apprécier la constance et la force de l'affection qui le liait à elles. Pendant l'occupation allemande, dans un Paris sombre et glacé, on eût pu voir son frère Max et lui poussant le long des rues montantes, au-delà de la gare du Nord, un diable chargé d'une provision de bois : les petites tantes, chez elles, avaient froid.

Elles n'étaient plus que trois. La mort de Jeanne, l'aînée, les avait — mais était-ce possible ? — rapprochées davantage encore. Alice et Marie-Louise entourèrent Berthe, la benjamine, plus fragile, plus vulnérable qu'elles, d'une attention inquiète et tendre. Et cela dura des années. Sexagénaires, septuagénaires, déclinantes... Ce fut Marie-Louise qui mourut la première. Alice, la courageuse, la femme forte, on eût dit désormais qu'elle prenait Berthe dans ses bras, la protégeant de son corps même, relevant le défi qui venait de les meurtrir ensemble. Et de ceci j'ai été le témoin : Berthe, en peu de jours, renonça. J'appris sa mort par un télégramme, aux Vernelles, et partis aussitôt pour Paris. Je trouvai Alice assise dans un fauteuil, lucide et ferme, maîtresse d'elle-même, sans une larme. A peine son teint d'ordinaire coloré s'était-il quelque peu avivé. Aux premiers mots de compassion qui m'étaient montés aux lèvres, elle eut un singulier sourire, lointain, venu d'un au-delà que je ne pouvais entrevoir. Et, posant sa main sur la mienne : « Mon petit, ce n'est plus la peine. Je suis contente que tu sois là... J'aurai pu te dire adieu. » J'ai toujours été sûr d'avoir reçu dans sa vérité cet étonnant et bouleversant message. Malade? Non. Mettre fin à ses jours? Jamais! Seulement cesser de vivre. Elle est morte à quelques jours de là.

C'est à l'Asile d'abord, puis à l'école primaire que j'ai peu à peu pressenti, vaguement bien sûr mais avec force, le privilège qui m'était donné de respirer dans un monde si divers, si prodigue de merveilles vivantes, si passionnant. Quelle ardeur a pu être la mienne! J'ai été un enfant fougueux, de toutes parts attiré, sollicité, de toutes parts aussitôt répondant. Je m'en voudrais de céder ici à un freudisme de pacotille, aussitôt affecté et bientôt simulateur. Mais je puis dire en toute bonne foi que j'ai connu encore en robe (on y maintenait les futurs hommes jusqu'à quatre ans révolus) les joies de l'amitié et les brûlures de l'amour.

Ce n'est pas si exceptionnel. Qui ne s'est « fiancé » à cet âge? J'aimais Cécile, ma compagne de chaque jour au long des Petits-Sentiers. Le fait qu'elle était une fille coloriait, illuminait cet amour, le rendait possessif, l'inclinait vers la jalousie. Mais elle n'était pas ma fiancée. Ma fiancée avait vingt ans : c'était la nièce des dames Semat, mère et fille, les propriétaires et voisines de mes grands-parents. Je crois toujours qu'elle était belle. Je l'admirais jusqu'à l'angoisse. Lorsque j'étais près d'elle, je la caressais des yeux, ses paupières, les frisons de sa nuque, je sentais sa chaleur secrète. De Cécile, mon amie Cécile, je savais qu'elle ne se marierait pas : elle était trop petite encore; ou alors c'était si loin! Le jour où ma « fiancée » s'est mariée, j'ai accepté, à mon propre étonnement. J'ai accepté tout de suite, dès que la vieille Mme Semat m'en eut annoncé la nouvelle avec une joie si évidente, si naturelle qu'elle m'a rendu dans l'instant même à mon enfance, au monde qui seul était le mien et pas encore, Dieu merci, celui où je voyais s'éloigner et disparaître, le cœur gros mais sans affres, celle dont j'avais tant et si charnellement rêvé.

Peut-être, si le délai m'en est par bonheur accordé, retournerai-je demain vers ce monde fascinant de la petite enfance. Car je le sens qui bouge et qui s'anime au fond d'un horizon que j'ai cru longtemps très lointain, et que je sais maintenant, de jour en jour, plus proche en vérité de l'horizon inconnu vers lequel m'acheminent mes pas. Et ce sera mon dernier livre.

J'ai rencontré, comme la plupart des vivants, quelques ennemis dans ma vie. Je ne crois pas les avoir jamais provoqués. Mais, provoqué par eux, je me suis toujours défendu. Les ai-je haïs? Je ne crois pas non plus, sinon

deux, et c'était à l'Asile. Le premier s'appelait Butard.
Il était laidement laid, le pauvre, le front bas, supprimé
de surcroît par une frange de cheveux raides, le regard
torve, le verbe agressif. Aussi se battait-il souvent. Le jour
où il s'en prit à moi, dans la cour, ce fut une bataille sans
merci. Nous étions à peu près de même poids et de même
force. Mademoiselle Octavie, sa classe terminée, devait
être à sa cuisine. Après quelques invectives dans la bonne
tradition homérique, nous en fûmes vite à l'empoignade,
presque aussi vite à la mise à terre, dans la poussière et
les graviers. La marmaille faisait cercle, déjà excitée et
piaillante. Dessus, dessous, nous roulions tour à tour.
Un sort malin voulut qu'au cours d'une de mes voltes
mon œil d'abord, ma main aussitôt, rencontrassent un
débris d'ardoise. Le poing ainsi armé, je frappai Butard
sur le crâne.

Il dut s'écouler un instant avant qu'il y portât les doigts.
Je pense qu'il ne le fit qu'au moment où l'un des assistants
cria d'une voix suraigüe : « Il saigne! » Butard regarda
ses doigts, me lâcha aussitôt et se mit à pousser, inépuisablement, une longue plainte hululante qui répandit la
stupeur et l'effroi. Il ne saignait pas beaucoup, ce n'était
qu'une anodine estafilade. Mais ce seul mot, la seule vue
de ces gouttelettes rouges apparues, éclatantes dans la
lumière du jour, avaient suffi à dramatiser nos culbutes.
Mademoiselle Octavie accourait, et Mademoiselle Suzanne,
et la maman de Mademoiselle Octavie dans un sillage
de tabac à priser. Tout le cercle s'était écarté. Mademoiselle Suzanne, maternelle, étanchait de son mouchoir
la tempe du gémissant Butard. Je m'étais relevé, j'étais
seul, face au visage sévère de Mademoiselle Octavie. « Toi,
Maurice! dit-elle lentement. Tu n'as pas honte? »

Je n'avais pas honte. Il s'agissait de bien autre chose. Pour moi aussi, d'abord, la vue du sang. Fulgurante, une constriction m'avait serré l'épigastre, vidant mes membres de tout le potentiel d'énergie qui les avait rués au combat. Mais surtout, mais déjà, une évidence insupportable me frappait, d'avance m'obsédait : je liais ma colère et mon geste à l'apparition du sang. J'avais commis un acte monstrueux. C'était de moi, maintenant, que j'avais peur. L'isolement où je me voyais relégué était juste. Quelle qu'elle pût être, j'acceptais la punition.

Elle fut à la mesure du crime. A mon insu, mes amies Hélène et Cécile remirent à la maison un mot de Mademoiselle Octavie. On m'avait enfermé dans la salle de classe déserte. Je pus y pleurer tout mon saoul sur le bœuf en daube et les carottes qu'un messager du Magasin, Jules ou Moïse, avait portés à mon intention. Dure tranche de bœuf, amères carottes! Je vois encore le petit plat de fer étamé où mes larmes tombaient dans la sauce lentement figée. Larmes lustrales : la notion d'équité devait en garder pour moi, toute la vie, une saveur chaude et salée.

Mon second « ennemi », lui ai-je jamais pardonné? En toute franchise je dois avouer que non. C'était une grande personne, la mère de Cécile et d'Hélène. Après quatre-vingt-quatre ans, il me coûte encore d'évoquer notre misérable affrontement : la révolte, l'appétit de vengeance ont la vie plus dure que la colère.

Entre la rue Saint-Nicolas et la grille des Petits-Sentiers, outre la danse fantasque de nos papillons printaniers, les piérides blanches, les rhodocères couleur de soufre, il arrivait qu'une ronde bourdonnante tournoyât autour de nos fronts : c'était, disaient les vieux rentiers dans les jardins, ou le cordier tournant sa roue, c'était « une année d'annetons ». Parfois, l'une heurtée en plein visage par un des gros insectes roux, l'autre sentant des pattes griffues carder soudain sa chevelure, nos compagnes poussaient un cri perçant. Pour moi, attiré dès alors par ce petit monde voletant ou trotte-menu, du criquet à la cicindèle, du carabe au hanneton, aucune appréhension ne m'eût interdit en chemin la poursuite et la capture.

Jamais las d'observer, de scruter, de partager mes découvertes, c'était à mon amie Cécile que j'en réservais la primeur : le long sabre yatagan au croupion de la locuste, la tête d'homme moustachue sur le corselet du criquet, les sept points de la coccinelle et, par cette année d'annetons, les peignes de leurs antennes et la tarière de dure chitine à la pointe de leur abdomen.

Le jour même n'était pas, le Dieu du Ciel m'en soit témoin, « plus pur que le fond de mon cœur ». Et pourtant le lendemain matin, ce fut Madame Mère en personne qui conduisit ses filles au Magasin pour les confier à notre Louise. Je sentis ses doigts maigres saisir mon bras, le serrer méchamment; et sur le seuil, en présence de Louise, son nez pointu dardé sur moi, les yeux ronds derrière ses lunettes, son fichu sur sa tête relevé en crête de poule, elle m'assena, dans un flot bourbeux d'invectives, de mots grossiers et flétrisseurs, une mercuriale où je n'eusse rien compris si le flamboiement glacé des prunelles, la véhémente aigreur du ton n'en eussent suggéré la chanson.

Quoi! Et de qui s'agissait-il? Ce corrompu, ce sournois malvenu, ce petit garçon malpropre qui avait osé, le monstre, exhiber à d'innocentes fillettes les « parties honteuses » d'un hanneton, c'était moi? Dans l'instant même je vis rouge et la fureur m'habita. La saleté, le vice, je ne savais quelles choses laides, répugnantes, c'était à son approche, à sa voix, derrière elle que je les sentais. Assez! Assez! Je tordis violemment mon bras, échappai à la pince de ses doigts. Je courais, la poitrine haletante, vers l'entrée des Petits-Sentiers. Louise m'appelait, je courais de plus belle. Pauvre Louise, digne et pure vestale de notre mercerie! Mais l'autre, l'horrible, la mégère... Si j'étais revenu, c'eût été pour la griffer, lui cracher en plein visage mon dégoût et mon mépris. Seigneur, délivrez-nous de la tentation!

Bien des jours ont passé. Je vais avoir six ans. Je suis « un homme ». C'est ce que me dit mon père sur le chemin de la « grande école ». Sa main tient fermement la mienne. Il raccourcit son pas, j'allonge le mien, nos talons sonnent ensemble sur les trottoirs de la Grande-rue-du-Port. C'est une belle matinée d'octobre, le premier jour du mois qui marque la rentrée depuis des temps immémoriaux. Dans deux ou trois minutes, l'horloge de l'église va sonner les coups de huit heures. Devant nous, tout au bout de la rue, les arbres du « Château » portent encore leur feuillage de l'été.

Le quartier de la grande école touche en effet au parc qui fut celui des Lavrillière et des Penthièvre. Lorsqu'on remonte du Port vers le Château, on arrive aux maisons du Coteau. C'est devenu le nom du quartier. Il est calme, de bonne tenue; presque toutes les maisons sont cossues, un peu gourmées. Certaines ont un portail qui se souvient encore des voitures de maître et des chaises à porteurs des dames. A l'opposé de leurs façades sur la rue, elles

56

alignent au soleil leurs terrasses et leurs charmilles, elles sourient à l'ample vallée, aux méandres brillants de la Loire, à la côte de Sologne qui bleuit à l'horizon.

Qui s'en soucie à la grande école sinon, les soirs d'hiver, lorsque entre chien et loup on n'a pas encore allumé les tremblotants quinquets municipaux, pour aller tirer les sonnettes du notaire ou du fabricien et cavaler à toutes galoches par la venelle du Mouton?

C'est elle qui donne accès à la Grand'rue, au cœur du bourg. Vieux cœur qu'ont buriné les siècles, mais bien battant toujours de la Bonne-Dame à la Croix-de-Pierre, de la gare aux quais du Port. Les maisons, les unes sur les autres, s'y serrent et s'y bousculent presque, le rouennier contre le tourneur, le boulanger contre le vannier, l'horloger entre le pharmacien et le bistrot. Un peu moins surveillé, à demi hors de page, c'est toujours par la Grand' rue et par la venelle du Mouton que je gagnerai la grande école. Mon frère et moi, par défi et par jeu, énumérions à tour de rôle, en tirant au sort le côté, toutes les boutiques et tous les ateliers de la Grand'rue sur ses cent trente numéros. Jeu moins insane qu'il y paraît : car chacun de ces « numéros » se liait pour René comme pour moi à des souvenirs bien vivants, chaque nom à des visages dont bien peu nous laissaient insensibles. Si je disais par exemple « Gasnier », je voyais aussitôt le maréchal-ferrant, ses grisonnantes moustaches gauloises, son front piqueté de noir par les escarbilles de sa forge. Il ferrait dehors, sur le trottoir. Sa femme, l'émouchoir de crin au poing, fustigeait doucement le cheval de labour. Toute menue, ridée à peine, elle répondait à mon bonjour, me souriait de tout son fin visage : elle n'avait pas eu d'enfant. Et de la voix et de la paume plaquée sur la croupe, elle poussait le lourd cheval, bientôt y mettant toute l'épaule, l'obligeant à tourner à demi : « Vas-tu te grouiller, carcan ? Laisse passer le petit garçon ! » Et je passais. « Merci, madame. »

« Jutteau », disais-je. Lui, c'était le charron. Et aussitôt, au milieu de sa cour, devant les palettes de géant de la remise, aux portes bariolées de peintures vives par les essais du maître ouvrier, je voyais la couronne de feu qui chauffait la jante de fer, l'heure venue de cercler la roue. Ainsi de Clotaire Péguy, le boisselier, dont chaque tonnelet, chaque broc, chaque baratte était chef-d'œuvre de maîtrise ; de mes amis Pellier, Théodore et son compagnon Frédéric, entre lesquels je me juchais sur mon escabeau personnel devant la grande verrière illuminée par le soleil de la courette. Et la treille de chasselas, et les fuchsias en pots, chatoyant au travers, vannaient le soleil sur nos mains, sur les fins tournevis, les rouages des grosses montres d'argent où le ressort spirale battait comme un cœur charnel.

Vais-je ainsi, seul cette fois, poursuivre le jeu fraternel, retourner à la grande école par la Grand'rue et la rue du Mouton ? Elles aussi ont été mon école, et ses bonnes gens, dans le train de leurs jours, mes instituteurs exemplaires. Quels étaient leur dignité, leur respect du métier entre tous respectable parce qu'il était le leur ! J'ai dit une fois, dans un de mes livres, la mort du cordonnier Mulot. Son atelier-boutique était proche de nos trois maisons. Le marteau, le ligneul et l'alêne, à la rigueur le pain de poix où le ligneul glissait en sifflant : accordés. Accordé pareillement tout un coin de l'estrade où Mulot et son frère Félix taillaient, battaient, cousaient, clouaient. Mais le tranchet au fil terrible une fois pour toutes m'a été interdit. Qui donc, quelle grande personne d'aujourd'hui concevrait l'enthousiasme d'un marmouset de sept ou huit ans qui enfonce des clous dans des planches? En files, en ronds, en quinconces, en losanges. Moi, oui, pour l'avoir éprouvé. Mes deux mains s'en souviennent, et mes yeux exigeants qui scrutaient mes esquisses cloutières entre deux danses de mon marteau.

Après tout, qu'ai-je jamais fait d'autre? Les mots ont remplacé les clous des frères Mulot, mon bureau la boutique du cordonnier de la Croix-de-Pierre, les rayons de ma bibliothèque les planches où il alignait, serrées, des ribambelles de formes aux mesures des pieds du quartier. Il n'a jamais vendu, en effet, que des souliers sur mesure, toujours un peu moins chers que ceux des « marchands d'Orléans ». Il est mort au travail, poignardé. A force de tirer le ligneul, de trancher et de battre le cuir, toujours courbé, de plus en plus courbé, l'une de ses côtes en frottant sur une autre s'était usée jusqu'à presque se rompre. Et un jour elle s'est rompue, écharde énorme, et, du dedans au dehors, elle a poignardé le cordonnier Mulot. Il était gai, j'entends encore son rire et vois sauter sa pomme d'Adam. Même quand la gangrène s'est mise dans sa plaie vive, personne, jamais, ne l'a entendu gémir. Tous les siens le vénéraient. Quelle conscience a été la sienne! Quand je parlais d'« exemple », tout à l'heure...

A Châteauneuf, le mot « instituteur » n'était pas d'un usage habituel. On disait « les maîtres d'école ». Ils avaient eu, en ces temps lointains, une formation civique à la fois stricte et libérale qui, à mon sentiment d'aujourd'hui, a dispensé ses bienfaits jusqu'à la guerre de 1914. En général ils n'étaient pas des tendres : les mornifles, les coups de règle sur le bout des doigts groupés appuyaient souvent les algarades. Cela, parfois, allait jusqu'à la trique. M'en soit témoin, entre pas mal d'autres, celui de nos camarades qui réussit à faire sauter la badine des mains de son bourreau; non en la frottant d'ail, procédé aléatoire, mais en provoquant chez ce maître une stupeur en effet désarmante : il avait, à l'avance, armé ses fesses sous sa culotte d'un blindage ultra-sonore : avec des plaques de fer-blanc, utilisation personnelle d'une vieille boîte vide de « petits-beurres ».

Si j'ajoute maintenant que ces maîtres, tout au long de la longue année scolaire, ne se départaient point d'une patience inépuisable, le goût du paradoxe n'y est pour rien, mais le respect de la vérité. Car nous étions, à force de vitalité, infernaux. Lorsque après la trêve de midi je retournais à l'école, bien avant la rue du Mouton j'entendais par-dessus les toits voler la clameur de tempête de cent voix avant la mue. Et je me mettais à courir. A la maison déjà, j'expédiais le déjeuner, bouchée sur bouchée, à m'étouffer. Qu'en pouvaient penser mes parents? « Quel appétit! »? Ou « Quel zèle pour l'école! »? Toujours est-il qu'ils me laissaient aller.

Quel appétit? Fichtre oui. Pour le jeu, pour la foule, la bousculade, la course et le cri. La cour était étroite, serrée entre le bâtiment des classes et le revers de la mairie; encore avait-on pris sur elle le terrain d'un potager : le directeur avait des pensionnaires, grands élèves du « cours complémentaire », qui préparaient le brevet simple ou le concours d'entrée à l'école normale d'instituteurs. Autant de pris pour le casuel! Les légumes, du moins, étaient frais.

Tous « élèves », tous en tablier noir, tous solidaires, tous égaux devant la loi et les prophètes de la laïcité; et néanmoins aussi divers que leurs parents citoyens. Ce que j'avais obscurément perçu dans l'ordinaire de ma vie enfantine, cette permanence naturelle d'individus particuliers, reconnaissables à d'autres signes qu'à la commune appartenance qui les eût entre eux confondus, leur visage, la magie d'une main horlogère ou les biceps du mitron d'en face, la belle voix du tonnelier Davron ou le sourire du Père Pascal, je retrouvais à l'école tout cela, plus proche et soudain évident, de jour en jour plus exaltant, si prodigue de découvertes, d'étonnements, de promesses que j'en étais à la lettre grisé. Tous ces fils de vignerons, de taillandiers, de pêcheurs, d'employés, de gendarmes, toute cette foule de petits hommes, les pétras de la Bonne-Dame, et Marcel, le pied-bot de la veuve Bouchot, et le gars Combe, dont le père s'était tué sur un chantier de l'usine Reguignat en construisant un pont à Buenos Aires, et Réméné aux beaux yeux sombres, mon éternel rival en classe, j'étais l'un d'eux, mais pour les mieux aimer, les préférer selon le jour et l'heure, les défier tour à tour aux épingles, aux billes, aux *moines*.

Ai-je jamais, dans un de mes livres, parlé des moines, des billes et de leurs « châteaux »? Châteaux de quatre. Châteaux de huit. J'allonge encore en pensée mon pas pour diminuer les chances de Réméné, bon tireur : deux pas pour le château de quatre, quatre pour le château de huit. S'il les abat, les billes sont à lui. Aux moines, je suis meilleur que lui. Quand ma toupie tombe au milieu du rond, elle « vrône », elle tourne si vertigineusement que si elle touche du flanc l'une des toupies restées prisonnières, elle l'expulse au-dehors et c'est moi qui la mets dans ma poche.

Un coup de sifflet a stridé. « En rangs, en rangs! » Quel silence, tout à coup! Cinq classes, cinq doubles files. Les galoches sonnent sur les marches des seuils, la cour est vide. Parmi les grands du cours complémentaire, j'ai reconnu, au moment où j'entrais dans ma classe, la caboche ronde, le visage de bouledogue débonnaire de l'élève Dumarchey. Encore un qui n'est « pas comme les autres ». Mais sait-il, le jeune Dumarchey, qu'il deviendra Pierre Mac Orlan?

En classe, donc. L'éponge s'imbibe sans relâche, mais d'autre sorte. Je ne médirai point de cet acquis, de cet enseignement formaliste, ignorant, et pour cause, des exigences et des merveilles de la « créativité ». J'y ai peut-être laissé les plumes d'une queue de paon somptueuse entre toutes, mais je m'en console aisément. Quand nous « sortions » de l'école maternelle, nous savions lire couramment, écrire déjà vaille que vaille et psalmodier en chœur les premiers versets de la table de multiplication. Ce recours à l'antienne, à la scie, au « par cœur », je le retrouve jusqu'au lycée, au moins jusqu'à la quatrième. Est-il si dérisoire de pouvoir conjuguer encore les temps du verbe λύειν? Notre professeur principal, M. Doret, dit Dodore, pointant tour à tour son index sur chacun de ses élèves, entendait ainsi provoquer un réflexe qui devait être instantané : Toi, hop! λύω; et toi, là-haut, qui sembles te cacher? λύεις, bon; et toi, oui, devant moi... λύει, bravo! Ainsi de suite jusqu'à λύουσι. La semaine prochaine, ce sera l'imparfait, une semaine après le futur... C'était devenu un jeu, et qui ne nous rebutait point. Nous interdirait-il de nous rappeler aussi, bien plus tard, la bonne figure poupine, les yeux ronds et binoclards, la barbichette de Dodore et son canotier jauni des jours d'été lorsqu'il nous emmenait, à bicyclette, vers les bois de Mézières-en-Sologne et la lumière des étangs?

J'ai été tout ensemble un gamin insupportable et un excellent élève. Je l'écris aujourd'hui parce que je le suis resté. Oui, bien sûr, c'est au lecteur que je devrais laisser à conclure. Je raconte des souvenirs glanés au fil d'une longue vie, le plus fidèlement qu'il se puisse entre la mémoire et le rêve, à coup sûr le plus honnêtement. Et je devrais m'en tenir là. C'est difficile, mais je tâcherai.

Puisse-t-on du moins et pour une fois m'accorder une dernière entorse à une si sage résolution. J'aurais encore beaucoup à dire sur l'enseignement reçu dans mon enfance et sur ce qu'il est devenu; beaucoup aussi, et davantage, sur la chance qui fut alors la mienne de vivre mes premières années dans une bourgade de la province française. Ainsi livré, à plein corps, à plein cœur, de toutes parts atteint, marqué d'empreintes si vives qu'elles allaient être indélébiles, je suis resté l'enfant qui s'émerveillait autrefois et sans se lasser jamais de voir un tonnelier rogner à l'asse les douelles d'un fût, un valet de chiens et son limier faire le pied au pourtour d'une enceinte forestière, et pour qui l'image d'un pêcheur qui lève ses nasses à la tombée du jour évoquera, aussitôt et toujours, le murmure vif et frais de la nasse qui sort du fleuve, la claque éclaboussante de sa remise à l'eau, et, au-delà de sa plongée, après que le courant a effacé l'ombre de sa forme, sa reposée sur le sable du fond, le nuagelet trouble du chènevis qui s'effrite et, vagues silhouettes enfantées par l'eau, pois-

sons fantômes, ronde silencieuse déjà captive, l'étincel-
lement soudain d'une écaille, la fleur pourpre d'une nageoire
qui bouge.

Étrange et scabreuse aventure, celle où me voici entraîné!
Si l'on m'avait, n'y eût-il qu'une année, interrogé sur l'é-
crivain qu'il me semble avoir été, sur les éléments sou-
terrains qui ont poussé au jour, inspiré et nourri mon œuvre,
j'aurais certes allégué ma mémoire et pour lui reconnaître, de loin sans doute, la plus belle part. Mais elle eût
été belle aussi, la part que j'eusse réservée aux « influences » de toute sorte qui n'ont cessé, venues du dehors,
d'affluer sur mon chemin, celles des amitiés, des amours,
des milieux tour à tour traversés tandis que m'emportait le « temps inexorable », déjà fuyant à la seconde
même où ma bouche eût osé prononcer : « Maintenant. »
Maintenant, aujourd'hui... Qu'est-ce à dire? Ma plume
est restée en suspens sur ce mot qu'elle vient d'écrire.
Acte manqué, chute dans mon propre piège! Qu'est-ce
qu'aujourd'hui? Une petite fille, un jour récent entre
les jours, est apparue dans notre vie. Noël! Noël! Pour
la première fois de sa vie, elle est entrée dans cette maison
sur les bras de sa maman Sylvie. Je l'entends qui rit et
jase derrière la porte de la chambre où notre Sylvie est
née. Elle est heureuse, et ne s'en souviendra jamais. Mais
elle rêvera peut-être, lorsqu'elle sera devenue « grande »,
sur des images qui passeront devant ses yeux : car hier,
son père l'a « filmée ».
Ceux de mon âge n'auront pas eu ces tête-à-tête avec
des enfançons qui furent eux et qui continueront, à leur

gré d'aujourd'hui, de vivre sous leurs yeux des moments qu'ils auront réellement vécus. Ils diront, attendris : « Est-ce moi ? » et croiront qu'ils se reconnaissent. Mais, pour en être sûrs, il faudra que leur mémoire secrète, celle que personne d'autre n'entend, murmure au plus profond d'eux-mêmes : « Oui, c'est bien toi. » Et dès lors ils pourront rêver.

Je n'ai pas, pour rêver ainsi, attendu de tenter l'aventure où je suis. Elle m'est consubstantielle et j'en connais depuis longtemps les attraits singuliers et les risques. Pourquoi ? Puisse chacune de ces pages, chacune de celles qui vont les suivre rester jusqu'au bout ma réponse.

Pendant longtemps, ma « mémoire aidant », j'ai été certain, *mordicus*, que j'avais assisté au mariage de mes parents. La coutume voulait, à Châteauneuf, que le cortège de toute noce, derrière deux ménétriers, un piston moustachu et un violon boiteux, entre l'église et le banquet défilât le long de la Grand'rue. Souvenir d'un rêve, surimpressionné, mis au point par des cortèges réellement vus ? La question que je pose aujourd'hui n'avait pas de raison d'être ; la mise au point était d'une précision qui ne souffrait aucune remise en cause. J'étais encore trop petit pour emboîter le pas à la « noce », je l'avais bien compris et j'avais accepté. On m'avait relégué chez nos amis Pellier, les horlogers de la Grand'rue, derrière la porte vitrée de la boutique : permission accordée pour consoler mon chagrin d'exilé, « à condition d'être raisonnable, de ne me montrer à aucun prix, à cause *des gens* ». J'étais donc rigoureusement seul : les Pellier étaient du cortège. La targette était mise à l'huis, bien au-dessus de ma portée. Dehors, il faisait un temps aigre-doux, de fines et brèves ondées traversées de soleil. La boutique des

Pellier était l'une des plus belles du bourg, recueillie, pavée de belles dalles noires et blanches que le soleil venait éclabousser. Dans le silence, quelques-unes des horloges rangées dans l'arrière-fond ombreux battaient lentement et presque à l'unisson. J'entendais même par intervalles, venu par la porte entrouverte du « placard aux réparées », le grignotis précipité des montres pendues bord à bord. Mais je n'avais d'oreilles et d'yeux que pour la rue.

Même longtemps, longtemps après que ma raison m'eut convaincu de certaines impossibilités, même après que la mort de ma mère eut déchiré mon enfance finissante, en vérité j'ai continué de croire, de me revoir le front contre la vitre, de sentir mon cœur battre aux sons entremêlés du piston et du crin-crin; et il battait, battait ainsi tandis que passait le cortège, ma mère en robe blanche, ravissante et souriante sous le diadème de fleurs d'oranger, toute petite au bras de mon père redingoté de noir, radieux lui aussi, superbe dans sa prestance d'ancien cuirassier.

Un rêve? Mais alors d'où venu? De ma vie même, de ma tendresse et de ma gratitude de petit garçon heureux. Ce n'est que peu à peu, à regret, que les couleurs en ont pâli, que l'éclatante précision des détails s'est estompée de-çà de-là. Le sourire de ma mère au passage (« Je t'ai vu, je te vois, mon chéri. Je pense à toi. A tout à l'heure. »), ce beau sourire complice devait s'effacer le dernier.

J'ai revu depuis le cortège. Il y avait toujours une mariée. Mais c'était une autre femme, sans beauté, disgracieuse presque, et que je ne connaissais pas. La dernière fois qu'il a défilé, j'ai pensé que ma mère l'avait ainsi voulu, par tendresse encore d'elle à moi, un secret entre elle et moi. Je le pense toujours aujourd'hui.

Cette propension au rêve, cette dangereuse aptitude à n'accepter du monde que des réalités compatibles avec mes passions, mes désirs, et à refuser le reste, pour le moins à n'en pas tenir compte, m'a fait très tôt créditer d'un grain de folie. Et il n'est que trop vrai : ma témérité était grande, au point d'avoir fait de moi, entre sept et dix ans à peu près, un spécialiste de l'accident, une espèce de professionnel, un cascadeur en culotte courte. Mes parents m'ont parlé d'une entorse « sérieuse » attrapée sur un parquet glissant. Je n'en ai d'autre souvenir que celui du curieux bonnet, pelucheux, rose et trop grand, surmonté d'un pompon énorme, dont j'étais coiffé ce jour-là, et des lumières nocturnes qui éclairaient la scène. Je devais avoir trois ans ; cinq lorsque j'ai sauté, derrière le chat, du haut de l'échelle de meunier entre les cours du Magasin ; sept ou huit le brûlant jour d'été où une combustion spontanée a fait pétarader dans ma poche la boîte d'amorces que je venais d'acheter. J'étais en fonds ce jour-là, il s'agissait d'une double boîte, à deux sous, encore pleine à déborder de ces gros confetti roses, accouplés et collés sur quelques grains de poudre noire.

Ce fut la première fois où j'offris à l'admiration des miens les marques irrécusables d'un à-propos et d'un sang-froid propres à pallier l'inquiétude qu'éveillait mon « grain de folie » : je me déculottai sur-le-champ, publiquement, au milieu de la cour ensoleillée où les deux dames Semat bavardaient avec ma grand-mère. La seconde fois fut plus révélatrice encore. M. Émile Loubet venait d'être élu président de la République française. En don de joyeux avènement, il prolongea le congé de Pâques d'une journée supplémentaire. C'est ce jour-là que je me suis cassé une jambe. Chez grand-mère Clotilde encore, entre toutes encline aux alarmes excessives et aux transes.

Jamais nos jeux du « Jardin dans l'île » n'avaient été plus emballés, plus heureux. Pour ma part, j'en étais transporté, il me semblait avoir des ailes... Une partie de cache-cache m'avait conduit dans le grenier de la remise dont le pignon donnait sur le jardin. Le but était juste au-dessous de la lucarne qui l'éclairait. Je m'étais caché de telle sorte dans le dédale des caisses et des sacs que j'avais déjoué toutes les quêtes. J'apparus, triomphant, à la lucarne. Et l'un de mes compagnons, l'imbécile de service comme il s'en trouve toujours un dans les rassemblements humains, se croyant ainsi défié, me contre-défia aussitôt : « Je parie que tu ne sautes pas ! » Il y avait, de la lucarne au sol, cinq bons mètres. De grands aveliniers avaient poussé contre le mur. Je dis seulement : « Compte jusqu'à trois. » Il compta. Et je sautai.

Je me rappelle très bien le parcours, l'étonnement et le plaisir intense, mais bref, qui furent les miens en traversant la belle lumière verte du feuillage, mon arrivée un peu déviée par une grosse branche élastique, non sur la terre meuble du massif mais sur le gravier de l'allée. J'entendis non moins bien le craquement sec de la fracture, m'assis par terre et dis : « Je me suis cassé la jambe. » Je ne souffrais pas encore. J'entrepris de me déchausser, y parvins, et reçus dès son arrivée les félicitations du médecin qu'on avait envoyé chercher. « Qui t'a retiré ton soulier ? — C'est moi. Parce que ma jambe est cassée. » Il me palpa, confirma mon diagnostic, me félicita de nouveau.

Il y avait presque de quoi. Je ne commençai à geindre que la nuit venue, après des soins d'ailleurs douloureux.

Il y avait alors deux ans et demi que j'étais entré à la grande école. Étais-je « un homme »? C'est ce que m'avait dit mon père, le premier jour, lorsqu'il m'avait accompagné. C'est ce qu'il me redit cette nuit-là, du fond du lit conjugal, à travers la porte restée entrebâillée. « Prends sur toi, voyons, mon petit! Tu es un homme que diable! » Et moi, tenaillé par des élancements cruels : « Je te le jure, papa! Même un homme crierait comme moi... »

En dépit de mes libres prouesses, je « travaillais » exemplairement. Un riche vicaire de la paroisse avait fait bâtir une école où enseignaient maintenant des frères des Écoles chrétiennes. Quelques élèves de familles bien-pensantes avaient quitté pour elle notre vieille école laïque. Réméné était du nombre, seul rival que j'eusse jamais craint. Encore deux ans, ce serait l'examen du certificat d'études primaires.

En ces années glorieusement paisibles de la IIIᵉ République, il n'était pas un directeur d'école qui ne tînt à grand honneur d'avoir parmi ses ouailles le premier reçu du canton. Jamais le nôtre, M. Jameau, n'avait été plus sûr de lui, de nous, précisément de moi. Longtemps d'avance, la voix publique me désignait. Or, aux premiers jours de 1901, le bruit parvint de Fay-aux-Loges qu'un certain Raymond Benoist pourrait bien me damer le pion. En sa personne, son directeur M. Desbrosses, excellent pédagogue, tenait un champion hors série. Vinrent le printemps et le concours des bourses. Benoist et moi, c'était décidé, entrerions en octobre au lycée d'Orléans : bonne occasion de prendre réciproquement, à la loyale, notre mesure. Nous avions l'un et l'autre, comme on ne disait pas encore, nos supporters : directeurs, parents, camarades. Je fus premier, Benoist second. « Vous voyez bien! » dit M. Jameau. « Attendons... », dit M. Desbrosses.

Le certificat eut lieu et nous fûmes, Benoist et moi, premiers du canton *ex aequo*. Bravo, excellent résultat! Mais l'amour-propre et — même à la laïque — un malin esprit de clocher, piquant ensemble les directeurs et les délégués cantonaux, voulurent qu'on n'en restât point là. Ce fut une scène de comédie qui l'emporta de loin sur mes déclamations hugoliennes et mes succès de chanteur du dimanche. Tour à tour ou ensemble, riant d'aise et s'exclamant, ces messieurs nous interrogèrent, précipitant peu à peu la cadence, s'animant, se défiant eux-mêmes à travers leurs champions affrontés. Nous répondions vaillamment, chacun à notre tour, un peu tendus, les yeux brillants et la langue prompte. Cela se prolongea longtemps, sans qu'il fût équitablement possible de nous départager enfin. « Comment se nomme la rivière qui fait frontière entre la France et l'Espagne? » Je restai coi. Pas un de nos livres de classe qui en fît la moindre mention, personne jamais qui m'en eût parlé. « La Bidassoa! », dit Benoist. Il fut seul le premier du canton et nous devînmes deux amis.

Nous entrâmes côte à côte au lycée d'Orléans, alors lycée Pothier, le 1er octobre 1901. Pensionnaires et pour sept ans. Pensionnaires à Lakanal, et cagneux. Puis normaliens, jusqu'en 1914. Le 2 août de cette année-là brisa une solidarité qui avait duré quatorze ans. Il rejoignit un bataillon d'alpins, moi le 106e d'infanterie. Je le savais « quelque part en Alsace ». Il devait me savoir aux Éparges. Je ne l'ai plus jamais revu. Mais je reparlerai de lui.

II

Capote, casquette, palmes au col, boutons dorés, uniforme; mais seulement le dimanche et pour la promenade du jeudi. Il y avait aussi un uniforme « de tous les jours », heureusement facultatif. Pour la première fois, je me voyais matriculé : numéro 4. On penserait à la vie militaire si l'on n'avait connu aussi, aux premières années de ce siècle, la vie d'un élève interne dans un lycée de préfecture française. Tout ce qu'évoque le mot « caserne », c'est là que je l'ai connu, à onze ans, au lycée Pothier, rue Jeanne-d'Arc, à Orléans : un juriste, une rue noble et froide, droite et « raide comme la Justice », tirée d'un rigoureux cordeau entre la rue Royale et la cathédrale Sainte-Croix. Ce serait un jeu trop facile aujourd'hui, et gratuit, de faire le procès en règle d'un régime à bien des égards aberrant. Il n'est plus temps, si ce n'est à la louange des changements intervenus, et pour offrir à leurs bénéficiaires, à leur bonne foi, quelques clartés comparatives.

Nous étions réveillés au tambour, à six heures du matin l'hiver, à cinq heures à partir de Pâques. C'est seulement à la caserne qu'il m'a été enfin donné de récupérer en partie un arriéré de sommeil accumulé pendant dix ans.

Sauf celui des « petits », les dortoirs n'étaient pas chauffés. La toilette était collective, tous debout autour d'un

71

saucisson de zinc, long d'un demi-décamètre et muni sur ses flancs de robinets lilliputiens, parcimonieux en conséquence. Par les hivers rigoureux, les aubes n'étaient pas rares, noires encore, où le gel les tarissait. Tambour : on descend « en étude »; pour une heure jusqu'à Pâques, pour deux heures à partir de Pâques. On bâille d'insomnie et de faim. On « étudie ». Il y a un poêle dans l'étude, un poêle aussi dans chaque classe. Ni le tapin ni le chauffeur ne chôment : il faut « battre » à chaque « mouvement », recharger les poêles à la file. Depuis Napoléon, depuis Fontanes, le système est bien huilé, la hiérarchie solide : tout au faîte, le proviseur. Ses attributs : la barbe, la redingote, le tube, la rosette de l'Instruction publique, quelquefois le ruban rouge. Son domaine : un second étage-empyrée, dont un rang de fenêtres donne sur la cour des grands. Elles ne s'ouvrent jamais. C'est le dimanche, à la chapelle, que les élèves punis de consigne et les infortunés qui n'ont pas de « correspondant » peuvent l'entrevoir dans sa majesté. Au premier étage, exactement sous le proviseur, il arrive que s'entrouvrent les fenêtres du censeur. Sa barbiche n'est qu'un bouc, mais on sait son regard perspicace et, des huit cents sujets qui se rangent sous sa coupe, il n'en est pas un seul qui conteste son autorité.

Ni celle du surveillant général. Mais ici — nuance capitale — on aborde un monde accessible, quotidien, peut-être vulnérable. A preuve : l'abondance des surnoms : la Verte, Le Mac, Pêchotte, Le Diaz... Maîtres d'étude, surveillants, compagnons de nos heures et de notre infortune, nous osons les juger, leur opposer l'insolence ou la ruse, quelquefois les persécuter. L'économe, le dépensier nous échappent, l'un cloîtré dans un bureau à double porte, l'autre coltinant, empilant, alignant ses denrées, ses pains fendus, ses cabillauds tremblotant dans leurs caisses, ses paniers d'œufs, ses sacs de riz et ses quartiers de viande dans une vaste resserre dont la porte souvent s'entrouvre, emplissant alors les couloirs d'une odeur insistante et plate de légumes secs et de vinasse.

Restent les sans-nom, les ilotes, les garçons qui retapent nos lits des dortoirs, balaient les dalles et les planchers, assurent la plonge aux cuisines, et les trois damnés de la terre : le tapin, le chauffeur et le veilleur de nuit, Auguste, Maka et Sucemèche. Pauvres bougres, humbles et résignés! Auguste au visage tout en os, au nez bossu et binoclard, aux joues creuses couleur de pain d'épice; Sucemèche, long fantôme nocturne, traînant sans bruit entre les couchettes, tout au long de l'allée centrale, ses savates aux semelles de feutre, traînant de surcroît derrière lui, vers la lueur bleue du gaz en veilleuse, son ombre peu à peu diminuée, peu à peu s'effaçant lui-même tandis qu'il pointe au mouchard son passage. Et la porte se referme toute seule.

Si pauvre, le pauvre Maka, dans sa défroque déguenillée, qu'un jour où, penché sous nos yeux au bas de la classe en gradins, il déversait dans la gueule du poêle le plein de son seau de charbon, quelque reprise ayant craqué nous avons vu lentement paraître et descendre dans son enfourchure ses testicules de miséreux.

Tambour. Il est sept heures et demie. On traverse la cour : le réfectoire est dans un bâtiment qui sépare la cour des moyens de la cour des grands. Bâtiment sans étage, couronné d'une terrasse au milieu de laquelle, dans un édicule ornemental, s'érige l'horloge du lycée. Heureux moment : les voix résonnent d'une table à l'autre, il arrive que l'on entende rire. Nous nous retrouvons huit par table, toujours les mêmes. C'est sur le marbre que nous sommes servis, un marbre rose, toujours un peu graisseux du repas précédent comme l'attestent les ronds circulaires du torchon qui l'a caressé.

Café au lait, chocolat au lait le dimanche. C'est ce qu'affirme le menu de la semaine affiché à l'entrée du réfectoire. Je n'irai pas jusqu'à dire qu'il ment, mais enfin... Du moins le pain est-il à discrétion. Il est tendre, de la dernière cuite. On nous le tend dans des corbeilles, découpé en rondelles dans la longueur des pains entiers préalablement fendus au couteau. Les mains se tendent, il faut faire des réserves car midi est encore bien loin. Les appels se multiplient : « Rabiot! Rabiot! » Les poches s'emplissent. Sont-elles donc si grandes? Incroyable, ce qu'elles peuvent avaler! C'est que chacun, au préalable, a glissé les rondelles reçues entre le banc et son séant : deux par deux, naturellement. Elles y restent le temps voulu pour que la mie, encore moite et gonflée, s'aplatisse entre les croûtes. Le résultat est étonnant. Bien rangées côte à côte, ces rondelles devenues galettes ne tiendront qu'une place infime. On les retrouvera à dix heures, compactes, pesantes à l'estomac, inoubliables, inoubliées. Pas un de mes vieux camarades que je n'aie vu juvénilement sourire si l'un de nous venait à rappeler les délices du « pain à la fesse ».

Tambour : dix minutes dans la cour tandis qu'arrivent les professeurs. Tambour : c'est l'entrée en classe. Il est huit heures. Dans les cours maintenant désertes, au pied des rares marronniers, les moineaux d'Orléans font poudrette. De loin en loin, un vague bourdonnement traverse l'épaisseur des murs : c'est en secret, dans la ruche close,

74

que cet étrange essaim butine. Tambour : l'horloge sonne dix heures. La trêve sera de dix minutes; le temps, pour le concierge Antoine, de promener dans les trois cours son éventaire de gâteaux.

Les pâtisseries orléanaises sont à juste titre fameuses. Antoine s'approvisionne dans l'une des meilleures de la ville. Il revend ses gâteaux dix centimes, son bénéfice est la ristourne que lui consent son fournisseur. Tandis qu'il vend, il « appelle au courrier ». Comme la limaille autour de l'aimant, on s'agglutine autour de sa grande manne d'osier. Point n'est besoin d'être observateur ni curieux pour constater que les amateurs de gâteaux sont quotidiennement les mêmes. Contre cela, serait-il de tous les jours, l'uniforme ne peut rien. L'un de nos camarades, « en avance » sur nous de deux classes, s'auréole d'un prestige reconnu par les trois cours : il est entre tous élégant, complets de bonne coupe et culottes de golfeur; mais surtout nul n'ignore que son père lui alloue, chaque semaine, un somptueux viatique de dix francs. Est-ce qu'on l'envie? Même pas : la distance trop grande défie toute comparaison. Personnellement, je n'aime guère les gâteaux.

Tambour. Silence de nouveau dans les cours, les uns en classe, les autres en étude, tous cloîtrés jusqu'à midi. Tambour, tambour... Nous sommes tellement « faits » à lui qu'on ne peut plus le prendre en grippe. Le temps venu, le clairon du régiment nous trouvera mithridatisés. Aussi bien, à mon sentiment, le cuivre est-il plus gai que la peau d'âne.

Réflexes conditionnés : à midi réfectoire, le tambour nous fait saliver. Une demi-heure pour déjeuner. La mode, en ces temps très lointains, n'était pas encore aux son-

75

dages. Si l'on nous eût sondés quant à nos goûts gastronomiques, la palme, l'oscar, l'acclamation seraient allés à l'omelette, à l'avance découpée en huit parts, assez inégales toujours pour allumer les convoitises et provoquer les récriminations. Un roulement quotidien, toujours scrupuleusement observé, désignait le commensal premier à choisir sa part. Le dernier, d'un regard désolé, voyait les bons morceaux un à un s'envoler. Quelquefois il n'y tenait plus, dénonçait l'injustice du sort. La pratique du rabiot finissait par tout arranger. Même écrasante majorité pour lancer l'anathème sur le pire de nos menus : veau marengo-riz glacé : blême compresse insipide, magma gluant promis d'avance à notre exécration.

Longues journées qu'allongeait encore, s'il se pouvait, la scansion des baguettes d'Auguste. Deux heures de classe de nouveau, trois heures d'étude sous les quinquets du gaz. Si je compte depuis le réveil, cela fait de dix à onze heures pour nous meubler la mémoire et l'esprit. Devenu homme, la lecture de Charles Fourier, entre les pages qu'il voue aux neuf passions fondamentales, m'en révélera pour mon secret plaisir une dixième propre à me rassurer : capricieuse, inconstante, espiègle un brin à l'occasion, il l'appelle la papillonne.

Alors vers vous je clignerai de l'œil, chères lectures clandestines à l'abri du Quicherat, du Bailly ; vers vous aussi, Hercule de Lysippe, Laocoon du Vatican, chefs-d'œuvre « à la plume » de M. Gustave Fraipont, peintre de la Légion d'honneur. Vous ai-je assidûment copiés, oublieux du temps, de l'épaisse chaleur close avec nous prisonnière, morne magma d'odeurs, de verdâtre lumière sous les abat-jour des « rostos » ! Bientôt viendra le temps où ma persévérance osera tenter une œuvre originale. J'ai retrouvé

ces derniers jours, comme une réponse un peu magique
à un appel informulé, un cahier bleu de « fournitures
scolaires » utilisé à d'autres fins par mon amour du sport
et de la culture physique. La page de titre, bellement
calligraphiée, se souvient des pleins et déliés enseignés
par M. Jameau : *Exercices pour développer ses muscles
et obtenir un corps harmonieux.* Ces exercices — de quelle
source venus ? — observent une gradation minutieuse,
mais chacun d'eux s'accompagne d'un dessin pour la
première fois non copié, superbe défilé d'athlètes en exten-
sion, en flexion, en torsion, les jambes gainées d'un col-
lant noir, le torse nu, et musclés, musclés, à dépasser les
plus virils espoirs.

Minutieux, je viens certes de l'être dans ce rappel de
nos vieilles servitudes lycéennes. Encore aurais-je dû m'y
replonger davantage, pour marquer mieux et par contraste
la puissance de l'instinct qui m'a tout de suite et pour
des années défendu et prémuni contre elles. Déjà et par
chance singulière, la grande école m'avait formé, en même
temps qu'à l'acceptation franche des obligations scolaires
(et par conséquent sociales), à une pratique très souple
et très sûre d'une éthique à mon propre usage. J'aurais
été bien en peine d'en expliciter les règles. Mais l'application que j'apprenais chaque jour à en faire, par sa constante infaillibilité, était de sorte à m'en dispenser. Même
au lycée, malgré la tyrannie des horaires et du tambour,
malgré les promenades du jeudi au long des désolants
faubourgs (et, dès qu'en approchait la fin, la vue du premier arbre, là-bas, sur le bord de la route, donnait le signal
du retour), il y avait encore, il y avait toujours des échappées, une ronde stridente de martinets par-dessus les toits
de la cour, la lecture clandestine d'un London, d'un

Kipling qui nous ouvrait un autre monde; lambeaux de liberté aussitôt reconnus, aussitôt saisis au passage, émouvants comme des larcins; et, chaque jour enfin, pendant deux fois une heure, les salvatrices récréations.

Balle à la paume, balle au camp, thèque, gouret, ce gouret n'étant autre chose qu'un ancêtre français de la balle au pied, du football. Mais au lieu d'un volumineux et dur ballon gainé de cuir, on y bottait de la semelle une petite balle de peau qu'Antoine nous vendait un sou. J'ai souvenir d'un dimanche de vacances où j'étais allé, à bicyclette, voir Benoist dans son Fay-aux-Loges. En quête d'un camarade pêcheur (Fay est au bord d'un canal poissonneux), nous nous étions rendus, pour le « prendre » avec nous, chez ses parents, des paysans bûcherons en lisière de la forêt. « Où est Lucien? », s'enquit Benoist. Et le père, féal exemplaire de son parler natal : « Il est allé foutre une balle. » Le seul ton, certes réprobateur, mais empreint d'une indulgente ironie, valait tous les commentaires.

Dessin, lectures, déchaînements de midi et demi, de quatre heures, autant d'échappées consenties, licites, dont j'appréciais la bénévolence pour en profiter à fond. Il y en avait d'autres, imprévues ou plutôt fortuites, auxquelles leur rareté même prêtait une grâce merveilleuse, une soudaine lumière d'embellie. Le lycée avait acquis, sur la rive gauche de la Loire, une propriété de campagne bourgeoisement nommée *Joli-Bois* : une assez belle et spacieuse maison louis-philipparde que l'abandon déjà délabrait, une pelouse livrée au chiendent, un boqueteau dont les chênes scrofuleux étaient hantés d'insectes rongeurs de bois, et une friche assez grande pour offrir un terrain idoine à l'entraînement et aux exploits de l'USLO, l'Union sportive du lycée d'Orléans. Sportive ? Sans doute, mais au service d'un seul sport, le rugby.

Glorieuse USLO, championne scolaire du Centre-Ouest, seulement battue, en finale du championnat de France, par l'équipe de Janson-de-Sailly ! Quelle autre équipe eût pu citer, dans sa seule ligne de trois-quarts, des noms aussi prestigieux que ceux de Burgun, de Faillot, champion de France du 400 mètres plat en 49 secondes ? J'étais trop jeune encore, cette année-là, pour tenir à l'USLO un poste qui fut plus tard le mien : celui de demi d'ouverture. Il m'a valu le surnom temporaire de « Fouinotte », lié seulement, je le précise, à mon coup d'œil et à mon adresse dans la capture du ballon ovale entre les pieds des talonneurs, à peine saisi, déjà servi au trois-quarts le mieux placé.

Joli-Bois, donc. Il arrivait, par l'un des plus beaux jours de l'équinoxe d'été, que la promenade de jadis, au lieu de fouler les pavés du faubourg de Bourgogne, ou Saint-Vincent, ou Saint-Jean, ou Saint-Marceau, descendît inopinément vers la Loire. Le pont de Vierzon une fois en vue, nous savions : nous allions à Joli-Bois !

Délices, n'y eût-il point de match où vociférer sur la touche. Mais délices quand même, à seulement nous asseoir sous les petits chênes égrotants, tomber la lourde veste ou la redingote d'uniforme et sentir la brûlante chaleur peu à peu, délicieusement, fraîchir le long des bras à travers les manches de la chemise, bavarder ou se taire côte à côte ; et regarder passer, en bras de chemise eux aussi, Le Mac, canotier sur la nuque, le père Diaz, une grosse pipe enfoncée dans l'épaisseur de sa barbe, eux aussi devisant, respirant, et derrière eux Pellerin qui sourit le nez dans un livre, qui bute contre une racine, trébuche et poursuit son chemin sur un entrechat de danseur, et Harris en costume de cycliste, le mollet fin et rebondi, qui pousse, le guidon désinvolte, l'étincelant vélo dont il vient de sauter comme un elfe, l'appuie contre un baliveau et se laisse choir soudain dans l'herbe, presque à nos pieds. Tous ces « hommes », ces gardiens de la loi, détenteurs délégués du pouvoir et de ses foudres, quel séisme, quelle conjonction d'astres a fait de nous leurs pairs et amis? « On est bien, soupire Harris, on est rudement bien, *jeunes gens*! »

La lumière, insensiblement, devient d'une douceur de miel. L'air est calme, incroyablement limpide et léger, et pourtant on le sent couler. Dans le transparent silence, quelque part vers la maison, un hennissement nous fait dresser la tête. Des roues crissent sur le gravier : c'est un char à bancs qui arrive, d'où descend une équipe de garçons; de *nos* garçons, vite identifiés. Fini, fini de nous étonner. Les barrières, toutes les barrières ont chu. Comme un énorme portant de théâtre, le vieux décor a basculé. Tout est possible : l'autre monde où nous sommes transportés, où nous voici, c'est lui qui est le monde réel et tout mon être l'a reconnu.

Un autre véhicule a suivi le char à bancs, chargé de planches et de tréteaux. Mais bien sûr, mais naturellement, mais évidemment et de toute éternité! Par un soir comme celui-ci, on dîne dehors, comme dans le jardinet de Châteauneuf, près du cèdre et du marronnier rose que nous avons vu planter, René et moi. Déjà les garçons dressent les tables, alignent les assiettes et les verres dans un tintamarre exultant. Ce monde-ci, ce soir et à jamais, se relie magiquement à un autre, peuplé d'arbustes et d'enfants, d'aveliniers et de pruniers pourpres, où les sauterelles crépitent à travers les herbes folles, où l'on saute du haut des remises, où l'on peut se casser la jambe, faire « vrôner » les toupies dans la cour de la grande école, où le lycée n'a jamais eu sa place.

Nous avons dîné à Joli-Bois : du veau froid, ferme et tendre, pas marengo le moins du monde, de la salade bien croquante, celle que je préfère entre toutes depuis les jeudis chez grand-mère, cette laitue romaine qu'à Châteauneuf on appelle le chicon, et des fraises, des fraises superbes, fermes, fondantes, les meilleures assurément que j'aie savourées de ma vie. De gros lucanes cornus, libérés par le crépuscule, s'abattaient parfois sur les tables. Harris, pressé par ses collègues, s'est levé et a chanté tandis que montait la nuit. Il avait une belle voix de baryton, pleine et ronde, qu'il avait appris à conduire. Nous l'écoutions, au bord de l'extase : l'air de la Calomnie, le grand air d'Escamillo. J'attendais celui de *Patrie*, « Pauvre martyr obscur »... Mais la vérité avant tout : il a dévié vers la chansonnette; et nous avons chanté avec lui, en chœur, à l'unisson ou presque, en tout cas consentants, et libres.

Avant-goût? Préfiguration des vacances? Elles étaient proches, assez déjà pour que leur imminence vînt conjurer la lassitude dont le risque eût pu menacer après dix mois de claustration. C'est à l'époque de mes premières années lycéennes, la sixième, la cinquième, que je suis devenu pêcheur. Et d'abord pêcheur d'ablettes. Il y avait alors, à Châteauneuf et de part et d'autre du pont, deux bateaux-lavoirs à quai. On disait pour les distinguer :

le grand bateau et le petit bateau. Ils flottaient sur leurs amarres, balancés imperceptiblement au gré d'un courant nonchalant. Retentissants de jacasseries, béants sur des profondeurs d'ombre où rougeoyait parfois le brasier de la chaudière, ils s'ouvraient du côté de la berge sur la rangée des lavandières, qui savonnant et frottant de la brosse le linge étalé sur la selle, qui se penchant sur le bordé, la croupe haute, et rinçant au fil d'une eau inépuisable des draps flexueux, longuement déployés, et prolongés encore par la traînée savonneuse et bleuâtre qu'aspirait le remous, à l'aval, contre la muraille de planches.

C'est là que grésillait le banc d'ablettes, là que je lançais la mouche, aussitôt happée et gobée par un museau invisible. Mais une chiquenaude avait passé dans une giclure de gouttelettes, et déjà j'avais « ferré ». Était-ce alors quelque ancêtre creusois, un Léonard ou un Sylvain, qui se réincarnait en moi, qui sentait à travers mon poignet, le long de mon bras tout entier, chaque torsion, chaque secousse vivante de l'ablette arrachée au fleuve? Elle émergeait, brillante et nacrée, dans le soleil, dans l'air desséchant et mortel. Encore une! Et encore une! J'étais pris, captif moi aussi, tout entier la proie d'un plaisir qui me rendait insensible et aveugle à tout ce qui n'était pas lui.

Parfois, quelque chevesne rôdeur poussait son épais museau à travers le banc d'ablettes. Je le voyais, j'attendais son attaque, et aussitôt mon cœur battait, étreint d'une angoisse délicieuse et déjà presque insupportable. C'était fait, il avait foncé. J'avais intégralement perçu, la durée d'une seconde peut-être, sa violence, sa vitesse et son poids; et aussitôt, décevant et vide, le flottement de ma ligne rompue. Demain, plus tard, jusqu'à mon dernier jour, si les retours complices de la mémoire et du rêve devaient me ramener vers les bateaux-lavoirs d'autrefois, c'est ce chevesne manqué, puissant et lourd, soudain impondérable, qui passerait comme entre deux eaux sur l'écran intérieur où revivent mes songes.

D'où venus, mes songes de pêcheur à la ligne? De la maison au bord de la Creuse où les premiers Genevoix français tendirent la nasse et lancèrent l'épervier? Et de plus loin, de bien plus loin sans doute, de quelque caverne-abri cachée dans la faille d'un causse, où je vois la main d'un pêcheur à demi nu tracer sur la paroi du rocher, lourds troueurs de courants aux écailles piquetées de points noirs, le passage d'un banc de saumons.

Chaque jour, vers Sigloy, vers Guinand, vers Marmin, par les routins, les chemins à ornières, sur un vieux vélo arthritique, je pédalais vers mes assouvissances. Les courants vifs, les mouilles profondes où l'épaisseur stagnante de l'eau la teintait d'un vert d'angélique, les « raides » glissant d'une seule nappe rosissante sur des grèves bientôt affleurantes, la chevelure sifflante des rouches que je fendais à pleins genoux, les risées, aériennes à demi, que faisait courir sur la Loire, plus bleuissantes que l'ombre du nuage, une brise d'ouest à rebrousse-courant, la solitude surtout où me jetait une soif avide de s'étancher enfin, j'apprenais tout cela, je m'y livrais dans un vertige d'oubli. Je le savais pourtant : cette même soif renaîtrait demain. Du moins l'instant présent était-il amical, généreux : j'en sentais au passage la plénitude et le bienfait. C'est que des jours avaient passé où j'avais connu, à douze ans, la cruauté terrible de la souffrance et du malheur.

Le 14 mars 1903, par un matin d'avant printemps d'une magnificence indicible, j'avais été, en pleine étude, appelé chez le proviseur. Il m'avait, si j'ose ainsi dire, « préparé ». Gêné, certainement pitoyable, il avait peut-être hésité à m'assener d'emblée le coup. Mais son regard, sa voix louvoyante m'avaient dès le premier instant jeté au fond d'un désespoir corrosif. L'été venu, j'en sentais toujours la brûlure. De ce jour je reparlerai dans ces pages, l'instant venu d'aborder de front mes tête-à-tête avec la mort. Je retrouverai alors l'adolescent pantelant précipité vers le plus dur de tous.

Celui qui, venus l'été et les vacances, erre sans fin sur les bords de la Loire a retrouvé à Châteauneuf une maison sans lumière, un père accablé de chagrin qu'une tristesse de jour en jour plus lourde jette à des exigences qu'un garçon si près de l'enfance ne peut reconnaître et comprendre. L'âpre faim de liberté que l'internat, sourdement, fait lever dans son subconscient le pousse à une intolérance que l'homme blessé ne tolère pas. Alors il fuit, décevant un appel qui refuse de s'exprimer. Dans le plein air de la vallée, parmi les tanaisies qu'il foule et d'où monte aussitôt une fraîche odeur de menthe, il respire, les épaules délivrées d'une chape trop lourdement pesante. Il arrive pourtant qu'il accepte la compagnie d'un camarade pourvu qu'il lui soit accordé, grisé comme lui par le libre espace, et pêcheur, d'abord pêcheur.

En voici un, à quatre jours près du même âge, comme lui interne au lycée et qu'il retrouve à Châteauneuf. Les liens tissés au long des siècles entre les membres de ces bourgades communautaires, résolument particularistes, s'avèrent si réels et si forts que le brassage du lycée n'y peut rien. Fatalement et naturellement, ceux de Lorris y retrouvent ceux de Lorris, les Gergoliens ceux de Jargeau, ainsi de canton à canton. « Lecourt, Chopin, Rocher, Tarin, c'est Lorris; à Jargeau, ils vont par couples frères : deux Mandonnet, deux Toutain, deux Moulin. » Je réciterais pareilles antiennes à travers tout le département.

A Châteauneuf, nous ne sommes que trois : Alaurent, qui prépare Saint-Cyr, que l'on aime bien, que l'on admire (il deviendra général!), mais dont les dix-neuf ans préfèrent les filles aux poissons. L'autre s'appelle Desbirons. C'est le fils du juge de paix. Son père, veuf, s'est remarié. Sans nous concerter jamais nous nous rencontrons souvent et nous l'acceptons l'un et l'autre. Si la silhouette d'un cycliste qui pédale à la crête d'une levée se profile sur le ciel de l'aube, je sais déjà que c'est lui. « Bonjour! — Bonjour. » Et nous pêchons de compagnie.

Les paroles sont rares entre nous.

— Tu as des mouches? Montre!

Ce sont des mouches artificielles, de grosses mouches-araignées, noires ou rousses. J'ai les mêmes, achetées comme les siennes chez le même marchand du Port.

— Tu « fais » ce côté, en remontant vers la Brèche?

— Comme tu voudras.

— Bon. Alors je descends. On se rejoint à la Grand' Maison.

— Salut.

On s'est retrouvés vers midi, au bord d'une grève caillouteuse inclinée à très faible pente vers une lagune calme comme un étang. Et l'un de nous a dit :

— On donne un coup, pour voir? J'ai idée qu'il y en a des beaux.

— Il est bien tard...

— Rien qu'un coup.

La grève est assez ample pour deux. Sans nous gêner l'un l'autre, nous faisons voler nos mouches. Et aussitôt, sur l'une et sur l'autre, c'est une ruée. A croire qu'un mystérieux tropisme a rassemblé ici les plus beaux chevesnes d'alentour. « Beaux »? C'est à peine assez dire. Quand nous avons ferré ensemble, il nous a pareillement semblé que nos mouches accrochaient un pavé. Il y a eu, simultanés aussi, deux petits « clic » assez aigres : plus de mouches! Les doigts tremblants nous nous sommes « remontés en vitesse »; et hop! Désormais, au plein sens du terme, c'est l'aventure : à peine croyable, exaltante, libératrice, une série inimaginable de lancers, de gobages brutaux, de stupeurs admiratives à ferrer chaque fois sur des blocs, soudain mus et soulevés par une violence dévastatrice. Et chaque fois nos mouches y restent. Et chaque fois nous nous remontons, obstinés, déçus et ravis. Par intervalles, rarement, il arrive qu'un éclair d'électrum effleure la surface de l'eau : juste assez pour que nous en croyions nos yeux, pour que l'enchantement qui nous lie réaffirme sa souveraineté.

C'est fini, nous n'avons plus de mouches, la dernière a rejoint les autres dans la Loire, quelques-unes accrochées derrière nous aux capitules des tanaisies en fleur. On s'éveille, on se regarde.

— Quelle heure as-tu?

— Oh! la la!

Je ne sais pas quel accueil attend chez lui mon camarade. Mais je sais bien, je ne sais que trop celui qui m'est réservé. Dès le tournant de la rue Saint-Nicolas, je vois mon père debout sur le trottoir, devant la grille du jardin. Il m'aperçoit, retire de son gousset sa grosse montre au boîtier d'acier bleu. Mon cœur se serre.

Nécessité fait loi. Quel aphorisme, fût-il universellement admis, qui ne souffre selon la circonstance les retouches d'une mise au point? J'avais treize ans, quatorze ans. C'est l'âge des premiers durcissements, mal ressentis encore, et que le sentiment naissant d'une autonomie personnelle affecte inévitablement d'un coefficient abusif : « On se défend, il le faut bien, hélas! » Pareille bonne foi souffre maints compromis. Si persiste en face des adultes un complexe d'infériorité, on réagit comme le « niais de Sologne » en face de son propriétaire, son « Monsieur ». « Du moment qu'on n'est pas le plus fort, il faut être le plus malin. » Et dès lors on ruse, on louvoie. Avec la pointe d'un dégorgeoir on crève un pneu de la bicyclette; on découvre au fond de soi des dons cachés de casuiste, on n'a même pas à se promettre de les cultiver demain. On dit seulement : « Ce n'est pas de ma faute. » Il est si facile de le croire!

La rentrée au lycée allait offrir à cette évolution un terrain entre tous propice. Il me fallut deux ou trois ans pour porter au rendement optimal la culture de l'alibi. J'en retiendrai deux modes principaux : les *Jeunes* et les cours de danse du jeudi.

Les Jeunes étaient un groupement d'« art dramatique », fondé à l'initiative de deux ou trois jeunes professeurs dont l'un au moins, Émile Chénin, allait dix ans après resurgir dans ma vie. Féru de lettres et de littérature, admirateur inconditionnel de Flaubert et de Maupassant, il arrivait qu'il nous lût en classe des pages de ses demi-dieux : la description de la casquette de Charbovari; ou *Toine*, le gros Toine que l'impotence et l'obésité condamnent à l'oisiveté du lit, et que sa femme utilise à propos en lui glissant sous les aisselles, pour une paternité imprévue, des œufs en excédent, orphelins de couveuses emplumées. Quel ton, quelle gourmandise, quelle sensualité dans ces retrouvailles des mots, des phrases, à reconnaître leurs contours, leurs rencontres, à écouter leur musique secrète! « Une de ces pauvres choses enfin... » Et cette chute, « cette chute merveilleuse, émouvante, n'est-il pas vrai, jeunes gens?... Comme le visage d'un im-bé-cile! »

Entre le premier trimestre, voué à une reprise « sérieuse », et le troisième, tendu vers les examens de l'été, les Jeunes se produisaient au lycée même, deux ou trois fois, après la promenade du jeudi. Comme public, les élèves eux-mêmes, en présence des autorités. Bon public, d'avance acquis, prêt à soutenir de ses bravos des acteurs sortis de ses rangs. Tous bénévoles, recrutés préférentiellement de la seconde à la philo. Le tri se faisait vite, sans mise en boîte désobligeante, mais avec une spontanéité jusque dans ses silences équitable. Spontanés aussi les bans laudateurs, les promotions au vedettariat : tel ce taupin placide, bonhomme, étonnant diseur et bon mime, chaque jeudi acclamé, bissé, une espèce de Raimu matheux, une nature.

Il n'a jamais consenti pourtant à se produire sur une scène devant le tout-Orléans, à l'Institut. C'est une salle municipale, carrée, agrandie de miroirs, scintillante de lumières, fastueuse à nos jeunes yeux comme un palais des Mille et une nuits. Nous y donnions, pour nos familles et pour des invités choisis, deux soirées et une matinée. Quelle magie, non plus secrète celle-ci, et silencieuse, mais prodiguée à tout venant, partagée, dans l'instant contagieuse! Je me suis demandé quelquefois, le temps venu de gouverner ma plume, comment cette magie du théâtre ne m'avait pas, à partir des Jeunes, orienté. Des lecteurs, des confrères, des critiques amicaux et curieux m'ont souvent posé la question : « Il y a, dans vos romans, des scènes entières dialoguées, et qui recourent spontanément à un langage de théâtre. » C'est vrai, je crois. Et cela revient, comme toujours, au « Madame Bovary, c'est moi », au « se mettre à la place de », à ce protéisme imparfait qu'il m'est arrivé d'évoquer à l'occasion d'une de ces enquêtes que la mode ou le manque de copie réveillent périodiquement comme des accès de fièvre quarte.

Au vrai et à la rigueur, il faudrait retourner la formule, l'équilibrer par son complémentaire : « J'ai dépouillé le Flaubert que je suis pour être Emma Bovary. Protée heureux j'ai *joué ce rôle* à la perfection. » Mais il faut d'abord être dieu. C'est avouer que pareille réponse, si imparfait qu'aurait pu être mon propre jeu, aurait trahi d'outrancières ambitions.

Ma réponse personnelle s'en défend : je n'ai jamais écrit pour le théâtre, bien que j'en aie été tenté au-delà d'un platonisme velléitaire, jusqu'à esquisser noir sur blanc les scénarios d'actes épars. Si j'en suis resté à ce stade, ce n'est pas pour l'avoir décidé à la suite d'épreuves décevantes, mais simplement pour des raisons de circonstances : le train même de ma vie et de mes habitudes, le rythme de mon travail, l'appel insistant d'un roman; peut-être aussi l'informulé conseil d'amis et de camarades voués au théâtre et injustement déçus. Non des moindres.

Applaudis d'abord, et fêtés, et célèbres, pour un demi-échec ou un demi-succès les voici aux prises avec un directeur timoré ou prudent, qui ajourne, qui se dérobe et qui demain, avec mille regrets, flairera vers un autre azimut. J'ai assisté, chemin faisant, à des parcours traversés de cahots, de retours, d'abandons, et que mon amitié a ressentis comme décourageants. J'ai dû manquer du cran qu'il eût fallu pour franchir ce Rubicon.

Mais une part de mon cœur, aujourd'hui, s'émeut encore pour peu qu'un mot, un effluve au passage me ramène vers le vieil Institut, ses banquettes de velours rouge, ses miroirs illuminés, ses coulisses où la colle à moustaches tiraillait mon duvet naissant, mon dernier pas hors du portant et soudain, immense autour de moi, exaltante, vertigineuse, la solitude de la scène. Ah! Nous ne compliquions pas les choses! L'inconscience tenait lieu de cran. Peut-on ainsi et coup sur coup se vouer tour à tour à Molière, à Mark Twain, à Courteline et à Max Maurey? Tour à tour veneur des *Fâcheux*, rond-de-cuir de *la Lettre chargée*, directeur de *l'Asile de nuit*, *Cultivateur de Chicago*, j'avais été, deux ou trois heures durant, prisonnier d'un état second qui ne me rendait à moi-même, le dernier spectateur en allé, qu'au retour dans une rue Jeanne-d'Arc plus que jamais rigide et froide. Et j'entendais, hélas! j'entendais de tout mon corps, retentissante et solennelle, répercutée sans fin le long des couloirs déserts, la retombée de la lourde porte qu'Antoine bouclait derrière notre dos.

Le second alibi... Est-ce le mot qui convient? J'en pressens d'autres qui demandent à poindre : échappée, par exemple; ou prétexte. Le vocabulaire d'aujourd'hui m'en souffle un autre encore, de grand usage; et c'est

« combine ». Ce n'est plus Desbirons qui m'est ici compagnon. Quoique « gergolien », c'est Mandonnet; l'un des deux frères Mandonnet, Pierre. « Combinards » lui et moi, de plus en plus inséparables à mesure que se perfectionne notre aptitude à combiner. Encore un mot qui tombe de ma plume. Est-ce Mandonnet qui a, est-ce moi qui ai imaginé ce « truc »? C'est un bon truc, et qui a sur les Jeunes l'avantage de durer, d'être admis comme une habitude. Chaque jeudi soir, nous séchons l'étude pour le cours de M. Mounier.

M. Mounier est professeur de danse. Il serait noir « comme un corbeau » si la teinture dont il use n'était à ce point poussiéreuse et sans lustre. Il est borgne, il est ventripotent, court de souffle et légèrement bègue, ou plutôt affecté d'un défaut mystérieux, on ne sait quelle lésion buccale, un trou, une perforation où s'abîment certaines syllabes des mots que profèrent ses lèvres. Quand sa voix, appuyant son violon, scande le rythme d'une polka, on entend : « Un-deux-ouah!... Un-deux-ouah! » sans que personne soit tenté d'en sourire. Car ce corps de poussah, habité d'une grâce singulière, se transfigure dès qu'il esquisse un pas. La danse même. Du pied cambré dans l'escarpin verni aux bras soulevés comme des moignons d'ailes, il danse. Et l'on voit se poser sur ses traits un sourire qui voltige et danse.

Autour de son salon, sur des banquettes assez spartiates, les mères papotent pendant les pauses, silencieuses soudain au premier grincement du violon. Elles observent, elles surveillent, elles s'attendrissent, elles s'inquiètent. Dirai-je, irrévérencieusement, qu'il n'y a pas de quoi? Les tabous nous environnent, paralysent nos voix, caparaçonnent nos mains. A la lettre, elles sont de bois,

bois contre bois sur des tailles peut-être fines, peut-être souples, que contre-caparaçonne le corset. *O tempora! O mores!* La vie est courte et le monde est petit. Lorsque notre vieux curé a quitté Saint-Denis-de-l'Hôtel pour la maison de retraite du diocèse, nous avons vu arriver à la cure un grand gaillard en béret basque, large d'épaules et truculent : « Savez-vous, m'a-t-il dit, savez-vous, monsieur Genevoix, que sans vous avoir rencontré je vous connais depuis longtemps? Ma digne mère m'a tant parlé de vous! Elle a dansé la valse avec vous au cours de M. Mounier. » Il a dû s'écouler vingt ans, davantage, depuis qu'il me disait cela. C'est ainsi que « nos actes nous suivent ».

Je devais, à Normale, dans les années de l'immédiat avant-guerre, rencontrer un autre maître à danser, souriant vieillard aux manières exquises dont j'ai peut-être eu tort de négliger les leçons. M. Fischer avait enseigné son art à la cour de Napoléon III. Ses yeux bleus se voilaient un peu lorsqu'il évoquait le souvenir de l'impératrice Eugénie. Il n'avait pas connu le grand Vestris, Gaetano, mais son fils Augustin, aussi grand, aussi superbe. J'ai de lui une bonne photographie où il sourit parmi un essaim de jeunes filles, où je figure moi-même avec quelques camarades, en pantalon à pont et favoris à la hongroise. Acteurs, chanteurs, danseurs, auteurs, de la rue d'Ulm et de sa « Salle des Actes » nous essaimions parfois en quelque avenante folie à boulingrins, jouant des sketches de notre cru ou chantant à cœur joie quelque opéra bouffe d'Hervé. Mais j'anticipe une fois encore et reviens au lycée d'Orléans.

Si assidue, si perfectionniste qu'elle fût, il n'était pas concevable que la pratique des alibis ne vînt tôt ou tard à gripper. Nos succès mêmes nous incitaient à des audaces de plus en plus scabreuses. C'est ainsi qu'un jour de mi-carême, non contents de « sécher le bahut », blasés déjà des sauteries mouniéroises et de leurs monotones attraits, nous piquâmes droit, Mandonnet et moi, vers une boutique de la rue de Bourgogne. Quelque « grand », taupin ou cyrard, avait dû nous en dire merveille. Il faisait beau, les passants en grand nombre arpentaient les trottoirs, des couples escortés de bambins costumés, des escouades d'artilleurs dont les bancals sonnaient sur les pavés. Une brise inattendue soufflait sur Orléans, vive, excitante, qui poussait au sourire et faisait briller les yeux.

Une dame aux cheveux gris nous reçut, respectable matrone, digne marchande à la toilette dont le sourire nous rassura : car nous étions dans un grand trouble, grisés par notre audace en même temps qu'effrayés par elle. Femme de vaste expérience, cette Lycénion nous pesa des yeux, nous conseilla, choisit pour nous dans ses impressionnantes réserves des costumes à peine fanés. Elle m'avait voué au travesti : ce fut sous son regard attentif, attendri, que pour la première fois le rasoir effaça l'ombre de ma moustache naissante. Le fard rosit mes joues, le khôl assombrit mes paupières, une mouche assassine paracheva ma beauté. Quand nous sortîmes au soleil de la rue, j'étais marquise et Mandonnet marquis.

Peut-être en ai-je déjà trop dit. Si c'est trop, me voici contraint à en dire un peu davantage. J'avais seize ans, seize ans et demi. C'est un âge où la chaleur du sang prodigue à l'innocence ses poussées les plus insidieuses et ses pointes les plus brûlantes. Ni Watteau, hélas, ni Verlaine ne vinrent sublimer ce jour-là le terre-à-terre de mes découvertes, leur affligeante et dérisoire vulgarité :

ni la stupeur des militaires acharnés à me poursuivre lorsque, les ayant entraînés vers un édicule écarté, je pris rang et, debout comme eux, j'arrosai l'ardoise municipale avec un naturel qui ne pouvait plus les leurrer; ni ma propre stupeur, le soir venu, lorsqu'un grand bourgeois de la ville, de moi connu, en plein café, en pleine lumière, fit glisser sous mes yeux, l'un contre l'autre, deux louis d'or. Je mentirais par omission si je n'avouais l'obscur plaisir qui se mêla, tout ce jour-là, à mes refus ou à mes dégoûts.

Lorsque, dix heures du soir sonnées, après une brève plongée dans la cohue du bal public, décostumés, débarbouillés, stricts dans nos uniformes, nous regagnâmes le lycée Pothier, ce fut pour voir devant la porte, figés soudain dans un garde-à-vous spectral, le proviseur et le censeur. Mon père reçut le lendemain une lettre du proviseur qui relatait tout au long nos exploits. J'en ai retenu les premiers mots, à eux seuls révélateurs : « Maurice m'inquiète. »

Il nous fallut âprement nous défendre. J'y parvins et j'en fis, à tout événement ultérieur, mon profit. Cela survint à Lakanal. Le régime, aussi spartiate qu'à Orléans, y était un peu moins étouffant. Nous disposions chacun d'une chambre, sans poignée intérieure qui nous permît, une fois bouclés, d'en ouvrir autrement la porte qu'en brisant un frêle ruban vert scellé d'un plomb de contrôle. (Mais là encore, j'eus vite fait de trouver le bon truc.) C'est dans cette cellule que j'ai pris l'habitude de fumer assidûment la pipe. Quel critique allait s'étonner, lors de mes débuts littéraires, « de voir ce délicat [c'est moi] tenir toujours entre ses dents un brûle-gueule de roulier » ?

Autre recours, plus sensible à mes yeux et plus cher à

mon cœur : le parc, dix hectares plantés de beaux arbres, inaccessible dans l'ordinaire des jours, séparé de nos cours par une grille, mais offert à nos libres regards, toujours présent dans sa magnificence, ses hautes branches d'hiver sur le ciel, le miracle des bourgeons qui s'ouvrent, du soleil à travers les jeunes feuilles, la sérénité calme des frondaisons d'été; et là-bas, vers les fonds qui touchent aux lisières de la ville, l'enclos des daims, comme nous prisonniers, parmi lesquels j'avais un ami : un faon de la dernière portée, un enfant triste, au museau déformé par une parturition difficile et qui tournait vers moi, quand je pouvais m'échapper jusqu'à lui, un lent regard si poignant et si doux.

J'avais vingt ans. J'avais passé l'écrit du concours d'entrée à l'École et me savais parmi les admissibles. Restait l'oral. On nous lâchait un peu la bride. C'est dans le parc, assis dans l'herbe, que je fumais la pipe et continuais de saturer, obstinément, une cervelle-éponge qui commençait de toutes parts à fuir.

Nous n'étions pas nombreux à rester dans la lice. La cagne de Lakanal n'était pas plus mauvaise qu'une autre, mais il était patent que la préparation, mal orientée, y « mettait à côté de la plaque ». C'est ainsi que nous nous exprimions, équitablement et sans joie. L'année précédente, un seul de nous serait entré rue d'Ulm si par chance, *in extremis* et de justesse, un second ne s'y fût glissé : culot de promotion, mais normalien. Deux élus donc, et quand même peu, trop peu pour pavoiser. L'opinion générale tenait que cette année ce ne serait guère plus brillant. J'étais des trois, pas davantage, auxquels elle accordait une chance.

La chauffe, poussée tout au long de l'année, devenait

alors infernale. Autorisés, encouragés même, à un sur-menage inhumain, nous gâchions les deux tiers de la nuit à un gavage aberrant, n'éteignant la lampe de nos veilles qu'à l'instant de perdre conscience sous l'assommoir du sommeil, réveillés avant l'aube par les coups de semonce dont le forçat d'à côté, à charge de revanche, tambourinait la cloison, croquant à sec, à pleines poignées, des granules de cola réputés revigorants, réveillés de nouveau par le tambour de cinq heures si quelque lame de fond, irrésistible et miséricordieuse, nous avait entre-temps rendormis, nous n'avions d'autre perspective que les deux heures d'« étude » rituelles jusqu'au café au lait du matin. Le jour devait venir où quelque retour de bon sens me dessillerait enfin les yeux. Ma révolte ne fit point d'éclats, assez lucide pour me persuader qu'ils eussent été parfaite-ment vains, assez résolue d'autre part pour m'inspirer d'emblée une discrète solution personnelle.

Le parc, vers Bourg-la-Reine, était clos d'une haute grille. Il me suffit d'un bref examen pour me convaincre que l'escalade m'en serait à coup sûr facile. J'étais très bon gymnaste, très entraîné dès le lycée Pothier grâce à une barre fixe installée dans la cour des grands. Le bar-tabac le plus proche, dans Bourg-la-Reine, ouvrait vers six heures du matin. Je devins, dès le lendemain, l'un de ses clients les plus fidèles. Me glisser hors des rangs, des-cendre d'un bon pas, sans courir, vers la grille et ses fers de lance, utiliser à son sommet un écriteau large et solide, scellé dans le pilier d'angle par une administration que je n'eusse pas cru si prévenante, et j'étais un passant dans la ville.

Je n'en ai jamais abusé. Mon échappée, toute à des fins utilitaires et légitimes, avait l'entière approbation de ma conscience la plus scrupuleuse. Le café crème était crémeux, les croissants encore chauds du four. Que c'était bon! Que c'était simple! Le train des jours reprenait son rythme, la vie son heureuse plénitude. Je regagnais à l'écart de la rue, de son animation matinale, le renfoncement propice où la grille me tendait ses barreaux. De ce côté, je pouvais lire l'écriteau : deux mots seulement, *Lycée Lakanal*, mais à côté une flèche dont la pointe marquait exactement l'endroit où poser mon pied. Je souriais au passage et murmurais : « Merci. »

Cela dura toute une semaine. C'est un de mes bons souvenirs, celui d'un ordre du monde où l'instinct de liberté, sans provoquer, ni offenser, ni léser qui que ce soit, peut découvrir ou inventer ses propres voies. Si rares qu'en soient les concordances, il arrive qu'elles nous soient données. Pour une semaine, soit; mais, n'est-ce pas assez, lorsque l'on a vingt ans, pour rester à jamais mémorable?

Je devais être dénoncé, je le savais, j'en attendais l'instant. Heureux de ce que j'avais eu, j'y consentais d'avance, désignant déjà, à part moi, le surveillant grincheux qui serait l'instrument du destin. Je me trompais : ce fut le concierge, délateur abusif à mes yeux dès lors qu'il se mêlait de ce qui ne le regardait pas. Nous l'appelions La Betterave, à cause de la bande pourpre qui entourait sa casquette. Je n'appris cela qu'après coup. C'est inopinément que je fus convoqué, et par La Betterave en personne, « au bureau du proviseur ».

Sa mise en demeure, immédiate, fut exempte de brutalité, presque cordiale; presque amusée, me sembla-t-il, mais non moins nette. Quelque chose comme ceci : « Genevoix, il me peinerait que vous soyez, ici, celui par qui le scandale arrive. Si j'ai un reproche à vous faire, c'est de vous être mal caché. Mais attention, je ne pourrais tolérer désormais... » Ma traduction est libre, très libre; quant au fond je la crois fidèle. Assez tendu à mon arrivée, prêt à soutenir à tous risques un combat inégal mais de ma part sans concessions, je me sentais d'un mot à l'autre grandir dans la confiance et la sérénité; comme si j'avais gravi, marche à marche, un escalier qui m'eût mis de plain-pied, idéalement, avec l'homme grave, au visage assyrien, assis bien droit derrière son bureau, revêtu hier encore de majesté et de puissance et qui, soudain posant ses armes, consentait à notre égalité. Déjà, je prenais la parole :

« Monsieur, disais-je, veuillez considérer que si j'ai obéi à une impulsion décisive, l'attrait d'un possible scandale n'y a été strictement pour rien, mais seulement l'excès d'un surmenage aggravé par l'inanition. S'il est exact que je me suis " mal caché ", cela prouve ma bonne conscience. Mais au point où nous voici, il me paraît que je vous dois un exposé clair et loyal de mon état d'esprit présent... »

Il haussa les sourcils, souleva vers moi deux paumes largement ouvertes comme pour m'imposer silence, mais il me laissa poursuivre :

« Quelques jours seulement nous séparent d'un redoutable oral. Sans pour autant vendre la peau de l'ours, je crois savoir que je suis bien placé. Ici les cours ont pratiquement cessé; à juste titre. Sans être encore jetés, les dés grelottent dans le cornet. A supposer maintenant que je doive quitter le lycée, j'en serai quitte pour demander asile à tel ou tel de mes parents parisiens. Travailler ici ou chez eux, n'est-ce pas?... Bon. Les livres nécessaires?

Outre le chemin de la Mazarine (par exemple), j'en connais les heures d'ouverture. M. de Porto-Riche ne m'en interdira pas l'entrée. A supposer, tout cela étant, que... »

J'en avais l'intuition : sans qu'un sourire visible apparût sur son visage, le proviseur souriait intérieurement. Était-ce un jeu? Alors il s'y prêtait.

— ... Que vous soyez reçu à Normale, dit-il, sans que nous ayons le plaisir de faire graver votre nom sur les listes de nos succès?

Il se leva de son siège à demi, marquant ainsi le terme de l'entretien. Nous nous étions fort bien compris. Il ajouta pourtant, debout cette fois devant la fenêtre :

« Certains pensent même, ici, que vous pourriez être le seul.

Je fus content qu'il regardât dehors, me dispensant ainsi d'une protestation difficile. J'attendais, pour prendre congé, qu'il se retournât vers moi. Que regardait-il ainsi en hochant vaguement la tête? Il murmura, comme parlant pour lui-même :

« A cet âge, on a toutes les audaces... Vous rappelez-vous? L'an passé, précisément à la date où nous sommes, *quelqu'un* a enfilé là-haut, sur le paratonnerre de la chapelle, le tambour du lycée.

Il prit un temps, hochant toujours la tête. Et, d'une voix changée, songeuse et grave :

« *Il* pouvait s'y casser les reins... Allons, au revoir, Genevoix. Et bonne chance pour votre oral.

Je fus reçu, cette année-là le seul. Quant au tambour, qui s'en fût souvenu mieux que moi?

En 1911, les élèves des « Grandes Écoles », comme tout Français déclaré « bon pour le service », devaient deux ans de service militaire. Ce n'est qu'en 1914, à la veille presque de la guerre, qu'allait être votée la loi Barthou, autrement dit la loi de trois ans. Sa discussion devant le Parlement allait provoquer des remous qui gagnèrent un moment la rue. Élève externe j'occupais, rue des Fossés-Saint-Jacques, une chambre que j'avais voulue sans chauffage, tant m'avait incommodé, l'année précédente, le chauffage central de l'immeuble où je gîtais rue Tournefort. Un matin, comme je venais d'arriver rue d'Ulm et d'y retrouver mes « coturnes », une rumeur grandissante nous attira vers la fenêtre. Cela venait du Panthéon, une sorte de bourdonnement scandé, rythmé par la cadence des pas.

— C'est l'Action française, dit l'un de nous.

C'était bien elle. Par la fenêtre grande ouverte on entendait des cris vociférés, des abois singuliers dont on n'aurait su dire encore s'ils étaient de défi ou d'appel.

« On y va ? dit le même camarade.

Toute l'école maintenant retentissait, du haut en bas des escaliers, d'un bout à l'autre des couloirs. En vérité un branle-bas général, mais dans une confusion parfaite. Dans le train ordinaire des jours, la liberté d'esprit, le respect des personnes, sans pour autant effacer le clivage, sauvegardait entre nous la paix. Politiquement, un diagnostic sommaire nous eût répartis en trois camps : une droite, une gauche et, sans doute le plus nombreux, un marais. Ainsi du moins en jugeaient la droite et la gauche. La jeunesse, la chaleur du sang, la générosité du cœur aussi portent aisément aux extrêmes. Il eût fallu, et presque à l'infini, nuancer. Mais c'est ainsi, presque toujours, que naissent les malentendus.

Une haute grille, à quelques mètres d'intervalle, séparait de la rue d'Ulm le seuil et le porche d'entrée. Elle était close. Mais déjà, par la porte piétonne ouverte à longueur de jour, tout un flot de camarades avait déferlé sur la rue. Au même instant, en rangs serrés, l'Action française arrivait, faisait môle, et le heurt confondait les vaillances.

Il ne fallut pas plus de dix minutes pour que l'infirmerie fût à l'ouvrage. Pour contondantes qu'elles soient en principe, les matraques ne laissent pas, et souvent, de faire éclater la peau : les fronts, les crânes saignaient abondamment. Quelques maraîchins, dont j'étais, avaient opportunément déroulé le Serpent de mer sur les toits. C'est la grosse lance contre l'incendie. Un borborygme profond, un crachement d'air; et le jet d'eau, bien rond, bien plein, dans une courbe impétueuse et belle, s'abattit sur la mêlée. Elle s'était déjà éclaircie. Nous pouvions de là-haut, sur les larges gouttières à nos pas familières, repérer aisément les tout derniers points chauds. Notre tir, merveilleusement et promptement efficace, m'a laissé l'impression coupable d'une puissance quasi souveraine, maîtresse des éléments et des passions : pour le bien, cela va sans dire. Je vis alors passer, trottant, levant vers nous le nez, nous dédiant au vol un sourire et disparaissant sous la voûte, le secrétaire général Paul Dupuy. J'avais l'honneur, à ce moment précis, de tenir le Serpent de mer. Je le sentis soudain mollir entre mes mains, renoncer, réellement rendre l'âme : quelques gouttes dérisoires rendues à la verticalité. Paul Dupuy venait de couper l'eau.

La loi de trois ans fut votée.

III

Allais-je quelques mois plus tard, ayant subi l'épreuve du feu, me rappeler cette scène et ses anodines violences ? Alors elle a rejoint tout droit, dans l'éloignement déjà fabuleux où reculait le monde de « l'avant-guerre », mes souvenirs de caserne. J'étais loin d'être le seul. Dès après les premiers massacres il m'avait été donné bien des fois, dans le coude à coude chaleureux des étapes ou des cantonnements, d'écouter mes soldats évoquer inépuisablement des souvenirs pareils aux miens.

La plupart, recrues des classes 1912, 1913, avaient été du jour au lendemain précipités de la caserne au front. Mon régiment, le 106e d'infanterie, faisait partie des troupes de couverture. Il avait quitté sa ville de garnison, Châlons-sur-Marne, quarante-huit heures avant le 2 août, « premier jour de la mobilisation ». Rares sans doute, parmi ces jeunes hommes, ceux qui eussent été capables de formuler clairement ce qu'ils sentaient, déjà, de tout leur être : cette mutation soudaine et brutale, cette coupure sinistre, béante, infranchissable, qui venait de s'ouvrir derrière eux, les vouant désormais à un monde inconnu, mais déjà menaçant et pressenti terrible. Alors, dès qu'ils le pouvaient, ils se retournaient ensemble vers leurs derniers jours de paix, ce régiment et cette caserne qu'ils

103

avaient hier vilipendés, et qu'ils évoquaient à présent avec une nostalgie mélancolique et tendre, comme il arrive aux hommes dont les derniers jours sont comptés.

« Tu te rappelles?... » Ils se rappelaient : une marche de Châlons à Valmy, sept heures et trente-cinq kilomètres, une grand-halte de deux heures au monument de Kellermann, et retour vers Châlons, à chaud, « soixante-dix bornes dans les pattes, tu te rends compte ». Ou encore une traversée de la Marne, « tout le bataillon à la flotte, hardi mon pote, nage ou crève, et vive le 106, vive le Vieux! ». Le Vieux, c'était un chef de bataillon parti avec le 306, briscard sorti du rang, dit affectueusement « Poil au cul » pour la verdeur de son langage et sa jovialité bourrue. « Vous vous croyez en sucre, peut-être? Et moi, alors?... A l'eau! A l'eau! Tous derrière moi! » « Et il y allait, et on suivait. » Ils aimaient cette image d'eux-mêmes et la fierté qu'elle ranimait en eux. Ils la ressentaient ensemble, chacun à tour de rôle apportant son mot ou sa pierre, édifiant dans la joie cette humble épopée militaire où la mort n'avait point de place.

Ainsi en allait-il de moi, en ce temps et aujourd'hui encore. Les dortoirs du lycée m'avaient d'avance accoutumé aux remugles de la chambrée, l'école de ma bourgade aux échanges toujours disponibles d'une camaraderie sans frontières. Aussi bien avais-je lu Courteline, Descaves aussi et ses *Sous-offs*, Paul Acker et son *Soldat Bernard*. Tout compte fait, cette année de « servitude militaire », par comparaison avec la servitude lycéenne, m'a laissé le souvenir d'une libération allègre, traversée d'épisodes comiques où la révolte n'aurait trouvé de place qu'au nom de partis pris aveugles à la réalité. Je tiens aussi — il va de soi — que la jeunesse, l'alacrité du corps, la relâche soudaine d'une tension cérébrale contrainte à tous les excès ont compté pour beaucoup dans la genèse et dans la persistance d'un jugement si favorable.

En 1911, un statut particulier précisait les obligations des jeunes Français admis aux « Grandes Écoles ». Comme tous les citoyens, ils devaient à leur pays deux années de service militaire. Mais ils pouvaient, à leur convenance, opter entre deux solutions : ou bien s'acquitter d'abord d'une première année « dans la troupe », de la seconde seulement après leur temps d'école et, cette fois, comme officiers. Ou bien entrer d'emblée rue Descartes ou rue d'Ulm, et accomplir ensuite et d'une traite leurs deux années de service. C'est la première solution qui nous était judicieusement conseillée, et c'est elle que j'ai choisie.

Sur la liste des régiments qui nous étaient proposés, j'avais pointé Bordeaux ou Marseille. Ma préférence allait à Bordeaux, où je savais retrouver à coup sûr des camarades de Lakanal qui, moins chanceux que moi, n'avaient pu décrocher au concours qu'une « bourse de licence » dans une faculté de province. J'obtins Bordeaux.

C'est par un train de nuit que je gagnai cette ville inconnue. J'avais pour voisine dans ce train une jeune fille espagnole, fort jolie, qui regagnait sa patrie après un stage parisien auprès d'une modiste fameuse. Son français était trébuchant, mon espagnol moins que rudimentaire : nous bavardâmes éperdument jusque dans la nuit avancée et finîmes par nous endormir, un carton à chapeau entre nous, dans la lueur expirante et l'odeur pétrolière d'un plafonnier voilé de toile bleue. J'ai retenu de notre entretien, prononcé par une bouche charmante, un mot qui répondait sans doute à une assertion téméraire, le mot *diablant*. Je ne le cite que sous condition : en être cru. Il s'agissait d'idéologie pure.

Je fus éveillé au matin par la lumière d'une belle journée d'automne; par un concert, aussi, de voix chantantes et libournaises. C'était entrer d'emblée dans un monde attirant, à la fois familier et prometteur de découvertes. Instantanément conquis, je débarquai en pleine euphorie, flânai le long des quais retentissants, admirai les Quinconces, l'Intendance et le Grand-Théâtre, remis préventivement mon abondante chevelure aux mains expertes d'un coiffeur « civil ». C'était déjà faire preuve d'une lucidité prémonitoire, d'une aptitude instantanément révélée à l'art d'un compromis que j'allais assidûment parfaire jusqu'à l'heure de ma libération.

J'arrivai à la caserne au début de l'après-midi. Renseigné, orienté, j'eus tôt fait de trouver la chambrée dont je poussai largement la porte.

— C'est toi, Genevoix ?

Un grand gaillard moustachu, les insignes de caporal accrochés sur son bourgeron, venait vers moi la main tendue.

« Voilà ton pageot, assieds-toi... Je m'appelle Birague, mon paternel est recteur de l'université de X... Très peu pour moi, honte de la famille, engagé, rempilé, nommé sergent, rétrogradé, tout va bien... C'est moi qui suis ton cabot, à ton entière disposition si tu me fais l'honneur...

C'était l'heure d'après la soupe. La chambrée m'apparaissait comble, chaque lit occupé d'un bout à l'autre des deux files en vis-à-vis, les uns vautrés le calot sur les yeux, d'autres briquant leurs cuirs au bouchon, astiquant à la patience les boutons de leur capote. Acre et dense, la fumée des pipes se stratifiait jusqu'au plafond.

« Et d'abord, poursuivait Birague, tu sors avec nous
ce soir. Nous, c'est Bréaud et Guillotard, que voici.
Vous ferez connaissance en ville. Bréaud est corrosif,
Guillotard sentencieux et terne. Bon, ça va, tu verras
bien toi-même... Quant à toi, mon pote, tu m'as l'air...

Il allait, il allait, volubile, épanoui, péremptoire, haussant le ton dès que j'entrouvrais la bouche. Impossible
de placer un mot. Je n'y parvins qu'au moment où il
fallut bien qu'il reprît enfin son souffle.

— Je croyais..., hasardai-je.

— Quoi? Qu'est-ce que tu croyais, bleusaille?

— Justement. Je viens d'arriver, il y a un quart d'heure
à peine. Je croyais que les bleus étaient consignés quelques
jours...

— Et alors? dit Birague.

Il était stupéfait. Peut-être feignait-il de l'être; mais la
feinte était éloquente.

Fermement résolu à ne m'ébahir de rien, j'eus quelque
peine à garder contenance et n'y parvins qu'au prix
d'un raisonnement aussi rapide que tendancieux. Déjà
Birague avait repris la parole :

« Si tu t'arrêtes à ces foutaises, je n'ai plus qu'à te laisser
tomber. Qu'est-ce que tu vas me chanter encore? Que tu
n'es pas passé au magasin? Que tu n'es pas encore fringué?
En dix minutes, nous, on t'habille! Tu es d'accord? Tu
te dégonfles?

Ce fut alors que me traversa, illuminante, l'inspiration qui m'affermit : « Si jamais ça tourne mal, j'en
serai quitte pour faire l'idiot. » Je déclarai :

— Je suis d'accord.

La scène qui allait suivre me fit penser, en beaucoup
plus gai, à celle que nous avions vécue, béjaunes, dans

le décrochez-moi-ça de la fripière orléanaise. Toute la chambrée s'en donna à cœur joie. Les képis, les pantalons rouges, les capotes, bientôt les polochons, de toutes parts s'abattaient sur mon lit. Je choisissais, essayais, adoptais. Birague avait dit juste : il y fallut moins d'un quart d'heure. Une sonnerie de clairon mit fin à cette bacchanale, vida magiquement la chambrée. Birague, dernier à sortir, me jeta, retourné sur le seuil :

— Tu restes ici, bien peinard. A la première pause je rapplique, le temps de t'apprendre à saluer et à faire un demi-tour correct. Je pense que ça ira tout seul : tu me parais du genre dégourdi.

Il tint parole. Et je fis de mon mieux pour justifier d'emblée la flatteuse opinion qu'il me dédiait spontanément. Il n'empêche que le cœur me battait un peu lorsqu'à cinq heures, entre Bréaud et lui, je me présentai à la grille devant le poste de garde. Mon salut, mon claquement de talons devant le sergent-chef de poste, mon demi-tour bien « décomposé » étaient, paraît-il, d'un ancien. C'est ce que me dit Birague sur le trottoir de la rue Mouneyra lorsque, flanqués de Guillotard et de Bréaud, nous descendions vers le cœur de la ville.

En ce début d'octobre, le calme et la douceur de l'air promettaient une soirée amicale, un souvenir d'été qui ne serait pas un adieu. La joie de vivre était en moi, l'allégresse enfantine d'un jeu nouveau, un peu scabreux, d'autant plus excitant. J'aimais Bordeaux, j'aimais le soir, je m'amusais beaucoup et ne pensais qu'à continuer.

J'allais être comblé au-delà de mon attente. Un peu avant sept heures, tandis que nous flânions encore dans les lumières de la rue Sainte-Catherine, nous heurtant aux passants, aux passantes, parmi les cris des marchandes ambulantes qui promenaient et vantaient, gaillardement, leurs beaux « royans » (« A deux pour trois sous, à un sou! », et soudain, devant une devanture éclairée, leur éventaire sardinier irradiait tout à coup, phosphorescent et brusque, un éclair d'argent glacé), Birague décida tout à coup :

« Rue Porte-Dijeaux, chez la veuve Martin : on dîne.

C'était un restaurant modeste, où la chère était excellente. Une salle, au premier étage, avançait un balcon sur la rue. La longue douceur du crépuscule s'attardait encore dans la nuit. En attendant l'heure de rentrer, nous nous étions groupés sur ce balcon, tous les quatre, le temps d'une dernière cigarette. Une rumeur, les éclats grandissants d'une bagarre nous firent tourner la tête ensemble. Cela venait droit vers nous, une mêlée encore confuse qui allait se précisant : deux protagonistes affrontés au milieu de la chaussée, un gros garçon d'une vingtaine d'années, un homme mûr à forte moustache dont le képi maintenant distinct et le coupe-chou au ceinturon affirmaient l'appartenance. Derrière eux une escorte serrée, adversaires et suiveurs pareillement vociférant. Birague avait tendu le cou, pointé le nez, frémissant comme un chien à l'arrêt. Je le vis presque bondir.

« Allez, les amis! On descend!

Nous déboulâmes sur la chaussée à l'instant juste où la mêlée passait. L'agent tourna vers nous des yeux encore dilatés par l'ardeur de la lutte et l'angoisse de la défaite. Il nous découvrit, ses prunelles s'illuminèrent; et noblement, d'une voix de bronze :

— Militaires, dit-il, je vous réquisitionne.

Déjà, Birague avait ceinturé l'adversaire. Je lui liai le bras droit d'une clé, l'agent s'occupant du bras gauche, Bréaud et Guillotard serrant de près à toute éventualité. Il fallut bien qu'il suivît notre branle. Derrière nous, toute proche, l'escorte continuait de crier, d'autant plus fort qu'elle n'intervenait pas. Ce n'était pas des encouragements que ces voix nous prodiguaient. J'entendais, à notre adresse : « T'énerve pas, salaud! Tu les auras, tes galons! » Ou encore : « Graines de flics! Ennemis du peuple! » Notre prisonnier se révélait coriace, extraordinairement vigoureux. De gros bras, des détentes de jambes redoutables. Une charrette venait-elle à nous croiser, il s'accrochait aux rayons des roues, criant lui-même l'invective ou, dès que nos efforts l'obligeaient à décrocher, éclatant en plaintes stridentes dont chacune était un appel, une adjuration pathétique : « Au secours, ils me tuent! Qu'est-ce que j'ai fait, sainte Madone? Ne me laissez pas emmener! » Bords de trottoir, saillies des devantures, tout lui était bon comme frein, comme arc-boutant. Le moment vint où, presque soudain, il céda.

Je n'avais pas bonne conscience. Tant que nous avions bagarré, la violence de la lutte, la dépense musculaire m'avaient requis et quelque peu grisé. Maintenant, devant cet homme qui renonçait, tandis que ses défenseurs, un à un, s'égrenaient et rentraient dans l'ombre, un sentiment de gêne sourdait au fond de moi, insistant, envahissant. Je m'en voulais d'avoir si aveuglément obéi à l'élan joyeux de Birague, à l'espèce d'enthousiasme qui l'avait jeté brutalement sur ce gros garçon inconnu. Il avait un bon visage rond, un peu lunaire, des yeux saillants où flottait à présent je ne savais quelle détresse étonnée. La faconde de l'agent, d'autre part, m'agaçait. Quelle *Iliade* eût été à la hauteur de son exploit? « Heureusement pour *lui*, triomphait-il, heureusement, militaires, que vous êtes arrivés! Sans ça je dégainais et lui tranchais la tête. » L'accent gascon ajoutait sa pointe à l'énormité du propos. Quant à son authenticité, je m'en porte garant sur la foi du serment. A l'en croire, le gaillard était de bonne prise, tenu à l'œil par la police, et dangereux. « Interpellé par mon collègue et moi, il avait aussitôt repéré un vélo calé sur le bord du trottoir et fait mine de l'enfourcher. Mais va-t'en voir... Plus souvent qu'on lui aurait laissé le temps! Il était déjà en selle et cherchait des pieds les pédales. Attention! Ho! Minute, petit! J'ai lancé ma main sous la selle : il pouvait toujours pousser. Le collègue s'est chargé du vélo, moi du bonhomme. Et voilà, militaires. »

Convoqués au commissariat dans la demi-heure suivante nous déposâmes en conscience devant les autorités qualifiées. L'agent au coupe-chou était là, plus verbeux et plus triomphant que jamais. Il m'écœurait décidément, depuis l'instant précis où j'avais vu « notre » prisonnier, dès le seuil du local de police, happé par une levée de bras et propulsé dare-dare vers le fond d'un couloir ténébreux. Une table à tapis vert nous séparait des autorités. Je ne revois pas leurs visages, mais perçois encore leur présence ou plutôt leur grave immanence. Par contre je revois comme d'hier, alignés sur champ smaragdin, quelques pauvres objets d'ordinaire réservés à l'intimité des poches : un mouchoir, une blague à tabac, un porte-monnaie étique; et aussi, en une dure évidence, un couteau à cran d'arrêt.

Il était beaucoup plus de neuf heures quand nous reprîmes ensemble le chemin de la caserne. Le caporal Birague affectait la sérénité, mais je n'en étais pas dupe : ses silences, et ses paroles mêmes, anticipaient déjà sur des lendemains incertains. Pour moi, ignorant que j'étais des réalités régimentaires, ma vieille casuistique lycéenne ne pouvait m'inspirer que les arguments nébuleux d'un plaidoyer pressenti difficile. Pas d'incident au poste de garde. Aux explications de Birague, le sergent de service se contenta de hausser vaguement une épaule et de répondre qu'il s'en balançait : « Une heure et demie que l'appel est sonné. Naturellement je vous signale, vous vous débrouillerez demain... » Il ajouta, comme nous passions : « ... Au plus haut échelon, c'est probable : ça va monter jusqu'au colon. »

L'accueil de la chambrée, en tant qu'indice, allait me faire froid dans le dos. Nous étions attendus dans la fièvre, la vague lueur d'une bougie tremblotait sous la porte. A peine l'eûmes-nous ouverte, une bordée de reproches véhéments déferla vers Birague et croula sur lui de plein fouet. « Il s'était mis dans de beaux draps ! C'était après tout son affaire. Mais eux, bon Dieu ! Est-ce que tu y as pensé, à eux ? C'est un coup de quinze dont huit. Surtout pour lui, le pauvre bidasse ! Tu l'obliges à sortir en fraude et tu le ramènes à présent ! Tu te rends compte ? Il peut te dire merci, l'innocent ! »

Cœurs généreux, ils plaidaient pour moi, supputant, discriminant, et m'acquittant, moi seul, en considération d'une candeur non commune. Je m'étais entre-temps dévêtu et, les jambes déjà sous les draps, je leur dis que j'étais touché, mais que je restais solidaire de mes compagnons et complices. Sur quoi je me glissai à fond, fermai les yeux, et appelai un sommeil qui voulut bien m'entendre et m'exaucer.

Le dénouement ? J'avais fait mon possible pour n'y point trop songer d'avance, assuré que de toute façon il ne tarderait guère et que j'échapperais ainsi, pour le moins, au gril de l'incertitude. Et en effet il éclata dès le lendemain, vers la fin de la matinée, lors d'un « rassemblement » qui précéda l'heure de la soupe. Devant la compagnie à l'alignement, à tous les échos de la caserne, la voix de notre sergent-major proclama... Mais il vaut mieux ici que je m'efface, non tant par fausse modestie que par crainte de trahir, tenté par le démon du style, la simplicité lapidaire d'une « décision » régimentaire en l'année 1912. Je cite donc, en toute humilité :

« Le colonel félicite le caporal Birague, les soldats Guillotard, Bréaud et Genevoix pour avoir courageusement participé à l'arrestation d'un malfaiteur dangereux. Il nomme à la première classe les soldats Guillotard et Bréaud, et *regrette* de ne pouvoir comprendre dans la même promotion le soldat Genevoix, jeune recrue du contingent. »

Telle fut ma première citation. Avouerai-je aujourd'hui que mon incertitude d'antan ne s'est pas entièrement dissipée ? Elle a seulement changé d'objet. Sans me juger indigne, en l'occurrence, des félicitations d'un chef de corps, mon sentiment d'une saine justice « regrette » la sanction punitive qu'appelait ma coupable incartade. « Quinze dont huit », cela veut dire, en langage de caserne : quinze jours de salle de police, dont huit jours de cellule. Sans doute n'en méritais-je pas tant : mettons quatre jours sans cellule, pour le principe.

Si j'ai relaté tout au long ce burlesque épisode de mes débuts militaires, c'est d'abord à cause de sa date : moins de trois ans avant la guerre. C'est ensuite et surtout parce qu'il donne leur juste ton à mes souvenirs d'ancien soldat, avant ceux du guerrier que j'allais devenir avec mes compagnons d'âge. Nous en restions alors aux *Gaietés de l'escadron*, au cavalier La Guillaumette et à l'adjudant Flick, en plus gai, ou en moins amer. Personnellement, je n'ai jamais senti peser sur moi le carcan d'une discipline aveugle, si terrible en effet aux mains d'imbéciles tyranneaux. J'ai eu la chance, toute une année, d'avoir en face de moi un adjudant intelligent, un capitaine plus soucieux des hommes que du brillant des plaques de couche sur la crosse de nos fusils. Il m'a toujours et le cas échéant été possible d'argumenter, d'expliquer, de persuader souvent et d'écarter les foudres d'un règlement littéral et borné. Et ainsi, l'heure venue de ma libération et de mon entrée rue d'Ulm, si je n'ai certes pas boudé mon élan et mon plaisir, le sentiment d'une délivrance n'y devait entrer pour rien.

Aujourd'hui, après soixante-dix ans bientôt, mon temps de « service militaire », entre tous les âges de ma vie, est l'un de ceux dont j'aime à rêver. Caprice ou gré de ma mémoire, ses choix m'entraînent toujours vers le sourire et vers le jeu. Sans que m'aient échappé, au fil des jours et de leur enchaînement, les occasions de percevoir la dureté profonde et d'ailleurs redoutable liée à la nature même de l'institution militaire, comment aurais-je été aveugle à la prodigalité quotidienne des moyens de la pallier ? C'est ici que je trouve le jeu. J'en ai usé et peut-être abusé avec une liberté facile, de toutes parts aperçue, amicale et amusée. Comme la flèche de l'écriteau, au fond du parc de Lakanal, elle me montrait du doigt l'échappée, le point exact de la faille où poser et affermir mon pied pour sauter de l'autre côté.

Il est donc vrai, j'en fais l'aveu, que j'ai été au régiment un virtuose de l'esbigne; au point de pouvoir rédiger, à toutes fins, un « Manuel du parfait tire-au-flanc ».

Mais j'ajoute aussitôt que j'ai tenu à honneur personnel de ne jamais « couper » aux épreuves majeures de l'année : les bien-nommées « marches d'épreuve », cent kilomètres en quatre jours après un rapide entraînement, les tirs de guerre dans les sables brûlants de Souge, les grandes manœuvres de l'automne.

C'est seulement à vingt et un ans qu'on accédait, en ce temps-là, à la majorité virile. Nous étions de jeunes hommes, donc des hommes. Plusieurs camarades de chambrée étaient déjà mariés, et nous n'ignorions rien de leurs prouesses conjugales. Birague ne cachait rien non plus de ses grandes et petites entrées dans un bordel voisin du port. Sybaritisme plus que vice : on y repassait ses chemises et reprisait ses chaussettes, « impeccablement », disait-il. J'ai fréquenté alors, pour ma part et de préférence, un gymnase populaire où retrouver mes orgies juvéniles de barre fixe et de trapèze, l'odeur, jusqu'au fond des narines, de la poussière de tan, celle de l'embrocation sur la peau; et surtout, le printemps revenu, connu la joie, les envolées à deux vers les coteaux du Libournais, vers les pins et vers la mer.

« A deux », cela veut dire Casamajor et moi. Nous nous étions, dès notre arrivée au corps, cherchés l'un l'autre, normaliens lui et moi, et reconnus en tant que tels. « C'est toi? — C'est moi. » Et tout de suite l'amitié. C'était un Pyrénéen du haut Béarn, assez petit de taille, dur de muscles, ample des pectoraux, au beau visage fortement modelé, le regard bleu, clair, direct, une courte moustache brune taillée au ras de la lèvre et la chaude roseur d'un sang pur aux pommettes. Je ne pense pas l'avoir déjà noté : chaque régiment inscrit sur la liste où nous pouvions pointer la garnison de notre choix n'admettait que deux d'entre nous, un scientifique, un littéraire. Il était rare que ces jumelages, si heureux dans leur principe même, fussent rompus à la reprise de notre labeur normalien. Aucune cloison, rue d'Ulm, entre la science et les lettres; au contraire et pour maintes raisons, n'eût-ce été que la fraternité des couloirs et des escaliers, de la cour aux Ernest[1], du jardin au « monument Pasteur », et de l'air même qu'on y respirait.

Casamajor — nous disions Casa — ne péchait point par exubérance. J'avais tout de suite aimé sa réserve attentive, car je l'avais sentie orientée par une bienveillance foncière. L'esprit libre, la lucidité, une éclatante santé morale confirmaient de semaine en semaine mon impression des premiers jours et l'attirance qu'elle avait entraînée. Pour ne rien dire d'une vitalité sans seconde, de toujours admirable à mes yeux.

Sans qu'il nous fût besoin d'en parler, nous savions l'un et l'autre que l'opinion nous unissait dans un de ces légers reflux qui parfois en émeuvent la surface. Aux yeux des officiers d'abord, puis des sous-officiers, puis des caporaux, puis de la troupe, chacun dans notre compagnie nous avions provoqué une surprise qui touchait presque au scandale : lui lorsque la presse girondine, à l'occasion d'un match victorieux, avait révélé au monde qu'un des trois-quarts du SBUC, champion de France de rugby, et le soldat Casamajor étaient un seul et même homme; moi lorsque l'épreuve du portique, parmi les trémoussements des recrues non entraînées, avait brusquement dénoncé, en ma personne d'« intellectuel », un gymnaste inattendu. Cela faisait coup double, jetait à bas un pré-

1. Les poissons rouges du bassin central.

jugé et rendait au concept normalien un prestige indiscutable. Le contentement de Casa et le mien entraînaient la même bonne conscience.

La chaleur de cette amitié, son alacrité heureuse colorent toujours mes souvenirs de soldat. Dès les premiers beaux jours, la permission de minuit des dimanches nous livrait les grèves du Pyla, du Cap-Ferret. Les petites huîtres, les « gravettes » d'Arcachon, le vin de Graves, sans épuiser notre appétit ajoutaient à notre joie. L'immensité de l'estran désert, l'élasticité ferme des sables ourlés d'écume, les cris des mouettes dans le vent, les grosses méduses échouées sur lesquelles nous sautions à pieds joints, tout était nôtre, et la liberté même. Il nous arrivait tout à coup, à l'improviste et sans défi, de lutter coude à coude dans une course sans merci. Il était plus « vite » que moi. Je tenais cinquante mètres, soixante... Et peu à peu, irrésistiblement, sa poitrine dépassait la mienne, me relançait d'abord à plein effort mais de nouveau, pouce à pouce, faisait proue en avant de moi. Et quand, ensemble reprenant notre souffle, nous baissions enfin les bras, il riait encore superbement, non de m'avoir battu mais d'avoir prodigué sa force et mesuré jusqu'à l'ivresse le pouvoir de son corps vivant.

Que ne l'ai-je retrouvé à Joinville! Nous y avons accompli l'un et l'autre un stage d'une dizaine de semaines; mais j'ai manqué, par ma faute, le sien.

Souvent, le soir, avant de rentrer au quartier, j'allais rejoindre des camarades étudiants, anciens de Lakanal qui préparaient leur licence à Bordeaux. Ils fréquentaient, nombreux, un restaurant de la rue du Hâ. Là encore la gaieté était reine, les voix sonores, le sourire des petites alliées sans complexes. J'y avais vite lié connaissance avec quelques étudiants en médecine et, par eux, avec deux de leurs camarades, présentement affectés à mon régiment : deux gradés, médecins auxiliaires, deux adjudants à caducée, civils d'hier et de demain, Corcoral et Chevaldonné.

Vite devenus des camarades, ils m'avaient dit à l'unisson : « Si jamais, à ta compagnie, on venait à te chercher des crosses, n'hésite pas, fais-toi porter pâle et préviensnous. Tu seras sûrement reconnu. » C'est pourquoi, sous le coup de quelque peccadille, ou gratuitement, par pure taquinerie, je restai dans mon lit un matin, à la sonnerie du réveil, et me fis inscrire à l'appel, pour la « visite » : je ne m'étais jamais mieux porté, l'expérience serait convaincante.

Elle le fut. Nous étions là une demi-douzaine, tous en évidente bonne santé, sauf un dont le visage défait avouait quelque trouble profond. En face d'eux quatre toubibs, un médecin-chef à quadruple galon, un jeune major à double ficelle et mes deux compères avertis. Le premier à me repérer, Corcoral, m'aborda incontinent et, tirant sur ma moustache, me distendit brusquement la joue. Je fis : « Oh! », il cligna de l'œil : « Tenez votre bouche bien ouverte! Plus largement. Bien... Je m'en doutais. Vois-moi ça, Chevaldonné! » L'un et l'autre, de chaque côté penchés, scrutaient l'intérieur de ma bouche avec un intérêt extrême. Et Corcoral, cependant, haussant le ton à l'intention du médecin-chef, formulait en scandant les syllabes un diagnostic définitif : « Oui, c'est bien ça, un cas superbe! As-tu jamais vu, mon vieux, aussi net et d'un si beau rouge, le point hémorragique du canal de Sténon? » Et il conclut, gravement, au milieu de l'attention générale : « Le premier d'une série, j'en ai peur : les oreillons sont contagieux. »

Tout cela si bien joué que je crus moi-même, un instant, sentir enfler mes glandes parotides. J'en fus quitte pour seize jours d'infirmerie à l'étage des contagieux, avec de vrais oreillonneux, scarlatineux et rougeoleux. Cela fait beaucoup, énormément de manilles et de piquets-voleurs; cela implique aussi une organisation subtile et délicate avec le cantinier du régiment. Un système ingénieux de paniers, descendus vides et remontés garnis au moyen d'une longue ficelle, pourvut, le séjour durant, aux carences du régime imposé. Quel *check-up* d'aujourd'hui proclamerait plus décisivement une impavide immunité?

Entre-temps, une fois reconnus de justesse les quatre ou cinq loustics du lot, le médecin-chef, sa méfiance éveillée, avait « viré » avec éclat le seul pauvre bougre en mauvais point. Un abaisse-langue trop longuement flambé, un retrait de défense sous la brûlure inattendue avaient déchaîné la foudre. Il s'en tira, d'extrême justesse, après avoir failli mourir. Il avait une angine couenneuse, autrement dit la diphtérie.

Ma claustration, le congé de convalescence à quoi elle me donnait « droit » me firent rater le coche pour Joinville. Mais j'y tenais et fis en sorte de pouvoir prendre le suivant. Nous étions quatre cents sur les terrains de la Faisanderie, entassés dans des baraquements « provisoires » qui, je pense, ont duré longtemps. Faute de pouvoir écrire ici le dithyrambe qui déjà (et pardon pour la métaphore) enfle ses voiles au bec de ma plume, je prie seulement que l'on veuille bien imaginer la force d'un enthousiasme

dont les transports firent une longue fête d'une courba-
ture de dix semaines.

Ces semaines-là, cette année-là, ont été à coup sûr
parmi les plus belles de ma vie. Exaltation, harmonie,
défis à soi-même lancés, simple bonheur quotidien de
découvrir, émerveillé, les ressources d'un corps toujours
égal aux audaces de sa jeunesse, contagion purement
merveilleuse de découvrir en chacun et en tous, dans l'éclat
du regard, dans le rythme dansant des pas, la même joie
chaque jour renaissante, la même fierté secrète de devenir
meilleurs ensemble, il me suffit maintenant encore de
murmurer « Joinville » pour retrouver tout cela d'un coup,
et jusqu'au dernier mot, le jour de la séparation venu,
de mon lieutenant de peloton : « Quel dommage, Genevoix,
que vous soyez normalien! Je vous aurais gardé ici, comme
moniteur. »

Je regagnai Bordeaux à la veille des grandes manœuvres.
Déshabitué que j'étais du lourd équipement du fantassin,
des longues étapes dans la poussière des routes, elles me
permirent de vérifier l'excellence et l'efficacité de la méthode
joinvillaise. Après le mince tricot de corps, nous revenions
à la capote de gros drap, à l'as de carreau sur les reins,
aux pesants saumons de fonte; après les espadrilles,
aux godillots cloutés. A peine si j'en sentis le poids. Nous
ralliâmes la caserne vers midi, après une dernière étape
de sept lieues. C'est deux par deux et à toute allure que je
gravis les marches de l'escalier vers la chambrée. Mon
envol restait joinvillais.

Je le dis, le soir même, à Casamajor retrouvé. « Même
chose pour moi! s'écria-t-il. Nous, on a " fait " la boucle
de Marne, dix-sept kilomètres au pas de gym. Quatre
cents stagiaires en peloton, venus de tous les coins de

France, et pas un qui ait calé. Vive Joinville! » On nous vêtit ensemble d'une tenue d'aspirant sur mesure. Et dans le doux soir d'automne, aux premières lumières de la ville, en attendant l'heure des trains qui nous reconduiraient respectivement lui à Sauveterre-de-Béarn et moi à Châteauneuf-sur-Loire, nous remontâmes deux fois le cours de l'Intendance, la luette chatouillée par le rire, et guettant le regard des sergents rencontrés pour le plaisir de répondre avec une bonne grâce désinvolte au salut dont ils nous honoraient.

IV

C'est vingt-deux mois plus tard qu'on afficha dans les communes de France l'ordre de mobilisation. Depuis le drame de Sarajevo, l'Europe vivait dans la fièvre et l'attente. Après quarante-trois ans de paix, quel peuple, de l'Atlantique à l'Oural, eût cru encore à la possibilité d'un conflit armé? Habitudes, milieux sociaux dans leur diversité, informations, culture historique, raison, logique, goût du confort et foi dans le Progrès, tout convergeait vers cette sérénité. Les guerres des Balkans, les images qu'en avaient données les périodiques illustrés, plus leur réalité avait heurté les sens et les cœurs, plus elles avaient semblé choses d'ailleurs, reflets d'un monde archaïque et barbare qui ne nous concernait plus. Personnellement, j'avais entendu Déroulède, debout sur l'ossuaire de Champigny, le bras tendu vers « la ligne bleue des Vosges », appeler à la revanche et sonner son clairon. Quelle stupeur avait été la mienne, et quelle colère! Et maintenant...

Le 31 juillet, un vendredi, jour de marché à Château-neuf, sans savoir encore que le 106e d'infanterie, auquel m'affectait mon ordre de route, avait déjà quitté sa garnison pour « couvrir » au-delà de la Meuse notre dispositif de combat, je savais néanmoins que la mobilisation

123

était la guerre. C'est pourquoi j'avais obéi au secret et fort désir de dire adieu à mes horizons familiers. Seul? Je l'avais pensé d'abord. Mon frère, en sursis d'incorporation, n'était pas à Châteauneuf. Au moment où j'allais quitter la maison, notre jeune cousin André m'appelait à la grille du jardin :

— Tu es libre? Tu veux bien de moi?

C'était un garçon de seize ans, affectueux et sensible, intelligent aussi, et discret. Une impulsion subite me fit souhaiter sa présence.

— D'accord, André.

— Le Chastaing? Les bois du Mesnil? Où tu voudras, mais une bonne trotte, ça nous fera du bien.

Je fis non de la tête et, gagnant avec lui la rue, je pris la direction du bourg. Rien qui parût changé le moins du monde : un jour de marché ordinaire, animé, bourdonnant de voix, des trottoirs débordant de denrées, de volailles, de gras lapins de chou, des coquassiers leur sacoche sur le ventre, des couinements de porcelets embarqués dans des carrioles. Je regardais mon jeune compagnon, je pensais à son âge, heureux qu'il fût ainsi préservé. Je me disais : « Il se souviendra. Et si jamais... Qui peut savoir? Lui, du moins, se rappellera cette heure. »

Cependant, nous touchions à l'église. Il me suivait sans poser une question. Un bref regard, un demi-sourire marquèrent l'instant où il eut tout compris. Il gravit dans mes pas, toujours silencieux, les raides escaliers du clocher, se tint dans une demi-pénombre, tout proche et pourtant à l'écart tandis que, d'un abat-son à l'autre, j'emplissais mes regards de bouquets d'arbres, d'eaux calmes et d'eaux glissantes, de toits serrés et fraternels, d'horizons bleus, d'un ciel immense où commençaient à tourner, frouant, virant, les vols des martinets du soir : des arbres, mais *ces* arbres dans le *parc du Château*, ces douves où se reflète le dôme de la *Rotonde*, ces toits de notre *Bonne-Dame*; et ces arbres encore, les platanes du *Chastaing*, le grand peuplier du *Mesnil* et celui de *Marmin*, vigies debout sur la levée de Loire; et ces acacias roses, là-bas, au-delà du *Magasin*, qui tant de fois nous ont vus, René et moi, poussant nos cerceaux vers *la Vigne*! Tous ces mots sourdaient du fond de moi, affleuraient à mes lèvres comme si je les eusse prononcés! Entre eux et moi personne; personne que ma propre enfance et la pensée poignante de ma jeune mère disparue, de ce qui passe et meurt au sein des apparences et de leur trompeuse durée.

Le surlendemain je traversais Paris, le temps de serrer au passage, rue d'Ulm, les mains d'un Paul Dupuy bouleversé par tant de départs, anxieux pour nous de lendemains trop lucidement pressentis. L'attachement qui le liait à l'École était comme tissé d'amitiés : nous allions, au long des années tragiques, être nombreux à en éprouver la force généreuse et l'émouvante fidélité. Il voulut m'accompagner dans mes courses et mes hâtives métamorphoses, du civil *in extremis* à l'officier de troupe chevronné : il y suffit d'une tunique bien galbée, à peine lustrée par l'usure, d'un pantalon rouge « presque neuf » achetés au carreau du Temple et d'un képi réellement neuf, « cassepétant » eût dit Flaubert, qui me fit signe à la devanture d'une chapellerie des Boulevards. Le soir même, j'étais à Châlons.

J'y suis resté une vingtaine de jours, accueilli au foyer d'excellentes gens qui me choyèrent comme un fils et un frère. J'eus là, en effet, deux « sœurs », deux jeunes filles dans leur fleur dont l'une était fiancée à un soldat du 106e, homme de l'active dont le récent départ s'apercevait encore dans la mélancolie songeuse de ses yeux. Un engagement déjà sévère, le 22 août, aux abords de Cons-la-Granville, fit appeler le premier renfort, dont j'étais. Il traversa Châlons dans la splendeur d'un soir d'été, pas cadencé et l'arme sur l'épaule. Pas de fleurs aux fusils. De rares petits drapeaux çà et là, piqués au bout de leurs canons, en disparurent aussitôt sur l'ordre d'un commandant « monté », vociférant du haut de sa monture. Il m'eût semblé que la caserne, la pire, enfermée dans ses murs, continuait de nous « tenir à l'œil »; comme si l'état de guerre en eût seulement et soudain révélé la rigueur déshumanisée. Quelques sourires de femmes, au passage, et quelques larmes sur des visages me rendirent à ma condition d'homme.

La guerre? Étais-je *dans* la guerre? En cette dernière semaine du mois d'août, les Allemands touchaient à la Meuse et nous pensions les contenir aux abords de Dun, de Consenvoye ou de Septsarges. J'avais été, dès les premiers contacts, extraordinairement attentif, voué sans réserve à un métier inconnu, à coup sûr dangereux et dur, mais accepté quel qu'il pût être. Si je devais caractériser d'un mot mon état d'esprit en ces jours, j'écrirais le mot « curiosité ». Triste jusqu'au fond de l'âme, j'étais en même temps curieux, intensément, de toute part ouvert et réceptif, intéressé au point d'en oublier mon appréhension ou ma peur.

Assurément j'avais eu peur, parmi des hommes qui avaient peur, le soir où nous avions subi, à plat ventre (c'est la formation « en tortue »), un très sévère bombardement de l'artillerie lourde allemande. Les percutants des howitzer, lorsqu'ils percutent en effet, même sur la mousse d'un bois de hêtres, ébranlent le sol profondément, bien au-delà des lèvres de l'*entonnoir* que creuse leur terrible explosion. Leurs rafales n'avaient guère de cesse. Un des obus, parfois, frappait un arbre de plein fouet. Nous entendions alors, presque simultanément, la stridence fauchante des éclats et le craquement du tronc déchiré. Mais ce craquement durait, interminable, nous semblait-il, jusqu'au fracas, enfin, de la brisure : et le sol, de nouveau, tremblait. La monstruosité de cette violence élémentaire, et son aveuglement, et sa persistance imbécile, joints à la sensation grandissante d'une fragilité personnelle plus précaire, et de loin, que celle d'un roseau « pensant », aboutissent tout droit à la peur. Nous avions tous peur en effet. Et pourtant...

Il y eut un moment d'accalmie. Tortue à court de souffle, ankylosé plus qu'à demi, j'avançai une tête circonspecte au bord de mon sac-carapace. Et je vis : une autre tête, une seconde, encore une, et bientôt une vingtaine avancées d'un mouvement exactement semblable au mien, mais qui toutes me regardaient. De quels regards! Attentifs, scrutateurs, cherchant à l'évidence le recours et l'appui; et tous — qui plus, qui moins — mêlant à l'appel l'anxiété. C'est ce souvenir-là qui l'emporte sur celui de la peur animale, le recours sans second que j'y ai moi-même trouvé, le sentiment merveilleusement tonique d'une responsabilité d'homme et d'une appartenance qui m'obligeaient une fois pour toutes. J'étais là dans un monde où l'on ne pouvait plus mentir.

J'allais, dans les jours qui suivirent, à cause de ma « curiosité » même et de ses constantes exigences, pâtir d'un grandissant malaise : le besoin de comprendre au-delà de l'événement, d'expliquer à mes propres yeux les données brutes de chaque jour vécu. Pourquoi, après le choix judicieux d'une ligne de crête orientée vers la Meuse, après le dur labeur qui nous avait mérité ces tranchées, pourquoi ces volte-face, ces abandons incohérents ? Hier encore, en longues pentes successives, nous dominions toute la vallée. Des mitrailleurs, munis de télémètres, avaient mesuré les distances, donné les hausses des plans de tir. Quelle attaque d'infanterie pourrait parvenir jusqu'à nous ? Rien n'échappait à nos regards : ces cuisines allemandes en plein vent couronnées de fumées légères, ces deux uhlans postés à la lisière d'un petit bois, immobiles comme leurs montures; mais l'un des chevaux, soudain, s'ébrouait, et il nous semblait l'entendre. Une impression de force stable, à l'évidence partagée, nous aguerrissait ensemble. Mais alors ?... Pourquoi ce départ clandestin dans le froid piquant d'avant l'aube ? Pourquoi cette marche vers le sud tandis que les *chaudrons*, fumées rousses, fumées noires, croulaient sur les toits de Montfaucon ? Pas un de nous qui ne s'étonnât. Aux questions que j'attendais, que l'on me posait déjà, que répondre ?

C'est seulement le 6 septembre au matin que je pus entrevoir, confusément, la vérité : nous battions en retraite. Mais c'était un nouveau « pourquoi ? ». Même l'ordre de bataille communiqué aux officiers laissait dans l'ombre une réalité que l'absence de journaux, de radio, abandonnait en d'oppressantes ténèbres : le *Bulletin des armées*, diffusé à notre intention, n'avouait que ses propres mensonges.

Nous fûmes engagés vers midi, dans les plaines de Sommaisne et de Pretz-en-Argonne. Le soleil, dans toute son ardeur, faisait trembler l'air sur les champs. Beaucoup n'étaient pas moissonnés, des risées lentes et légères couraient à la cime des épis. La campagne eût été déserte si des lignes de ludions bleu et rouge n'eussent bougé çà et là dans l'espace. Bleu et rouge, ces deux guetteurs sur un toit aux lisières de Pretz. Bleu et rouge, ces « pioupious » debout, la crosse du fusil à l'épaule et tirant comme au stand d'exercice. Un pétillement, comme d'un feu de sarments qui prend, voletait à travers l'étendue. Je comparais ce que voyaient mes yeux à des images de naguère, endormies dans un faux oubli et qui, une à une réveillées, m'inclinaient tour à tour vers l'étonnement et l'ironie : « A moi Detaille, de Neuville, Déroulède! Ressemblons-nous? Tenons-nous bien la pose? Car nous y sommes, nous, *dans* la guerre. »

La fusillade, de proche en proche, s'embrasait. Une mitrailleuse française, à notre droite et tout près, fit crépiter durement une soudaine volée de balles. Allongé au bord du talus qui abritait ma section, je scrutais en avant l'étendue. Où étaient nos ennemis, les « autres » sur lesquels nous tirions et qui nous tiraient dessus? Déjà je ne confondais plus la voix des balles que crachaient nos lebels avec ces sournoises abeilles qui passaient au-dessus de nous, légères, furtives, aigrement piaulantes, et qui soudain, dans les hautes couches de l'air, assenaient un claquement d'outre-monde, énorme et clair, dont tintaient longuement nos oreilles.

— Vous les voyez, mon lieutenant?

C'était Bouchez, l'un de mes sergents, qui se hissait à mon côté. Je les voyais... Droit devant nous, dans des champs moissonnés où les javelles étaient restées sur l'éteule, certaines de ces javelles bougeaient. Je murmurai :

129

— Quelle distance? Quelle hausse?

— Quatre cents mètres.

— D'accord.

Au moment juste où j'allais commander le feu, un coureur paraissait, essoufflé, derrière nous, un lambeau de papier à la main. Quelques mots hâtivement griffonnés : « Progresser par bonds, sous le feu, demi-section par demi-section. Exécution immédiate. » Je tendis le papier à Bouchez :

« Première demi-section à gauche, avec vous. Deuxième à droite, avec Sigean. En avant au signal de mon bras, et à mon commandement. »

Que l'on m'en croie. Pas un instant et jusqu'à cette seconde, je n'avais méconnu la puissance meurtrière du feu dense qui nous cherchait. Levé, debout, courant déjà dans le martèlement des semelles, le grelottement des cartouches secouées dans les sacoches de cuir, j'avais perçu à plein dans sa réalité absurde le grandissement soudain, la nudité aussi, du corps charnel qui de toute sa chair se sent vivant et se perçoit tuable. Mais très vite, après deux ou trois « bonds », cela disparaissait du champ de ma conscience, balayé par une houle puissante et que je n'eusse osé nommer : le sentiment même du danger, du fait même de son acuité, devenait une sorte de joie, trouble et forte, accordée aux battements du sang. Pendant la course, je cherchais des yeux le fossé, le rehaut où mon bras, s'abaissant, arrêterait la demi-section dont je conduisais l'élan. Et tandis que nous reprenions haleine, l'autre demi-section, lancée par mon geste d'appel, démarrait à son tour et ralliait en courant notre ligne.

Dans la guerre! Nous venions d'y plonger, nous y étions. Et cette plongée, au lieu des phantasmes suggérés à l'avance par mon imagination, me jetait dans une ivresse physique plus aliénante que celle de l'alcool. Cela durait, semblait durer, car je ne mesurais plus le temps. Plusieurs fois j'ai arrêté la ligne et commandé un feu à répétition. Nous voyions à présent des silhouettes gris verdâtre qui couraient d'une javelle à l'autre; et quelques-unes, çà et là, tombaient. Inattendue en de pareils instants, l'image d'une cour de caserne me ramenait soudain vers Bordeaux, vers une troupe de gamins en bourgeron qui couraient comme nous courions maintenant, se jetaient à terre comme nous et, la crosse à l'épaule, « tiraient ». J'entendais le cliquetis dérisoire des percutants sur les « cartouches en bois ». Je m'entendais, tandis qu'ici, autour de moi, tonnaient à gros fracas les lebels de mes soldats, lancer de toute ma voix aux échos du quartier paisible un « poum! » retentissant qui soulevait les rires et jusqu'à celui du sergent. Et ce souvenir baroque, sous le feu, parmi mes soldats, venait à présent m'émouvoir d'une admiration soudaine, étourdissante comme une fumée d'alcool.

« Debout! Première demi-section, en avant!

Je courais. Et de nouveau, à mes côtés, le martèlement des pas roulait sur la glèbe et le chaume. Parfois l'effleurement d'un bras, la poussée d'une épaule me donnaient à sentir physiquement notre cohésion fraternelle.

« Ça va, Bouchez?

— Ça va, mon lieutenant.

— Et toi, Prioux?

— Comme à la parade!

Le tir des Allemands s'abaissait; leurs balles, souvent, frappaient le sol en avant de nous, soulevant comme d'une chiquenaude rageuse un flocon de poussière que le soleil illuminait. Il me parut soudain que quelque chose changeait, modifiait étrangement l'espace, le transmuait dans sa substance même. Ces vertigineuses abeilles qui passaient dans un vif susurrement pour se perdre loin derrière nous, on eût dit qu'à présent elles s'attardaient dans leur essor même, qu'elles nous voyaient à leur passage, que l'essaim qui venait... Et j'entendis, rendu d'un coup à une réalité sèche et dure, un choc tout proche, d'une brutalité inouïe et sournoisement feutré à la fois. Et simultanément, la sensation d'un vide à mon côté, persistant, irréparable, m'enveloppa de la tête aux pieds.

— Prioux..., dit la voix de Bouchez.

M'étais-je retourné dans ma course? Assez, je pense, pour avoir entrevu, je devrais dire : *touché* des yeux un corps abattu sur l'éteule, la dernière ruade de son agonie, un soldat tué. Ce souvenir, cette sensation-là, ce vide persistant et glacé, tout proche, là où il y avait un homme, je ne m'en suis jamais délivré.

Un ordre de regroupement, alors que le soir approchait, rassembla les éléments du 106e aux lisières de Rembercourt-aux-Pots. Il nous avait fallu, pour rallier le point désigné, traverser une zone redoutable, battue par l'artillerie allemande. Après une dure bataille où nos pertes avaient été lourdes, les fantassins allemands étaient entrés dans Pretz, dans Sommaisne. Mais leur artillerie continuait de poursuivre à travers champs les éléments français un à un regroupés. La soirée restait limpide, la lumière rasante du soleil, soulignant d'ombres nettes tout ce qui bougeait par la plaine, désignait aux pointeurs ennemis la moindre troupe en marche ; sans parler des pantalons rouges. Les fusants, débouchés très bas, criblaient de leurs chrapnels ces colonnes de chemineaux, trouant des pieds, fêlant des têtes, faisant sonner à grand tintamarre les gamelles et les bouthéons. Quelques points repérés à l'avance étaient particulièrement visés ; plus que tous un ruisseau où se pressaient des grappes d'hommes harassés, brûlés de soif, et qu'attirait la fraîcheur de l'eau : la densité des fumées suspendues en dessinait le cours d'un dais presque continu.

Me repérant à vue, et me reportant à mesure aux cartes de mon liseur, j'établis un itinéraire dont je conjecturai qu'il nous tiendrait presque constamment à couvert. La distance en serait allongée, mais entre quelques kilomètres ou quelques blessés de plus, le choix me paraissait acquis. Quand j'arrivai, avec mes hommes, à Rembercourt, j'étais content de l'avoir fait. Les itinéraires « défilés » s'étaient révélés judicieux, je n'avais pas perdu un homme en route.

Or, voici : lorsque, le lendemain matin, toute la compagnie réunie dans un verger de Rembercourt, chacun des quatre chefs de section fit connaître son « état des pertes », les chiffres en eussent été semblables, à une différence près qui concernait ma propre section. Sur la soixantaine d'hommes que compte à effectif complet une section sur le pied de guerre, les pertes de l'après-midi avoisinaient le tiers de cet effectif : une vingtaine par section, tués, blessés et « indisponibles ». Cela m'apparaissait très lourd. Ces « états », leurs chiffres alignés, hier encore c'était Prioux, c'était Bouchez, dont j'avais pu serrer les mains alors que deux brancardiers du bataillon l'emmenaient sous les dernières rafales : son regard, son jeune visage défait, déjà visage d'un autre, regard d'un autre, d'un « blessé de guerre », chemise ouverte et sanglante sur un thorax de part en part traversé; et la balle, en sortant, avait brisé une côte. Le paquet de pansement avait glissé; et l'on voyait au bord cette blancheur d'os.

— Votre *chiffre*?

— Vingt-sept, mon capitaine.

— Et vous?

— Vingt-six.

— Et vous?

— Vingt-six aussi.

— Par balles?

— Une vingtaine. Les autres pendant le repli. Les chrapnels...

— Et vous, Genevoix?

— Vingt et un, mon capitaine... Tous par balles.

J'attendais... Qu'est-ce que j'attendais? Non, certes, une réaction formulée qui soulignât une heureuse différence, mais un assentiment qui fût à la fois silencieux et perceptible, un regard, une présence d'homme. Le capitaine dit quelque chose, deux mots seulement, deux syllabes que j'entends encore aujourd'hui. Il dit, l'air soupçonneux :

— Que ça?

Longtemps après, plusieurs mois, j'ai pris l'initiative de vider cet abcès. Entre-temps la guerre nous avait requis, jour après jour séquestrés dans un monde où la communauté du drame, de la souffrance et du malheur avait fait de nous d'autres hommes, jusqu'alors de nous-mêmes inconnus. Ce capitaine, sorti du rang, ancien saint-maixentais, avait le double ou presque de mon âge. Un soir de calme, au presbytère des Éparges, dans la seule pièce que n'eussent pas effondrée les obus, nous nous étions trouvés réunis, lui, mon ami Robert Porchon et moi. Porchon était orléanais comme moi. Nous avions rejoint le front ensemble, le 24 août, avec le premier renfort. Encore élève de Saint-Cyr à la déclaration de guerre, sur lui aussi le feu avait passé. Sa gaieté calme, sa jeune bravoure, la loyauté que l'on sentait en lui, comment n'eussé-je aimé ce « frère d'armes », ce compagnon de toutes les heures qui jamais ne m'avait déçu?

Seul d'abord après une ronde dans le village, à la lueur d'une bougie dont un drap tendu à la fenêtre masquait la flamme aux vues du dehors, j'avais noirci deux ou trois pages du mince carnet couvert de moleskine acheté au départ de Châlons. Une heure plus tard, même mission bouclée de poste en poste, Porchon était entré, avait allumé sa pipe et s'était assis près de moi.

— Qu'est-ce que tu griffonnes là-dedans?

— Tu le sais bien.

— Des portraits?

— Il y en a.

— Le mien aussi?

— Tu dois t'en douter.

— On peut entendre?

Je venais de lui lire, nos rires se faisant écho, les quelques lignes où j'avais esquissé de lui un portrait-charge affectueux et très libre : sa longue silhouette, sa démarche un peu nonchalante, sa jeune barbe et son nez généreux.

— Bonsoir, jeunes gens! Il paraît qu'on s'amuse ici?

Le capitaine poussait la porte, son « pic » au poing, le fer d'une lance de uhlan ramenée de Gibercy. Porchon, toujours hilare, le prit aussitôt à témoin :

— Le culot! Le culot qu'il a!... Allez, relis, vil diffa-mateur!

Je relus donc, en forçant exprès le trait.

— Bravo! dit le capitaine... Tout à fait, oui, tout à fait vous.

Et de rire avec les « jeunes gens ». Puis, après un petit silence :

« Et sur Maignan?

Je lus aussi, pareillement approuvé.

« Et sur Moing?

« Et sur Labbé?...

Tous les commandants de compagnie défilèrent. Ainsi requis, j'alignai ma petite galerie, une suite de portraits enlevés au fil de la plume. Mes auditeurs s'amusaient beaucoup; moi aussi. Mais d'un portrait à l'autre il devenait évident que notre chef tournait autour du pot. Je pensais qu'il n'y tiendrait pas. Et en effet :

« C'est très joli tout ça, dit-il. Mais vous ne m'avez pas lu ce que vous avez écrit sur le capitaine de la 7e.

Je tournai quelques pages, le regardai. Aucun de nous trois ne riait plus. Et je lus. Ces quelques lignes, aussi libres que les autres, tranchaient sur elles d'autant plus roidement qu'elles faisaient suite à des gamineries de plume dont aucune n'était agressive. Celles que je lisais étaient dures. J'y relatais, au lendemain de Sommaisne et sous le coup de ma stupeur, la réponse qui m'avait révolté. Le bref commentaire qui suivait, j'en retrouve aujourd'hui les mots, et puis les citer de mémoire : « J'ai gardé, âcre et tenace, le souvenir de cette minute. Et je veux le garder, aussi longtemps que me seront insup-portables la prévention et l'injustice, lorsqu'elles apportent avec elles la méconnaissance et l'offense... » Je relevai les yeux et rencontrai les siens. Il avait changé de visage, les traits un peu crispés d'abord, prenant sur lui visiblement. Il me semblait être revenu au matin de Rembercourt, sous les quetschiers chargés de prunes violettes. Comme ce matin-là j'attendais. J'avais confiance. Et j'étais prêt. Je pris la main qu'il me tendait soudain. Et le regard que j'avais espéré au matin du 7 septembre, je l'eus alors, devant Porchon, franc, direct, enfin fraternel.

Il nous est arrivé, par la suite, de confronter vivement nos réactions ou nos idées à propos des faits de guerre traversés et vécus côte à côte. Sans précautions, sans ménagement, quelquefois en plein combat. Par deux fois, pendant les boucheries des Éparges, j'ai dû passer outre à ses ordres. Il avait pris alors le commandement du bataillon, et moi celui d'une de ses compagnies. Du cantonnement aux premières lignes, du précaire « repos » à l'aveugle violence du feu, nous marchions ensemble, faisions popote ensemble, pataugions ensemble dans la boue de la colline, affrontions ensemble l'acharnement meurtrier des attaques et des contre-attaques. Tout cela, je l'ai conté dans *Ceux de 14*, ou j'y ai fait claire allusion. Mais soucieux avant tout, comme toujours, de relater d'abord, de revivre, de donner ainsi à sentir, et peut-être à comprendre, je ne pense pas avoir jamais cédé, dans mes livres sur la guerre, à l'attrait des « idées générales ». Ici du moins et au passage, que l'on m'accorde d'évoquer brièvement l'une de nos véhémentes discussions.

Je venais de lui dire, pour l'essentiel et tout à trac :

— Je suis meilleur guerrier que vous.

— Ah bah! Et pourquoi, je vous prie?

— Pour plusieurs raisons sans doute. Mais c'est assez d'en alléguer une.

— Et laquelle?

— J'ai abordé cette guerre, de vous et de moi inconnue, libre de toute idée préconçue, et donc en état de disponibilité intégrale. Vous non. Votre formation, l'esprit militaire régnant, déraisonnable et cocardier, qui prônait l'« offensive à outrance » jusqu'à l'ériger en doctrine, il a fallu d'abord qu'à la clarté brutale de l'événement votre bonne foi, votre honnêteté vous aident à rejeter leur faix. Si je dis, pour l'avoir constaté, que cela vous a été dur, m'en donnerez-vous le démenti? Je vous ai entendu, hier encore, secouer votre ami Maignan pour sa témérité « coupable ». Non?

Il sourit. Je connaissais bien la petite lueur d'ironie qui venait de passer dans ses yeux.

— Vous, dit-il, je vous vois venir, avec votre disponibilité! Ne vous fatiguez pas. Vous aviez, j'y consens, une longueur d'avance au départ du fait même de votre ignorance. Et j'étais moi, *ipso facto*, à la traîne derrière Porchon et vous, empêtré dans mes idées fausses, les yeux bouchés, les oreilles sourdes et la cervelle léthargique. Dont acte : mais gare! Votre perspicacité, vos « idées générales », même si, dans l'absolu, elles touchent à la vérité, comment expliqueraient-elles les mystères et les causes de chaque cas particulier? La guerre, fait collectif énorme (et qui le deviendra, vous verrez, de plus en plus, jusqu'à l'absurde, jusqu'au mythe : la fournaise de Baal, le char de Jagannatha, le Feu du Ciel, le corps humain matériau), n'en reste pas moins aujourd'hui, pour vous, pour moi, une affaire d'individus. J'ai mes têtes et vous aussi; je réagis instinctivement aux rencontres, aux impressions du quotidien. Je me « fais », comme on dit, une opinion, quitte à la rectifier si je m'aperçois par la suite que ma réaction initiale m'a trompé. Vous aussi, non? Quand vous êtes arrivé au mois d'août, je vous savais sorti de Normale Sup. Elle n'a pas, dans l'armée, elle n'avait pas très bonne réputation, votre école! Et de surcroît, figurez-vous, j'ai un beau-frère professeur, universitaire à tous crins, que je n'aime pas, et c'est peu dire, *confiteor, mea culpa.* A quoi tiennent les choses n'est-ce pas? Vous m'avez pris pour une culotte de peau, une brute insensible et bornée. Mais c'est sans doute à l'instant même où me venait aux lèvres cette réponse qui vous a si légitimement indigné que je l'ai regrettée et que tout a changé entre nous.

Je pense qu'il avait raison. Mon sentiment sur l'homme et les hommes allait au cours des mois de guerre, à la lumière décapante de l'événement, évoluer presque du tout au tout. Et, contrairement à ce qu'on pourrait croire, à ce que j'eusse pensé moi-même, accroître le crédit que je fais à notre espèce. C'est pourquoi, pèlerinant aujourd'hui au gré de mes pas d'autrefois, je n'ai pas écarté au passage ce souvenir pour moi révélateur. J'en garde, aussi vifs, beaucoup d'autres; et qui concordent presque tous. Chacun d'eux appelle des visages d'hommes; et chacun de ces hommes, viennent le doute ou la défaillance, du fond de ce monde intérieur qui nous « peuple » jusqu'au dernier jour, répond à mon appel, affermit ma confiance et me garde du reniement. J'en retrouverai sûrement, au fil de ces pages, quelques-uns.

« O mort, vieux compagnon... » Elle a passé déjà plusieurs fois, grande ombre muette et solennelle, sur les pas de l'enfant, du garçon que j'ai été, que j'ai voulu ici redevenir. « Un des privilèges de la vieillesse, a dit Hugo, c'est d'avoir, outre son âge, tous les âges. » J'avais quelques années, quatre ou cinq (nous vivions encore dans la maison du Magasin) lorsqu'elle m'a touché l'épaule. Et ce fut, au-delà de toute parole, comme si elle m'eût dit : « C'est moi. »

Un soir d'été. Il fait grand jour encore. Nous venons de nous mettre à table. En province et à cette époque, on ne dîne pas après sept heures. La fenêtre est grande ouverte : la « tournée » est rentrée, les chevaux sont à l'écurie, le dernier « homme » vient de partir, la sonnette du portail a tinté lorsqu'il a passé le seuil. Quel calme dans la cour déserte! Quelle sérénité sur nous tous! Céleste, notre jeune bonne — elle a vingt ans et qu'elle est jolie! —, chantonne au seuil de la cuisine, ouverte aussi à la douceur du soir. Un bruit grêle, inattendu, alerte soudain mon oreille. On eût dit le bêlement d'un de ces biquets adorables qui viennent joncher en cette saison, chaque vendredi à la cloche du marché, toute la largeur du trottoir jusqu'à la maison de grand-mère. Je me suis retourné brusquement, aussitôt ému et ravi. J'avais bien entendu : c'est un chevreau, tout blanc, un peu de rose au bout du nez. Céleste, assise, l'a pris sur ses genoux. Sa main gauche repose sur le doux pelage neigeux, de l'autre main elle incline un biberon plein de lait. Son visage penché n'est que tendresse. Comme il tète, le chevreau blanc! Abandonné, confiant, goulu, gracieux, plein de joie... Je sens tout cela pêle-mêle, et la joie aussitôt est en moi, enfant heureux parmi les siens et qui regarde, sur les genoux d'une belle jeune fille, un chevreau blanc qui tète dans la cour de sa maison.

D'où venue, plus brisante que la foudre, cette « idée » abominable ? Elle a fondu sur moi, et j'ai crié. Ce chevreau blanc qui est là, que j'ai aimé dès mon premier regard, demain, dans quelques jours, fatalement, Céleste en « servira » sur notre table la tendre chair martyrisée. Il aura *donc* fallu le tuer, le faire mourir. Et je crie, et la nuit est sur moi, en moi, et c'est intolérable, et je refuse cela de toutes mes forces, je le repousse en criant, de tout mon être en proie à une fureur désespérée, à la haine. Objurgations, prières, autorité, tout est vain. Je crie, je crie, les poings sur les yeux. Un jet glacé me frappe en plein visage. Mon jeune oncle, « pour me calmer », m'a lancé un verre d'eau à la face. Mes cris redoublent. Il a fallu que ma mère se levât, me prît dans ses bras, m'emportât.

La seconde fois... Une bête encore, la puissance même et la force. Une des admirations de ma petite enfance, non la moindre, allait à nos percherons. Leur stature monumentale, la buée à leurs naseaux de leur souffle inépuisable, quand ils revenaient, les soirs d'hiver, à l'écurie, les moires qui couraient sur leur croupe dès qu'ils entraient dans la lumière, le jeu des muscles à leur poitrail et le coup de collier superbe qui arrachait du quai le tombereau chargé à deux tonnes, autant de visions exaltantes dont je ne me lassais jamais.

Or, un soir, à l'heure du coucher, mon frère et moi nous nous regardâmes soudain, le cœur battant. Des coups terribles venaient de l'écurie, d'une violence jamais entendue. Il arrivait parfois que deux de nos grands chevaux, tous entiers, César, Pompon ou le Grand-Rouge, s'entremordissent par-dessus la cloison de leurs boxes. Mais alors, ils hennissaient. Ce soir, non. Et ces coups résonnaient toujours, certains d'une violence telle que des craquements doublaient leurs chocs, comme de planches sauvagement fracassées. Nous appelâmes. Par la porte entrouverte, la voix de mon père chuchota :

— C'est César. Il est malade. Les tranchées... Restez dans vos lits, dormez vite...

Je demeurai longtemps éveillé, cette nuit-là. Les yeux grands ouverts, suivant du regard, au plafond, les rais de lumière que projetaient à travers les lames des persiennes des lanternes errantes dans la cour, je savais, j'étais sûr que la mort était là. « D'où venue? », redirai-je, comme je l'ai dit pour la mort du chevreau. Un faix d'horreur m'oppressait, implacable et froid. Je murmurais : « C'est forcé, César va mourir, c'est forcé, forcé, forcé... », comme pour conjurer cette mort, et sachant que je n'y pouvais rien, que personne n'y pouvait rien.

Par ces vagues lueurs qui bougeaient au plafond, par le tintement las d'un fer heurté au pavé d'un caniveau tandis qu'on « promenait » César, par les voix des hommes dans la cour (« Il n'en peut plus... Laissez-le... Qu'il se recouche... »), par le rythme haletant, déchirant, d'un râle qui ne finissait pas, j'ai assisté à la mort de César. Et le sommeil m'a pris d'un coup. L'aube venue, la porte s'est entrouverte encore et j'ai vu mon père se pencher. J'ai dit tout bas :

— Où *est* César?

Mon père, au lieu de me répondre, a mis un doigt sur sa bouche, puis m'a souri, feignant de me gronder :

— Veux-tu dormir! Il n'est que cinq heures...

Mais qui donc eût pu me répondre?

A présent, j'ai huit ans et demi. La jambe que j'ai cassée quelques semaines auparavant, notre médecin l'a délivrée, coupant au sécateur la gaine de silicate où il l'avait emprisonnée. Guérie sans doute, ressoudée; mais étiolée, pâle comme une endive. Le médecin a fait la moue :

— Il va falloir fortifier cela.

Et « cela » m'a conduit, béquillant, dans l'échaudoir d'un boucher, plusieurs semaines à la suite, les jours de meurtre. Nos bourgades, en 1899, n'avaient pas encore d'abattoir. Chaque boucher tuait chez lui, au fond de son arrière-cour. On me faisait asseoir sur une chaise, le dos contre le mur salpêtré. Et cette fois, à coup sûr, je voyais. Henri, le fils du patron, m'accueillait. C'était un grand diable dans la force de ses vingt ans, toujours souriant, à la voix étrangement douce.

— Ça va, petit?

— Oui, Henri.

Il passait. Je l'entendais, dans le fond obscur de la remise, apostropher bonnement tandis qu'il la détachait la vache condamnée à mourir. Il me fallait subir une fois encore, dans son enchaînement fatal, l'horreur du rite hebdomadaire : l'approche de l'homme et de la bête ensemble, le boucher tirant au bout d'une longe sa victime aveuglée par un affreux masque de cuir, empêtrée dans ses propres sabots démesurément allongés pendant les semaines d'engraissage. Il y avait, juste devant moi, un fort anneau de fer scellé dans le ciment de l'aire. Henri, ayant passé la longe dans cet anneau et halant dessus, à pleins bras, obligeait la malheureuse bête à baisser le col et le crâne jusqu'à presque toucher le sol; et cela fait, il nouait la corde. Alors il relevait ses manches, passait sur sa souquenille un tablier de toile blanche.

— Attention! me disait-il. Elle est parée, je vais l'endormir.

Il y avait aussi, appuyé contre un pilier d'étai, une lourde masse à long manche. Seconde après seconde, je sentais prendre corps et grandir dans toutes mes fibres le même sentiment terrible d'enchaînement et de fatalité. M'échapper? Chercher du regard, dans les combles, les toiles d'araignée poussiéreuses, les interstices de lumière entre les vieilles tuiles du toit? Mais j'étais là, je restais, j'entendais : le coup de masse meurtrier, le bruit pesant et mou du grand corps qui s'effondrait. Et malgré moi je regardais, en proie à la fascination du sang. Un bras d'homme, un couteau de boucher : et le sang jaillissait, faisait sonner le fond du seau, éclaboussait le bras nu, rougissait à larges taches la blancheur du tablier.

« Trempe ta jambe.

J'obéissais. C'était chaud, enveloppant; cela continuait de vivre, grésillait à petit bruit, peu à peu se taisait, froidissait, mourait aussi contre ma peau. Lorsque je retirais ma jambe de l'épaisseur du sang caillé, l'air s'engouffrait d'un coup, bruyamment, dans le trou qu'elle avait laissé.

Le sang, quinze ans plus tard, j'allais, Dieu sait, le retrouver, celui dont les passions, l'envie, la haine, l'appétit de puissance, la cruauté et la bêtise ouvrent criminellement les sources depuis que le monde est monde et que les hommes sont les hommes. J'ai vécu, parmi les Français de mon âge, l'un de ces temps ignominieux où le « devoir » condamne à tuer ou à être tué. Ce livre que j'écris perdrait jusqu'à sa raison d'être si je voilais, chemin faisant, les cicatrices toujours douloureuses qui m'ont alors, corps et âme, marqué.

Mais il me faut auparavant évoquer de nouveau une souffrance non moins dure, déchirante davantage, mais souffrance d'homme, qui entraîne avec elle le consentement et sa miséricorde.

J'avais douze ans et quelques mois lorsque j'ai perdu ma mère. J'en ai souffert humainement, en tête à tête avec ma souffrance, solitaire et voulant l'être, jalousement, égoïstement : comme un tendre petit garçon, « bras à bras »; comme un adolescent tourmenté et violent; comme un adulte, à lui-même et soudain révélé. C'est ainsi que j'en souffre encore, et ce sera jusqu'à mon dernier jour.

La jeune femme heureuse dont le sourire, chaque matin, à l'instant même où j'ouvrais les yeux, illuminait le jour nouveau, tous les longs jours de la petite enfance; la dormeuse de Noël que l'arrivée de « son lycéen », dans le petit matin d'hiver, soulevait brusquement sur son lit, me tendant ses bras amaigris et me souriant, la joie aux yeux dans son visage déjà décoloré (« Maman est fatiguée, mais elle va mieux, elle va guérir... »), était-ce donc cette gisante aux yeux clos, cette apparence trop ressemblante, et qui mentait, glaçant mes lèvres de ce froid d'objet, de chose absente et terrible, cette morte? Mon père pleurait. Il la voyait sourire encore; ou déjà... Il avait pris la main de mon frère, « encore si petit »; non la mienne, comme s'il n'eût pas osé devant mon retrait farouche, mon désespoir et mon refus.

C'est ma mère qui m'a rallié, consolé : peu à peu, par mes rêves éveillés et mes songes de la nuit. C'est elle qui peu à peu, patiemment, tendrement, m'a délivré du désespoir et de la sécheresse du cœur; qui m'a guidé vers une paix sans oubli, consentement à un monde où la mort ne peut rien contre ceux qui se sont aimés. Je le sais, je l'accepte : elle s'est d'elle-même, au long des jours, insensiblement éloignée. Mais je sais bien aussi qu'aujourd'hui comme autrefois j'entends son pas à mon premier appel. Pas un événement de ma vie dont j'ai été ému ou bouleversé, les grandes joies, les déchirements, ceux qui m'ont exalté ou déçu, les projets, l'œuvre en cours, les amours neuves, les naissances, les nouveaux deuils, pas un auquel elle n'ait été présente, secourable ou heureuse avec moi. Elle sera là, plus proche que jamais, lorsque à mon tour je fermerai les yeux. Elle entendra mon dernier merci.

Que de morts autour du vieil homme! Que de jeunes morts! Pauvres tués trop vite oubliés... A cause d'eux, de chacun et de tous, de leur commune infortune, j'ai toujours refusé la résignation et la paix. Ceux de Sommaisne, ceux de la Vaux-Marie, nos camarades de la 5e et de la 6e compagnie, surpris dans leur sommeil et presque tous tués au couteau avant d'avoir pu tirer, ceux des Hauts-de-Meuse dans la hêtraie d'automne, ceux des Éparges massacrés deux mois durant, les survivants opiniâtrement ramenés dans la boue de leur calvaire, parmi les cadavres de leurs camarades tués naguère à leur côté, abandonnés sous les obus, pauvres morts de nouveau mutilés et pourtant reconnaissables... Ma mémoire, après tant d'années, reconnaît encore chacun d'eux et les nomme,

Maignan, Butrel, Sicot, et Brun, et Porchon, et Marchal, tués aux Éparges en février, en mars, en avril; et les voit : les larmes de Sicot dans la petite casemate où le génie entreposait les outils de parc. Silencieux, sans une plainte, il pleurait. La pâle lumière, par la porte béante, éclairait son beau visage; et de grosses larmes, sourdant deux à deux et roulant lentement sur ses joues, avouaient le regret et la peine de mourir ainsi à vingt ans; et la gouaille de Grandier blessé qui se traîne vers le boyau, qu'une défaillance arrête devant un de mes sous-lieutenants et moi, les yeux clos, le visage soudain livide, qui crache à grand effort un caillot rouge gros comme une noix, rouvre les yeux sur nous, ébauche un fugitif sourire, murmure de sa voix faubourienne : « Oh! la la, valses lentes... » et meurt.

Tous, tous, les morts au visage boursouflé, noirci par le soleil implacable des charniers, que les Allemands en retraite avaient alignés au bord des fossés, le long des routes de la poursuite, je continue de les voir, d'entendre les gémissements, les plaintes, les blasphèmes de leur agonie. Je dis que c'est intolérable, si même nous l'avons supporté. Une nuit de février ou mars au flanc d'un entonnoir de mine, dans la fange, sous une pluie glacée, qui ne l'a point vécue n'en concevra jamais la durée d'éternité. Chaque fois qu'une fusée éclairante vibre aux bords de l'énorme trou, elle révèle sur la pente ruisselante des boursouflures qui sont des hommes, recroquevillés, étalés sur le dos, agenouillés la tête penchée à cause de leur sang qui gouttèle. Même après qu'elles se sont éteintes, on continue de voir ces gisants, épars dans la clarté blême qui sourd on ne sait d'où à travers cette nuit d'outre-monde. Ils toussent, par quintes exténuées. Ils font tout haut le compte de leurs plaies. Et l'un d'eux, brusquement, pousse un long cri farouche qui libère un à un d'autres cris. Tout l'entonnoir gémit sous le ciel et la nuit ne finira pas. « Les brancardiers! Les brancardiers! » Il faut deux heures, le long des boyaux piétinés, dans l'épaisseur d'une boue qui semble n'avoir point de fond, où chaque pas crispe et noue les muscles, suspend l'haleine, pour monter un brancard du poste de secours, et deux heures pour redescendre. A bout de forces depuis deux jours et deux nuits, les brancardiers ne viendront pas. Ou, s'ils viennent, ce sera pour de nouveaux gisants. Pour Bioray, pour Chabeau, pour Petitbru, il est trop tard.

Je me suis rappelé, cette nuit-là, d'autres cris naguère entendus. C'était le 22 septembre 1914, à la lisière des bois de Saint-Rémy. Nous avions pris les avant-postes, au soir tombant. Nos 75 faisaient barrage et leurs coups de départ, d'une sonorité terrible, prolongeaient leurs échos de combe en combe et sur la plaine. Une heure auparavant encore, on se battait en avant de l'orée, dans la vaste clairière où flambait l'or rouge du couchant. La nuit vint, une nuit sans lune, tout de suite opaque et noire sous le couvert de la hêtraie. Et les plaintes, aussitôt, de toute l'étendue de la friche où l'on venait de s'entre-tuer pantelèrent pathétiquement vers nous : et chacun, du fond du fossé où le rivait sa mission de combat, pouvait croire qu'elles l'adjuraient personnellement, le sommaient, le maudissaient. Des Français, des Allemands, leurs voix pareilles dans la souffrance, la supplication, la révolte : « Brancardiers! Hilfe! Hilfe! A moi!... Camarades! Camarades français... » Et soudain, mêlée aux voix humaines, longue, aiguë, déchirante, la plainte d'une bête, d'un cheval abattu.

Lorsque j'ai su, plus tard, qu'Alain-Fournier avait été « porté disparu » dans la nuit du 22 septembre, aux avancées du bois de Saint-Rémy, j'ai été sûr d'avoir entendu, cette nuit-là, ses dernières plaintes de vivant. De même ai-je vu, aux premiers jours d'avril, du haut de la crête des Éparges dont la conquête, depuis février, nous avait coûté dix mille morts, sortir des parallèles d'assaut les lignes de soldats bleu et rouge qui attaquaient aux lisières de la Woëvre des villages dont la possession ne nous eût, tactiquement, rien apporté. Ils attaquaient à découvert. Du haut de notre belvédère, je les voyais sortir des parallèles, tomber par files entières dans un silence saisissant. Quelques secondes après seulement, amenuisé par la distance, nous arrivait le crépitement, comme d'une toile longuement déchirée, des mitrailleuses qui venaient de les abattre. A la jumelle, je distinguais très bien ceux qui ne se relèveraient pas. Après seulement, comme pour Alain-Fournier, j'ai su que Louis Pergaud était l'un d'eux, que l'« ombre de la mort » avait, ce matin-là, « voilé ses yeux ».

C'est Homère qui parle ainsi, il n'y a guère que trois mille ans. Il avait dû la voir monter, cette ombre, dans les yeux des guerriers tués, et savoir qu'elle est la même dans les yeux d'une perdrix tuée, dans ceux d'un dix-cors hallali. L'instant de ce passage, cette ternissure qui monte inexorablement, qui fait d'un œil vivant cette membrane opaque et qui déjà s'affaisse, une sclérotique sur de l'humeur vitrée, ce retrait du regard qui mue un visage d'homme, le temps d'une chute et d'un cri, en un *memento mori* plus obsédant que le crâne décharné des sépulcres, chaque fois que je l'ai pu mes doigts posés sur des paupières encore tièdes en ont dérobé l'horreur.

Ce devait être mon dernier geste, dans un layon de la forêt meusienne, moins d'une minute avant d'être abattu par les balles d'un tireur allemand.

Nous avions pris position vers sept heures du matin, alertés après les Éparges parce que les Allemands, dans l'axe de la vieille route stratégique dite Tranchée de Calonne, avaient enfoncé notre première ligne et qu'il n'y avait rien derrière : la mission de sacrifice type. J'en avais averti mes soldats, ceux de la 5e compagnie que je commandais à présent. J'étais sûr qu'après leur succès de la veille ceux d'en face allaient renouveler leur attaque pour tenter de percer plus loin. Cela aussi, je ne l'avais pas caché.

L'attaque se déclencha, en effet, vers midi. Mes hommes, depuis notre arrivée, avaient beaucoup travaillé, creusant d'abord des trous de tirailleurs, puis les reliant, vaille que vaille, en une tranchée précaire et souvent interrompue. La fusillade, tout de suite, avait été frénétique, appuyée de rafales d'obus. Par deux fois, de section en section, j'avais parcouru toute la ligne, ému et conforté par l'assurance de mes chefs de section : « On tient. On tiendra... Soyez tranquille. » Après deux mois de commandement, l'entente, la confiance réciproque régnaient à la compagnie. En ces tout derniers jours d'avril, après neuf mois d'affrontements meurtriers, rares étaient les anciens d'août 1914. Nos « pertes » ? Tués ou blessés, une cinquantaine d'officiers. Certains d'entre eux, blessés dès les premiers combats, avaient « eu le temps », réparés, de revenir et d'être tués. Dans le rang, c'était la même chose : les pertes dépassaient le total de l'effectif. L'un de mes hommes, le thorax traversé d'un coup de baïonnette pendant la nuit de la Vaux-Marie, avait été

« Ce devait être mon dernier geste ;

les pertes dépassaient le total de l'effectif »

270 or so
words

STAND BY
in medias res
othumis par — quite difficult

porté rentrant après dix-sept jours d'absence : il avait été tué aux Éparges. Classe 14, classe 15, en attendant les autres... On grignotait.

Il allait être une heure et demie. J'achevais une seconde reconnaissance, sur le point de rallier la section d'un de mes sous-lieutenants, Sansois, et le bout de tranchée d'où il guettait, entre les hêtres, l'apparition des attaquants. La feuillaison nouvelle flottait par le sous-bois, en nappes étales d'un vert tendre que blondissaient des coulées de soleil. La fusillade déchiquetait les pousses neuves, lentement tournoyantes avant de se poser à terre. Je m'étais arrêté au passage près d'un de mes hommes qui mourait. Il venait d'être atteint par un éclat d'obus qui lui avait déchiqueté une cuisse. Ses camarades l'avaient adossé à un arbre. Un garrot de fortune ralentissait l'hémorragie fémorale, mais il mourait et se sentait mourir : impassible, sans un mot, lointain; j'allais dire « dédaigneux », c'est « hautain » qu'il eût fallu dire. A quelques pas de lui, étendu sur le dos au milieu du layon, un très jeune soldat, au visage presque enfantin, aux joues imberbes, venait d'achever son agonie. Il n'avait plus le long des doigts ce frémissement, imperceptible et continu, qu'y fait courir lors des derniers instants le passage de la vie qui s'en va. J'ai fermé ses paupières sur ses yeux vides, encore grands ouverts. Sansois, m'ayant aperçu, me faisait signe à quelques pas. Distinctement, presque à mes pieds, je perçus la voix d'un des miens, anxieuse et précipitée : « Baissez-vous! Baissez-vous! Ils voient... » Et déjà jeté à terre, je me retrouvais à genoux, sidéré par une douleur au-delà de toute mémoire, cruellement irradiante, tout le torse tordu vers la gauche et cherchant du regard mon bras arraché, perdu.

151

La douleur même m'avait abusé : mon bras était encore là, dressé à demi, hors de moi qui le rappelais, qui ne pouvais le ramener vers mon flanc. Je le vis tressauter au choc d'un second projectile, stupéfié davantage, les oreilles bourdonnantes, distinguant néanmoins à travers cette rumeur la voix toute proche de Sansois : « Mais vous ne le voyez donc pas!... » J'allais sans doute glisser à terre, les yeux hantés de branches confuses qui tournaient sur un ciel rose et vert. Un heurt léger, un effleurement à peine attira mon regard vers le point de mon corps où il avait passé : le haut de ma poitrine, à gauche. Un flocon de vareuse avait sauté. A la place une entaille rouge, comme d'un fruit éclaté. J'en ai été, dans l'instant même, galvanisé. Un retour de lucidité, une ressource nerveuse en même temps : je pus me traîner hors du champ où le tireur allemand m'avait cueilli au vol, et par deux fois encore fusillé : il avait cessé de me voir. Sansois, deux ou trois de mes hommes me halèrent alors jusqu'à eux.

Ce que je viens de relater, le nécessaire recours aux mots en a démesurément distendu la durée. Il n'y a fallu que quelques secondes, quatre ou cinq : le temps de manœuvrer la culasse d'un mauser et d'appuyer sur une détente. L'appel pressant de Sansois à ses hommes retentissait encore à mes oreilles, alors que déjà leurs mains m'éloignaient de la trouée mortelle. Un peu plus tard, j'étais dans un abri où d'autres mains déchiraient mes vêtements, aveuglaient de pansements épais mon artère humérale d'où le sang continuait de gicler. Il allait falloir onze heures et un peu davantage pour me coucher enfin dans un lit, à l'hôpital militaire de Verdun. J'ai raconté tout cela dans *Ceux de 14* : récit d'une mise hors de combat et d'une évacuation banales entre des centaines de milliers.

J'y reviens après soixante ans, incité ou plutôt obligé par des raisons qui touchent directement à l'inspiration même et, j'espère, à la justification du livre que j'écris aujourd'hui.

Pas un des mortels que nous sommes dont la vie n'ait été traversée, comme la chaîne traverse la trame, par les apparitions successives, les « rappels » renouvelés de la mort. Quel écrivain, quel romancier, soucieux de ses semblables et de leur destinée, qui n'ait été conduit par sa propre fatalité à réagir devant une loi qui régit souverainement toute vie? Les jeunes hommes de mon âge ont été confrontés, eux, à une épreuve provoquée dont la tension et la durée, outrepassant toute loi naturelle, ont fait une monstruosité. Pas un de ceux qui lui ont survécu dont la survie n'en ait été changée. Je suis l'un d'eux. Écrivain de vocation, voici pour moi l'instant venu de dire ou de tenter de dire en quoi et de quelle façon.

Déjà, dans *la Mort de près*, soucieux surtout de relater, d'être fidèle à l'événement, j'avais laissé entendre ce qu'il me faut aujourd'hui préciser. Quand je parlais de « mes trois morts », ce n'était certes pas en zélateur de l'hyperbole, mais déjà saisi par le besoin et le désir, de plus en plus conscients et forts, d'aller au-delà du témoignage, d'en expliciter les données jusqu'à peut-être, enfin, à travers la fureur et l'incompréhensible, entrevoir quelque lueur à hauteur d'homme : cette tragédie par nous vécue aura-t-elle passé comme un vain songe? Ou au contraire...

Aujourd'hui, mes vues sont plus modestes. La lueur que je cherchais s'est dérobée à ma ferveur : je ne sais rien, ou à peine davantage. Me voici redevenu le blessé douloureux qu'un grand infirmier blond, les poings serrés sur les mancherons d'un brancard aux roues de fer, poussait sur des routes défoncées vers Mouilly et Rupt-en-Woëvre. On entendait encore, par-dessus les collines aux beaux arbres, le crépitement de la fusillade. Des femmes alarmées, du seuil de leur maison, en épiaient les sursauts, la menace. A mon passage leur visage changeait. Elles détournaient la tête et reculaient dans l'ombre. J'étais mourant, le visage creux, souillé de sang, masqué par la pâleur de l'épuisement hémorragique. Et cependant jamais peut-être n'ai-je senti, dans tout mon être, palpiter la chaleur et la permanence de la vie.

Par deux fois déjà, la mort m'avait leurré. Un mois auparavant, aux Éparges, un obus de rupture énorme était tombé à deux mètres de moi, sur le parados de notre tranchée. Nous y étions dix-sept encore. Tous ont été tués ou blessés. J'ai été le seul épargné, parce que j'étais le plus près du point de chute : comme si les gerbes d'éclats fauchants, ruées vers leur besogne de mort, étaient passées sur moi *sans me voir*. C'est par-derrière, à la base du crâne, que m'a frappé le choc de l'explosion. Effrayant, au-delà de toute sensation. En même temps, de face le flot des explosifs, par les yeux, les narines et la bouche entrait en moi et brûlait mes viscères. La réaction de mon cerveau ne pouvait être qu'aberrante. Le contact intérieur avait été si direct que j'ai cru mon corps large ouvert, persuadé que mes mains, si je les hasardais, allaient toucher ma trachée, mes poumons. Elles m'avaient devancé, elles touchaient le drap rêche de ma capote bien close, froid, lourd de pluie, comme avant, comme depuis quatre jours : normalement, réellement, de nouveau supportablement. Quelques points de brûlure sur le dessus des mains, sur le front, j'en aurais accepté davantage.

Ces expériences, nous les nommions « des coups de veine ». J'en avais connu un autre, de plus durable conséquence, où la mort, plus sarcastique et plus perfide, devait plus longtemps me poursuivre. Elle m'avait désigné dès septembre, le 24, deux jours après qu'Alain-Fournier eut « disparu », et dans le même bois meusien. Les Allemands, par la trouée de Spada, avaient touché à Saint-Mihiel. La menace était directe sur le camp retranché de Verdun : d'où l'acharnement des combats. Sept mois, presque jour pour jour, avant les balles qui m'ont mutilé, dans le même bois, à la même place, à quelques mètres près peut-être, j'avais été atteint déjà par la balle d'un tireur allemand. Un choc au ventre, à hauteur de ceinture, m'avait plié en deux, genoux fauchés, souffle coupé. En pleine mêlée, presque au contact (le son aigre des fifres allemands déjà proche et distinct à travers le vacarme d'une fusillade acharnée), je me suis jugé perdu. Et aussitôt, tandis que mes doigts, fébrilement, débouclaient mon ceinturon, ouvraient à l'aveuglette mes vêtements, cherchaient en tâtonnant ma plaie, de tout mon être aussi, ce jour-là, j'ai senti physiquement les « affres de la mort » fondre sur moi et me saisir.

Aussitôt, instantanément, plus réelles que la futaie de hêtres et que le bruit énorme de la mitraille, des images passaient devant ma vision intérieure, extraordinairement rapides, éclatantes, indiciblement douces et cruelles d'autant : le Magasin, le jardin de grand-mère Clotilde, les cris de joie de notre bande écolière, Mademoiselle Suzanne devant le tableau noir de l'Asile... Cela aussi, je le sais depuis cet instant, c'est mourir. Je respirais, je ne comprenais pas. Je me disais, désolé, déchiré : « Je vais mourir, la mort m'a désigné et m'a pris, soldat tué... A vingt-quatre ans... Tout ce que je n'ai pas eu... C'est terrible... » Et cependant, hébété, stupide, je regardais mes doigts, vierges de toute trace de sang, et récusais leur témoignage.

Beaucoup de mots, cette fois encore, pour évoquer un temps si bref. C'est brusquement aussi que la conscience m'est revenue, et la raison logicienne. J'étais vivant, j'étais indemne. Je revoyais *maintenant* ce dont le choc du projectile m'avait, si je puis dire, caché la vue : un objet jaune et brillant qui filait dans un rai de soleil avec un vrombissement étrange, comme d'un gros frelon égaré; un trou aux bords déchiquetés dans le bourrelet de ma capote, une coupure étoilée dans le cuir de mon ceinturon, une autre qui perçait ma vareuse, une trace de brûlure dans le drap de ma culotte, une ecchymose violacée sur mon ventre, tout s'enchaînait, s'illuminait. J'avais été sauvé par un bouton de ma capote, l'un des huit, l'un des deux sous lesquels je calais mon ceinturon, pas plus gros qu'une piécette de monnaie, arraché par le ricochet et rendu au cosmos après m'avoir sauvé la vie. Le miaulement furieux, c'était la balle. Il me semblait maintenant l'avoir entendue ricaner.

Sept mois plus tard, je l'ai dit, j'étais un gisant pitoyable. Dans la vieille Ford cahotante qui nous emmenait vers l'hôpital, nous étions six, sur six brancards superposés, tous grièvement atteints, et la mort était du voyage. Les ténèbres, l'odeur de sang et d'eau de Javel, les cris brusques à chaque cahot martyrisant, comment ne m'en souviendrais-je point? Je n'avais pas perdu connaissance. J'entendais les voix des conducteurs qui devisaient entre eux, derrière un rideau de cuir noir qui se soulevait de loin en loin sur la nuit, sur une étoile. Il me semblait flotter, lentement dériver sur de pâles limbes océanes, et toute douleur s'abolissait. Je me percevais sombrant, je consentais, l'absence de douleur m'enveloppait et je m'abandonnais à elle. Si c'était commencer à mourir — et ce l'était —, pas une seconde la pensée de la mort n'accompagnait mon consentement. Un cri me rendait aux ténèbres, à la souffrance, à la vie martyrisée, mais à la vie et à ses certitudes, à ses promesses.

Peut-être la lueur que j'ai cherchée tremble-t-elle derrière ce double souvenir. Indemne, intégralement vivant, j'avais vécu une mort imaginée par ma vitalité même, ma jeunesse, mes terreurs durement réveillées, le chevreau blanc, César, la bête de boucherie égorgée, le visage aux yeux clos de ma mère. Et ç'avait été terrible. Grand blessé exsangue et gisant, déjà poussé à demi inconscient vers la rive du grand passage, c'est d'une mort douce et sans affres que je garde aujourd'hui la mémoire.

Ce matin même une lettre m'arrive d'un camarade inconnu, un classe 14, « bouche-trou de la Marne », écrit-il. Il a voulu, vieillard mutilé, « bien entouré » tient-il à préciser, retrouver auprès d'un frère d'armes la chaleur d'un secret partagé : même blessure, mêmes circonstances, même calvaire : « le cirage, vidé, saigné, mais sans penser à Elle... » C'était bien là notre langage, je l'ai aussitôt reconnu, au point d'entendre une voix où passeraient tour à tour la gouaille, la force d'âme, la révolte et la sérénité. « Il reste si peu de conscrits pour dialoguer !... » Il parle de la mort avec un respect familier. Lorsqu'il écrit son nom, c'est toujours avec une majuscule. Il sait, de tranquille certitude, « qu'Elle gagnera bientôt la finale » ;

mais il a de nouveau vingt ans pour proclamer que, « dans les séries, Elle ne lui aura pas fait baisser les bras ». Accessoirement, je cite encore ses derniers mots à l'intention des oublieux : « Le sang, à vingt ans, c'est plus cher que le pétrole. »

Pour moi, s'il m'arrive aujourd'hui d'évoquer ma propre mort, les « séries » de mes vieilles rencontres me guident vers une sérénité dont je sais tout ensemble l'aloi, la constance, et je crois pouvoir dire : l'amitié. A cause d'elles, mon destin de vivant ne s'est pas départi un jour d'un sentiment de gratitude envers les jours qui m'ont été donnés, de confiance malgré tout à travers les épreuves qui les ont assombris. Vivre, lorsqu'on a survécu, c'est constamment *sur*vivre en effet, ne pas seulement « cueillir le jour » qui passe, mais l'accueillir comme une révélation, celle même qui m'a ébloui, mourant, lorsque le rideau de cuir noir, clos sur les ténèbres et l'horreur, s'entrouvrait sur le ciel et le monde, sur le point brillant d'une étoile.

Il m'a été reproché quelquefois d'« abuser » du pathétique. J'accepte le reproche, mais je plaide l'innocence : je suis *devenu* ainsi; c'est bien un survivant qui a écrit mes livres, qui trace en cet instant ces lignes. Et voici maintenant un aveu : si j'avais le pouvoir de faire qu'il en soit autrement, je refuserais de l'exercer.

Lorsque j'ai publié mon premier livre, *Sous Verdun*, il y a de cela soixante-quatre ans, rares, très rares étaient les « livres de guerre » antérieurement parus. Le grand succès, consacré par le Goncourt, était allé d'emblée au « roman » de René Benjamin, *Gaspard*, plein de talent, mais dont l'aimable verve et l'ignorance flagrante des réalités du combat, en donnant de la guerre une image fantaisiste et fausse, avaient abusé l'opinion. Pas une ligne n'en avait été censurée. *Sous Verdun* le fut largement, par pages entières ; et cela fut, et cela est resté à mes yeux un signe et un encouragement. Ni l'arbitraire, ni la bêtise n'ont le goût de la vérité. Et non plus l'habitude d'un confort intellectuel qui regimbe dès qu'on le bouscule. La critique, à l'époque, n'en a pas moins perçu d'emblée la loyauté de mon témoignage et senti qu'il « sonnait vrai ». Certains blancs me donnaient à sourire : il importait peu, à mes yeux, que le bœuf de conserve, le « singe » allemand, « moins sec, je l'avais dit, et moins épicé que le nôtre », eût été caviardé de ce fait par un censeur patriote. Avais-je eu tort d'écrire, pour l'avoir vu, que dans le fort et la confusion d'une bataille les fantassins, fussent-ils français, tiraient précipitamment au lieu de viser à loisir ? Mes vains étonnements commencèrent devant certaines remarques verbales, « faites en toute bienveillance » d'ailleurs, et qui touchaient aux exagérations, voire aux invraisemblances auxquelles je m'étais laissé aller. Des froncements de narines récusaient la puanteur des chevaux morts ; un malin clin d'œil — complice, ma foi — effaçait, sur l'écran blanc d'un ciel d'après l'orage, les éclats déchiquetés que j'y avais *vus*, de mes yeux vus, voler. Mais, dans l'ensemble, j'ai été cru et j'en ai été heureux.

Je l'aurais été davantage si j'avais prévu dès alors le destin de mon témoignage. J'y reviendrai peut-être, le moment des bilans venu. Autre chose me requiert aujourd'hui, un retour en arrière qui appelait d'avance la plongée d'où j'émerge à présent. Puissé-je, au point où me voici, avoir donné à sentir la réalité bouleversante qui a transmué l'enfant d'un autre siècle en l'homme qu'il est devenu, orphelin de lui-même tout au long de ses années terrestres, s'il est vrai que sa vie d'autrefois ne redevient la sienne qu'au lointain fabuleux de l'imaginaire ou du songe, dans la lumière d'un monde révolu.

V

C'est pourquoi, chemin faisant, il m'arrivera encore de me heurter soudain au creuset où nous avons été ensemble, garçons de 1914, précipités et brûlés. Je mentirais par omission coupable si j'éludais cette fatalité. Avoir entrepris ce voyage c'est en avoir accepté d'avance les obligations et les risques, ses meilleures chances étant à ce prix. Le lycéen, le normalien que je vais retrouver, le lecteur boulimique, l'écrivain balbutiant et secret, le poétereau des tendres cousinages, le fanfaron outrecuidant qui claironnait à tous échos ses admirations et ses refus, la fraternité qui me les rend encore accessibles ne saurait plus secouer, comme d'un coup d'épaule on rejette un fardeau, le poids dont elle fut payée.

Mes premiers enthousiasmes de lecteur, à mon sentiment d'aujourd'hui, ont été assez tardifs ; beaucoup plus, et de loin, que celui du marmouset en robe assis sur les bancs de l'Asile dans la classe de Mademoiselle Suzanne. Nous étions moins gâtés en albums de talent et de goût, en belles « histoires », que les enfants d'aujourd'hui. *Les Avatars de Lièvre et de Petit Canard*, à cause de leurs enluminures criardes, ont raté, l'eussent-elles même éveillée, ma première velléité d'évasion. Un peu plus tard, j'avais été choqué par les *Mémoires d'une truie*, où s'était fourvoyé

161

l'immortel auteur du *Sapeur Camembert* et de *la Famille Fenouillard*. Je le remarque en passant : ma gêne, moins véhémente, était de même nature que mon refus coléreux de certains jouets de fer-blanc peint, aussitôt horribles à mes yeux : tel ce garçon charcutier, offert par des cousins de passage désireux de « me gâter », ogre hilare et congestionné, ouvrant une gueule caverneuse où s'engouffrait ignoblement un chapelet de saucisses sans fin. Sentimental plus qu'aventureux, le *Sans famille* d'Hector Malot, Vitalis et son caniche avaient eu le pas dans mon cœur sur des Jules Verne peut-être mal choisis : *P'tit Bonhomme, la Maison à vapeur*... Mais le transport, l'envoûtement, la grisante évasion, la baguette du sourcier, je les dois à un écrivain oublié, M. Élie Berthet, auteur de *l'Enfant des bois*.

Son héros? Un garçon de mon âge, Édouard, fils de planteurs à Sumatra. L'aventure d'Édouard? Un kidnapping. Mais attention ! Son ravisseur est un orang-outan. Aussi bien, Édouard est-il quelque peu son complice. Il y a eu attrait réciproque entre les deux créatures, tout un manège du grand singe ravisseur autour de l'enfant des hommes. L'histoire? Elle se borne au récit de deux expéditions armées contre la cité des orangs. La première est un échec, la seconde réussit au prix d'un révoltant massacre. Édouard, devenu entre-temps un splendide et heureux sauvage, sera récupéré de force, réapprendra dans le clan familial l'honneur d'être un civilisé et fera bientôt, on l'espère, un beau mariage.

Cet espoir n'était pas mon fait. Mes vœux volaient à travers la forêt vierge, planaient au-dessus des huttes rondes où veillaient les grands singes roux ; mes rêves aussi, ardents, trop vite déçus, d'autant plus tenaces et brûlants. M. Élie Berthet m'abandonnait avec Édouard au plus vif de mes palpitations. Et je lui en voulais de m'avoir, guide indigent, ainsi abusé et frustré. Je lui en ai voulu longtemps ; jusqu'à l'âge, exactement, où Kipling est venu à mon aide. Car la main qui prenait le relais était cette fois celle d'un conteur, d'un visionnaire et d'un poète.

Cela, je l'ai senti tout de suite, au seuil même du *Livre de la jungle*. Là où précisément Berthet déclarait forfait, Mowgli apparaissait dans la caverne des loups. Ce que l'impuissance de Berthet avait dû escamoter, la vie d'Édouard dans la forêt parmi les orangs-outans, le génie généreux de Kipling m'en prodiguait les enchantements. L'Inde de Mowgli, de la louve Akéla, de l'ours Baloo et de Bagheera la panthère, c'est la mienne. Et la mienne encore, celle de *Kim*. Rien ne m'en ferait démordre. Lorsque, bien des années plus tard, j'ai lu *la Mousson* de Bromfield, mon sang n'a fait qu'un tour quand j'ai buté sur les pages où il conteste, du haut de la suprématie qu'il s'attribue, la vérité du témoignage de Kipling. Quelle ombre sur son propre talent ! L'invention, la sympathie humaine, la spontanéité du conteur merveilleusement retrouvée par l'artiste et, souveraine, la poésie partout présente ne sont pas du côté de Bromfield : je m'en fie à l'avis du lecteur de dix ans qui glissa dans son coffre d'interne, sous les chaussettes de laine et les plaques de chocolat maternelles, *l'Enfant des bois* de M. Élie Berthet.

L'ouvrir subrepticement, à côté de l'*Épitomé*, céder irrésistiblement et pour la dixième fois à l'attrait décevant d'une « histoire », en oublier la classe au point de rester sourd à la voix de M. Dez, entendre, comme venu d'un au-delà fabuleux, le son de mon propre nom, soudain le reconnaître, somnambule qui s'éveille, et tressaillir de tout mon corps, m'empourprer aux rires des camarades, appré-

163

hender la foudre en tremblant, voilà ce qui s'appelle lire !
La foudre est tombée en effet, et ce fut ma première *colle*.
J'en ai pleuré toutes mes larmes, « bon petit » que j'étais
comme on l'était en ce temps-là, comme on l'est moins,
dit-on, en ce temps-ci. Aujourd'hui et pour ma part, je
regretterais presque de surprendre, sur le visage du Jupiter
tonnant, les légers frémissements qui dénoncent l'envie de
rire de M. Dez et qui « dédramatisent » ce drame de ma
dixième année. Frais émoulu de la rue d'Ulm, il abordait
ses premiers élèves : ainsi ai-je contribué à son éducation ;
et c'est peut-être, tout compte fait, une circonstance
atténuante.

Je n'ai pas eu la chance, tout au long de mes longues
études, de rencontrer un maître dont je puisse aujourd'hui
me réclamer à bon escient. Un des traits remarquables — et
que je loue — des bons petits que nous étions, c'est un penchant à l'admiration, une vacance merveilleuse qui eût
mérité plus souvent de trouver à quoi se prendre. Je ne
voudrais pas être injuste. Plusieurs fois, j'ai senti la ferveur
du disciple bouger en moi et presque s'orienter, mais ce
tropisme m'a chaque fois déserté. Nos professeurs orléanais
étaient d'excellents pédagogues, mais la nature même et la
substance de l'enseignement qu'ils dispensaient ne laissaient
guère de place aux joies et aux foucades de la curiosité.
Même en cagne, et pour les mêmes raisons. Pas d'échange
d'homme à homme, hors des comptes rendus de copies.
D'aventure un regard, une lueur qui glisse sur un visage,
une question, une réponse qui dérogent à l'« emploi du
temps », et c'est passé, le moulin tourne et ronronne.

C'est à partir de la troisième que j'ai perçu en moi,
obscur et fort, l'appel vers l'intercesseur. Les réponses qu'a
reçues cet appel auront attendu mes vacances ; je dis bien :

mes vacances scolaires. Le libre instinct, l'intuition pure, informulée mais exemplaire, brusquement illuminante, d'hommes simples et bellement vivants, l'ont emporté sur la pédagogie. Sans doute cela tient-il à ma propre nature. Pour une joie que je souhaite partagée, je retrouverai sans aucun doute, et bientôt, quelques-uns de ces intercesseurs.

Mon professeur de troisième s'appelait Nadaud. Il était le petit-fils du chansonnier. Fin, sensible, plein de charme, le menton effacé par une barbe surabondante, d'un châtain cuivreux et superbe (d'où émanait, subtil et discret, un parfum agréable à l'abord), il s'est trouvé qu'une santé médiocre et les absences qu'elle entraînait ont traversé jusqu'à la briser l'influence qu'il eût méritée. En seconde, Émile Chénin, aux yeux sombres et veloutés, zélateur de Flaubert, de Maupassant, s'évadait parfois avec nous, dans un « qui m'aime me suive » idolâtre, vers des lectures révérencielles : la casquette de Charbovari et ses « profondeurs d'expression », l'attendrissement recueilli du gros Toine couvant des œufs sous ses aisselles... Que j'y pense, j'entends encore sa voix ronde, onctueuse, soudain haussée d'une demi-octave pour flétrir une copie empêtrée : « D'aise on entend sauter la pesante baleine ! » Autant qu'il m'en souvienne, c'est l'année même où j'étais son élève qu'Émile Chénin obtint le prix Goncourt. Je reviendrai dix ans plus tard à l'auteur du *Rouet d'ivoire*, de *Terres lorraines* et de *Jean des Brebis*. J'ai su alors qu'Émile Moselly ne « faisait qu'une seule et même personne » avec mon professeur de seconde.

Ce goût, cet amour des belles-lettres, j'allais le retrouver chez mon professeur de première. Mais je ne l'ai pas reconnu, faute du discernement qu'il m'eût fallu pour apparier sous des espèces si dissemblables deux mêmes ferveurs et deux mêmes vocations. Brunetière était passé par là, et M. Doumic, et *la Revue des deux mondes*, et l'Académie française. Comme M. Chénin lisant Flaubert, j'entends encore M. Bouvier, irrésistiblement tenté, rougissant de se sentir pécher et d'y prendre un plaisir extrême, nous lire en classe dans *le Temps* des passages du discours que M. Jean Richepin avait prononcé la veille, lors de sa réception sous la Coupole. Je m'en souviens comme d'hier : c'était d'étonnantes vocalises, lyriquement sacramentelles, sur les mots de la langue française, le mot en soi, le mot protée, sa magie, son pouvoir, son essence mystérieuse et divine. Gourmand M. Bouvier ! Sensuel M. Bouvier ! Ces mots qui glorifiaient le mot, il les grugeait un à un au passage, à pleines lèvres, à pleine bouche. Quel étonnement ! On eût dit, dans l'ordinaire des jours, qu'il sortait d'un dessin de Monnier. Sa calvitie, ses touffes de cheveux rebroussées sur les tempes, sa moustache de briard, ses mains potelées, était-ce encore les siennes ? Protée luimême par la vertu du Mot, que signifiait la transe singulière dont nous le voyions la proie ? Ainsi alerté, attentif, vaguement inquiet, j'attendais. Qu'est-ce que j'attendais ? Mais cela ne dura qu'une heure. Il replia *le Temps* et redevint M. Bouvier, le *Bifton*.

Nous l'aimions bien, le sachant coléreux et bon. Ses colères le congestionnaient, faisaient pleuvoir les heures de colle : silence partout. Mais lorsque s'achevait la classe, les collés le voyaient s'attarder, fourrager dans sa serviette. Ils s'approchaient, contrits, le pas traînant ; et le rite se déroulait, ponctuel : le professeur levant les yeux, les sourcils hauts, la moustache déjà chatouillée d'un sourire ; bredouillée ou verbeuse, rituelle aussi mais sans plus d'importance la supplique des coupables ; la plume professorale en suspens sur le cahier de classe ; et la lumière enfin d'un vrai sourire : « Biffe-t-on ? Ne biffe-t-on pas ? », disait alors M. Bouvier. Et il biffait. Il biffait toujours.

C'est en troisième et en seconde que ma fringale de lectures a connu son paroxysme ; anarchique, hasardeuse, pathologique presque et tournant à la pica. Et qui donc m'eût conseillé ? Mon père, dans une vente publique, avait acquis pour quelques francs une énorme caisse, bourrée à déborder de livraisons à dix centimes l'une : Sue, Daudet, Balzac, Hugo... Tout y passa : *Fromont jeune et Risler aîné*, *Sapho* et *la Belle Nivernaise*, *Jack* et *Numa Roumestan*... Suivirent *les Misérables*, *Notre-Dame-de-Paris*, *Quatre-vingt-treize* et *L'homme qui rit*. J'engouffrais, je pantelais, la cervelle, si j'ose dire, titubante, et j'en redemandais toujours. Aujourd'hui, je serais bien en peine s'il me fallait m'aventurer dans ce monde vertigineux. Le vieux lecteur d'aujourd'hui perdrait le souffle dès le seuil : comment retrouverait-il, aussi bien, les traces de ses anciens pas ? Mais j'aime le souvenir de cette ébriété qu'a connue mon adolescence. Et je souris fraternellement au balzacien de quinze ans précipité dans les abîmes de *la Comédie humaine* sans pour autant oser l'interroger : ni sur ses propres *Illusions perdues* ; ni sur le prix de revient des amours séniles, ni sur Vautrin ou la Marneffe.

« Le meilleur peintre de Florence n'est jamais allé à Florence », c'est Balzac en personne qui me souffle cette réponse. Au temps où je faisais des conférences, j'avais intitulé l'une d'elles « Les mensonges des romanciers » ; peut-être en souvenir des heures étranges, plus aliénantes encore que *l'Enfant des bois* dans la classe de M. Dez, où les magiques fascicules à deux sous, loin des abat-jour verts des « rostos » et de la touffeur close de l'étude, m'entraînaient de Saumur à Saché, d'Angoulême à la pension Vauquer, prisonnier des « mensonges » de Balzac. Quelque prophète, alors, m'eût-il prédit : « Tu écriras un jour », j'aurais tremblé d'effroi si d'aventure je l'avais cru.

Et pourtant, j'ai menti à mon tour, le temps venu. Non tout de suite et délibérément : l'écrivain d'aujourd'hui s'en expliquera tout à l'heure à loisir. C'est peu à peu qu'il a osé mentir, à mesure qu'il a découvert, par lui-même et pour lui-même, la nécessité du mensonge, de *son* mensonge, pour accéder peut-être à cette vérité seconde, inaperçue des regards distraits, et que des simples que je sais appellent « la vérité vraie ».

C'est en 1905, après mon année de troisième, que j'ai fait en Allemagne mon premier voyage hors de France. Et c'est en 1977, soixante-douze ans après, que j'ai écrit *Lorelei*. J'avais alors quatre-vingt-sept ans et c'était donc, j'ose le dire, non pas venu mais retourné de loin que j'ai eu beau jeu pour mentir. On l'entend bien : je prends le mot au sens balzacien. Le projet du roman une fois perçu dans sa poussée, esquissé dans son mouvement, j'avais le choix entre deux appels de mémoire, deux prospections dans ces arcanes du souvenir où l'enfance accumule ses trésors. J'ai choisi le voyage d'Allemagne, plus riche de virtualités, de thèmes aussitôt suggérés, et plus propice aussi aux mensonges, vrais au-delà du vrai, qui répondraient le mieux aux exigences de ma liberté. Mais le débat m'a laissé le regret d'avoir dû rester aveugle aux séductions d'un autre mien voyage où mon jeune héros eût aussi trouvé, je le crois, une image à lui-même ressemblante, mais où l'attrait renouvelé des rencontres et des confrontations lui eût manqué pour s'y bien reconnaître.

Deux ans plus tard, en l'été 1907, après un baccalauréat glorieux, mon père allait me faire un mémorable et royal cadeau. « Prends ton vélo, me dit-il. Tu es libre, la route est à toi. Dix jours, quinze jours, pourvu que tu m'écrives... disons tous les deux jours. D'accord ? » J'étais d'accord, je promis. J'aurais promis tout ce qu'il eût voulu.

Je devais vite m'apercevoir que sa sollicitude, si merveilleusement intégrale qu'elle fût, n'en avait pas moins prévu et organisé, jusqu'au bout de l'échappée, les étapes de mon voyage. Amis-jalons, cousins-relais, vieux-parents-d'amis à saluer, déjeuners, couchers, tout était minutieusement programmé, jusqu'aux rares « imprévus » laissés à mon initiative. Je m'acquittai scrupuleusement des messages, des embrassades : mon enthousiasme emportait tout. Ma bicyclette y était pour beaucoup. C'était un lourd vélo de famille, fabriqué par un mécano de Châteauneuf sur les mesures et pour le poids de mon père : ils excédaient nettement les miens, mais baste ! mon souffle et mes jarrets n'en étaient pas à quelques grincements près.

Je partis un matin, au chant des alouettes sur le Val. Et tout de suite, dès « le bout des murs du Château », je m'envolai. Le monde et moi, le monde à moi, et, sur nous deux planant comme sur un plafond d'opéra, comme sur une lumineuse réplique proudhonienne à *la Justice poursuivant le Crime*, la Liberté guidant mes tours de roues. Les « imprévus », complices de l'aube au soir, ne cessaient de fulgurer. Enclin déjà que j'étais à rythmer de la voix et du chant mes allègres coups de pédales, j'augmentai sans retenue mon répertoire musico-cycliste. Les routes de ce temps-là étaient roses, sujettes encore de M. McAdam avant le deuil asphalté de M. Guglielminetti. Presque continûment bordées d'acacias au feuillage léger, elles mariaient le soleil à l'ombre, bougeante résille d'accompagnement qui répétait sous les yeux mêmes le frémissement aérien des feuillages. Et c'était joie aussi, de temps en temps, de rouler le long de l'accotement, dans la bonne poussière veloutée où le ronflement des pneus, faisant silence tout à coup, laissait jaser contre l'oreille, furtive et fraîche, l'haleine de la Loire prochaine.

Meung, Beaugency, Blois, je « valais ». Et valant, insatiable et goulu, je ne me lassais pas d'être un vivant et d'être heureux. « On n'est pas sérieux quand on a dix-sept ans... » Avais-je, dès alors, lu Rimbaud ? Je ne sais plus, je ne crois pas. Mais j'avais dix-sept ans et je n'étais « pas sérieux ».

Sous les marronniers verts du Mail orléanais,
je suivais comme lui « les alertes fillettes ».

Sérieux que je suis devenu (et encore !), le relire aujourd'hui c'est me rendre à moi-même, aux graves premiers émois de l'adolescent ivre qui s'éloigne sur la route rose et qui ce soir encore, « couché sur la vallée », sentira

Que la terre est nubile et déborde de sang.

Pour un instant et pour un jour, que ma songerie le rattrape et qu'il m'accepte à son côté. A quoi pense-t-il, de tout son corps, tandis qu'il chante au rythme de ses coups de jarret ? Peut-être à la douceur d'un jeune sein dont sa paume épouse la rondeur, à deux mains qui soudain pèsent sur la sienne et font passer en lui les battements d'un autre

cœur ? Mais il n'en voit pas moins sur le bord de la route
les fleurs blanches des saxifrages, les fleurs bleues des
chicorées sauvages, de quel bleu irradiant quand le soleil
montant les traverse ! Il est parti de Blois de bonne heure,
il roule vers Contres et Saint-Aignan-sur-Cher où l'atten-
dent les parents d'Adolphe Bénardeau, son voisin de
Châteauneuf.

— Bonjour ! C'est moi...

« Deux bons, bons vieux », lui a dit le fils. Deux vieux
vignerons des Côtes du Cher, cassés, « les deux bouts
ensemble » comme nos vignerons de la Bonne-Dame. Ils
tremblent un peu l'un et l'autre, le vieux du « catère »
des vignerons, la vieille de tendresse maternelle. Il répond à leurs questions sans fin, il les comble, il les aime
déjà.

— A table !

Quel déjeuner ! Le brochet du Cher, la pintade, le blanc
fromage de chèvre roulé dans la feuille de vigne ; et quels
fruits, la poire et la pêche ! Quel vin blanc de Thézée et
quel rouge de Vineuil ! Quel marc de bouilleur de cru ! Il
est reparti à regret, lourd de terrestres nourritures, étourdi
de brasillante chaleur sous un soleil encore à son zénith.
L'air tremble sur la route déserte, la vieille bicyclette grince
de la selle, craque de tous ses roulements à billes. Qu'importe, les états seconds se rient de pareilles contingences.
A sa droite le tuffeau réverbère la fournaise et la lumière.
Il entrevoit vaguement, dans des redans de la roche tendre,
des pans d'ombre où du lierre cascade, où s'entrouvrent
sous des arceaux de roses des portes noires comme la nuit,
des fenêtres à petits carreaux que fleurissent des pots de
géraniums. La roche s'écarte sur une clairière herbue où
règne un arbre à belle ramure, un îlot d'ombre bleue à son

pied. Des hommes chantent. Leur chant vole vers lui, le salue, déjà l'acclame, devient invite ou sommation :

— Pied à terre, hop ! Ici, on trinque !

Ils sont là une dizaine, assis en rond autour de l'arbre, un noyer séculaire dont le tronc se constelle de belles diatomées orangées.

— Allez ! Allez ! Siésez-vous là !

Ils lui font place, lui rient à larges trognes, choquent leurs verres contre le verre — d'où venu et par qui rempli ? — qu'il tient maintenant entre ses mains. Un quart d'heure plus tard, il chante, il vocifère en chœur : « Vive la Saint-Fiacre ! » Car c'est aujourd'hui le 30 août, jour du saint patron des jardiniers et des champignonnistes.

— On vous emmène ? Faut que vous voyiez ça !

Au fond de la clairière, entre les « maisons » de troglodytes, il est entré par la bouche d'ombre dans la nuit fraîche et l'odeur de la terre. C'est un mélange de fumier gras, de champignon meurtri, de pétrole brut et de fumée. Les lumignons de cuivre dansent comme des lucioles. De galeries en carrefours, il est allé le long des meules interminables, admirant, approuvant, riant aux noms gaillards dont les aïeux de ces pères de famille avaient baptisé les rues et les placettes de leur ville souterraine. Champignonniste, il ne leur a pas dit, bachelier renégat, qu'au temps où leurs aïeux gravaient ces noms dans le tuffeau le lapin s'appelait le connil, et que leur place des trois connils était celle des trois lapins. Il ne sait plus comment il a eu le courage de rompre toutes ces chaudes amitiés. Il ne sait plus comment il a repris la route, traversé la Loire, puis Amboise, rallié Blois au milieu de la nuit, la rue du Foix et la maison du bon sommeil,

Élégante et petite avec un lierre au seuil
Et qui fait soupirer le voyageur d'envie
Comme un charmant asile où reposer sa vie...

Ainsi l'avait décrite Hugo à son ami Louis Boulanger :
« Regardez bien... C'est le toit de mon père. » Elle était
devenue celui d'une grand-tante et d'un grand-oncle
miens. De quel sommeil j'y ai dormi ! J'en ai ressenti
l'honneur, et néanmoins la volupté.

Les deux frères Mandonnet, mes amis de Jargeau, dès le
lycée d'Orléans avaient été mes critiques littéraires. Acquis
d'avance, ils s'émouvaient aux vers d'amour dont j'étais
alors prodigue et cela faussait leur jugement. J'ai souvenir
aussi d'une nouvelle, d'amour toujours, où, sous le nom
transparent de « Il », je disais mes tourments et déjà mes
regrets. « C'est du Musset », me disaient-ils. Peut-être
parce que alors, déjà et mieux qu'eux, je pressentais obscurément les pouvoirs et les pièges du langage, mon indulgence n'épousait point la leur. Je n'ai pas attendu l'âge
d'homme pour disperser au gré des vents ces papillons aux
courtes ailes.

Pas davantage n'ai-je gardé la copie triomphale qui me
valut au cours de ma troisième, de la part de M. Coussin,
un dithyrambe époustouflant. M. Nadaud, malade, avait
été remplacé à la chaire par ce surveillant général. Par quel
caprice, quel anticonformisme inspiré nous avait-il proposé
ce sujet scandaleux de composition française ? Il s'agissait
principalement de décrire — morceau de bravoure — une
bataille équestre et sauvage au temps des guerres de religion.

173

Or j'avais lu, peu auparavant, les *Mémoires du comte de Gramont*, dus à la plume brillante de son beau-frère irlandais Hamilton. Je m'y étais assez délecté pour en rester encore imprégné. Pour une fois qu'une « narration » scolaire m'offrait l'occasion de narrer, je m'en suis donné à cœur joie. « Licence intégrale, me suis-je dit. Vas-y rondement de la charge hennissante, de l'arquebuse et du bâton à feu. » Et d'y aller.

Une semaine écoulée, M. Coussin a rendu les copies. Avec quelque solennité. D'abord le tout-venant, la broutille : sourires et désinvolture. Puis le consciencieux sans éclat. Puis, une à une, les copies « remarquables », trois ou quatre en gradation savante. Enfin, comme attendu, mon camarade de Fay-aux-Loges, Raymond Benoist. L'éloge alors est devenu lyrique, pindarique, couronne d'olivier dans l'Altis d'Olympie, éclosion d'étoiles crépitantes dans un ciel de 14 juillet. *Nec plus ultra* : c'était fini.

J'étais surpris et quelque peu inquiet. Habitué, sous Nadaud, aux honneurs du peloton de tête, cet oubli, ce renvoi à l'inexistence, le mutisme à présent d'un M. Coussin recueilli et méditant me semblaient pour le moins anormaux. Parlerais-je? M'enquerrais-je de ma copie inexplicablement abolie, au moindre mal, peut-être, égarée? M. Coussin sembla s'éveiller, leva deux doigts oraculaires et parla.

— Il n'est pas fréquent, messieurs, au cours d'une carrière universitaire, d'avoir l'heureuse fortune de rencontrer et de saluer...

Qu'il me suffise d'un *et caetera*. Je n'étais pas, à quatorze ans, aussi pudiquement timide que j'allais l'être deux ou trois ans plus tard. Il m'a seulement semblé, dans la classe en gradins, que mon banc peu à peu se mettait à tanguer.

D'accord avec Pierre Mandonnet, nous le choisissions toujours au plus haut du poulailler : un banc dunette, observatoire et refuge tout ensemble. J'étais heureux, tant que parla M. Coussin, de ne découvrir que des dos.

Il acheva sur ces dernières paroles :

« J'ai eu, quant à moi, cette chance, et par deux fois. La seconde aujourd'hui ; la première, et la seule jusqu'ici, avec l'un de vos anciens. Il s'appelait Paul Morand. »

J'ai eu plus tard « l'heureuse fortune », pour parler comme M. Coussin, de rencontrer Paul Morand. Il a beaucoup compté dans mes admirations et dans mes amitiés. Mais ce n'était pas le même.

A Lakanal non plus qu'à Orléans, je n'allais pas avoir la chance, comme André Maurois Alain, de rencontrer un maître. J'y ai eu de bons professeurs dont j'ai été le bon élève. Mais l'obsession du concours d'entrée à Normale, les contraintes d'un gavage devenu nécessaire jusque dans ses abusifs poids morts pesaient sur les rapports humains. Je me souviens de chacun d'eux ; mais j'aimerais que mes souvenirs dépassent un peu l'approche superficielle, toujours libre, aisément détachée, qui, faute d'être en mesure d'évoquer des présences d'hommes, doit se contenter aujourd'hui de saisir au passage un trait, une voix, une parole, une silhouette inoubliés.

Nous ne nous privions pas, cagneux irrévérencieux, de nous amuser à ces jeux. Tel de nos professeurs, dont la voix retentissante mouillait curieusement les r jusqu'à presque les transmuer en l, était à l'origine d'une vogue durable parmi nous : celle des contrepèteries, de préférence rabe-

175

laisiennes. Il nous avait offert, à titre de modèle ou d'exemple, un Bussy-La-putain mémorable. Ce point d'histoire me conduit tout droit vers l'un de ses collègues, professeur d'histoire en effet, dont nous n'avons jamais su si ses pirouettes de langage, ses cliquetis verbaux, ses formules confondantes procédaient d'une manière de génie ou d'un humour laborieux et secret. Il suffisait parfois d'un mot, d'un seul mot mis en juste place, pour déchaîner nos acclamations redoublées. Tel le mot « moitié » substitué au mot « parti ». Et cela donnait dans un cours sur la Révolution française, à propos de l'Assemblée constituante de 89 : « Elle se composait de trois *moitiés*, dont l'une, le Tiers, était pour la première fois égale à la somme des deux autres. » Certains camarades tenaient à jour des recueils où ils notaient, et par centaines, ses trouvailles les plus mémorables. Elles étaient l'occasion d'exégèses laborieuses qui nous laissaient, presque invariablement, quinauds. Était-ce là les fruits d'une logique particulière, toute personnelle, hors de la prise d'intellects normaux ? Par exemple, à propos du fusil à piston, « *ainsi* nommé parce que le chien frappe sur une amorce » ? Ou encore, à propos de je ne sais plus quelle dame de haut lignage : « Elle habitait boulevard Malesherbes. Elle avait *parconséquent* soixante-treize ans » ? Chaque heure de classe, rituellement, provoquait pour le moins *une* rafale d'acclamations qui traversait les préaux et les cours. Survenait-il quelque malentendu qui nous fût à grief ? Nous nous taisions. Et très vite, il n'y tenait plus : « Mes enfants, qu'avez-vous contre moi ? »

« Mes enfants »... C'est un autre professeur d'histoire qui nous parle, spécialiste de l'histoire de l'art. Il porte un nom glorieux : il est le fils de César Franck. Nous le surnommons, respectueusement, « le Vieillard », à cause de son visage cireux, prématurément momifié. Mathusalem à favoris, on dirait une réplique émaciée de son illustre père. Mais sous cette apparence vénérable et fragile, il a gardé une sensibilité fraîche et vive, toujours prête à l'enthousiasme. Pourquoi vieillir? Pourquoi ce corps menacé, défaillant? Il lui arrive de nous prendre à témoin : « Ça ne va pas, mes enfants : je me recolle. » Cela veut dire qu'il a encore maigri, que sa peau colle à ses os. Un autre matin il sourit, guilleret : « Mes enfants, ça va mieux, beaucoup mieux : je me décolle. »

C'est au rebours de notre parler courant. Qu'en penserait notre camarade Deval, Jacques Deval? Un de nos rares privilèges, à Lakanal, c'est de pouvoir passer à Paris la nuit du dimanche au lundi. Deval, bon camarade, est pourtant un cagneux singulier. Presque tous amateurs de théâtre, zélateurs éclectiques et fervents de Bataille et de Bernstein, aussi bien de *Tristan*, de *l'Orestie*, de *Pelléas*, des ballets russes et de M. Massenet, nous restons sur le seuil des panthéons où trônent nos dieux. Deval, lui, entre à son gré : son père règne sur l'Athénée. Quel prestige, source de quelle envie! Chaque lundi matin, au long des longs couloirs, Deval, lointain, hébété à demi, chancelle, s'appuie aux murs, lève vers le ciel des yeux noyés et murmure d'une voix retentissante : « Ah! Félyne! » ou quelque autre. Mais le nom de Félyne est sonore et flatte mieux son oreille. Nous lui disons, pleins de sollicitude : « Fais attention, tu te décolles. »

Ainsi, pensant au Vieillard, ai-je pu déjà me convaincre de la versatilité des mots. Cher M. Franck! C'est de son enthousiasme, de sa passion pour l'œuvre belle où le génie du créateur se souvient de la main et des sens, que j'eusse pu, peut-être et dès alors, me réclamer. Il nous fallait, à l'oral du concours, plancher sur une « question spéciale », librement préparée et laissée à notre choix. Il devait se pencher et sourire par-dessus mon épaule quand j'ai inscrit mon choix sur le questionnaire administratif « à remplir par le candidat »... Non pas une, mais deux questions spéciales, l'une sur l'histoire ancienne, l'autre sur l'histoire moderne. Aucun doute : *les Jeux olympiques* pour la première, l'Altis, les trésors et les temples, les jeux du stade, le peuple des statues, c'était lui. Et lui encore pour la seconde, sur *la Peinture française au* XVIIIe *siècle*. Watteau, Chardin, Fragonard... Il les aimait, et comme il parlait d'eux ! Merci à vous, merci, M. Franck.

Me voici normalien. Pas sorbonnard, normalien. J'en fais l'aveu sans la moindre vergogne : la Sorbonne m'a peu vu pendant les deux années de l'avant-guerre ; cinq fois au cours de la première, deux seulement au cours de la seconde : en novembre pour demander à l'excellent M. Gustave Régnier s'il me ferait l'honneur de diriger et de juger mon Mémoire (peu dupes de nous-mêmes, nous disions nos « Définitifs »), en juin pour le lui remettre. Comment, dès lors, aurais-je aujourd'hui l'outrecuidance d'opiner ? M'en remettrai-je, ainsi carencé, aux « présentations » restées fameuses par le précédent directeur des maîtres fraîchement nommés ? C'était, avant Ernest Lavisse, l'helléniste Georges Perrot. Il n'en ratait, si l'on ose dire, pas une, chacune d'elles assortie de références abondantes et qui variaient selon les cas d'espèce, mais toutes obéissant, en gros, à un schéma *ne varietur*.

« Messieurs, disait Georges Perrot, j'ai le plaisir de vous présenter votre nouveau professeur de..., M. V. A vrai dire, nous avions, en premier lieu, pensé appeler à ce poste M. X., dont les titres... » Suivait alors une énumération éblouissante. « Mais M. X., poursuivait le directeur, en raison de convenances personnelles, a dû décliner cet honneur. Nous avons alors pressenti M. Y., dont les titres... » Seconde énumération, brillante encore, très brillante. « Hélas ! M. Y., en raison de convenances personnelles... » Au tour, alors, de M. Z. « dont les titres... ». L'énumération troisième restait brillante, mais tout juste. De telles prémisses ainsi posées et redoublées, la conclusion prenait toute sa force : « Nous n'avions plus que M. V. », achevait M. Perrot. Et quelquefois, le plaisir l'emportant, il décochait, paterne, une dernière flèche empoisonnée : « Vous pouvez lui faire confiance : il ne vous dira rien qu'il ne l'ait d'abord lu quelque part. »

L'École, pour moi, ce sont d'abord les normaliens ; et parmi eux deux maîtres, Paul Dupuy et Lucien Herr. J'avais opté pour l'externat, certainement déterminé par dix années de « boîte » ou de « bahut ». Mais internes ou externes, notre liberté était grande, à la mesure d'une confiance que l'on ne nous marchandait pas. Je tiens à grand honneur d'avoir été, pendant plus de trente ans, l'ami de Paul Dupuy. Dès mon arrivée rue d'Ulm, j'avais eu l'intuition très vive d'une correspondance naturelle, d'affinités de goûts, de préférences, dont la différence d'âge ne compromettrait pas l'harmonie. Les occasions, deux années durant, ne m'avaient pas manqué d'affermir mon impression première et la confiance que je lui avais faite. Curieux, sensible, indulgent, jamais dupe, j'admirais son ouverture d'esprit, sa culture, la façon libre qu'il avait d'aller au-devant : les êtres, les livres, une estampe d'Hokusai, un beau meuble, une scène de la rue, tout en lui concordait avec une façon de vivre dont j'eusse souhaité qu'elle fût un jour la mienne. La guerre scella notre amitié. Depuis les premiers jours, Dupuy avait tissé entre nous tous, dispersés que nous étions « de la mer du Nord aux Vosges », un réseau d'informations aussi serré qu'il fût possible. Grâce à lui et à lui seul, les barrières des secteurs postaux tombaient, nous savions les morts, les blessures, nous nous émouvions avec lui, nous nous révoltions avec lui.

Dès le mois d'août 1914, beaucoup des nôtres étaient déjà tombés : Casamajor, mon ami de Bordeaux (où, nos courses au bord de la mer ?), Rigal, mon « conscrit » élu, mon partenaire quotidiennement fidèle au bistrot de la rue Saint-Jacques, je veux dire : à son billard. Mon coturne Pierre Hermand, *cacique* de notre promotion, avait été blessé à une jambe. C'est Dupuy, quelques mois plus tard, qui allait m'apprendre sa mort. Boiteux, inapte à l'infanterie, il avait été versé dans l'aviation comme observateur photographe. Descendus, dès leur première sortie, au-dessus de la forêt de Bezanges, son pilote et lui y avaient laissé la vie. Javal, un autre de mes coturnes (nous étions cinq), était déjà tombé dans les batailles de l'été 14. J'ai vu, troisième, mourir Bouvyer à l'hôpital 103, à l'École même ainsi transformée. Une blessure sans merci à la tête ne lui avait laissé qu'un répit de cruelles souffrances. Nous restions deux, Gainsette et moi, l'un et l'autre mutilés.

Lorsque la porte de ma cellule, à l'hôpital militaire de Verdun, s'est ouverte un matin sur des visages tant attendus, Paul Dupuy accompagnait mon père. Depuis trois mois, tout au long des boucheries des Éparges, tout ce que je devais épargner aux alarmes de l'un, c'est à l'autre que je l'écrivais. Déjà, c'était répondre à un désir, à un besoin de plus en plus conscients, de plus en plus déterminants :

témoigner, ne pas laisser sombrer dans l'oubli des événements si durement mémorables, faire en sorte que quelqu'un sût, comprît, pût à son tour en témoigner.

Après les longs mois d'hôpital et de convalescence, réformé « définitif », je repris à Paris un service bénévole. « Pourquoi, me dit alors Dupuy, persister à promener tes cliques le long de la rue Gay-Lussac ? Il ne manque pas, à l'École, de chambres disponibles. Choisis-en une, tu y seras plus au calme que dans un hôtel du quartier. »

Je restai parisien de septembre 1916 à janvier 1919. J'occupais sous les toits une chambre d'archicube qui donnait sur la cour intérieure et sur le bassin central, veuf alors de ses poissons rouges, les Ernest. Elle était calme en effet, de jour en jour mieux accueillante par la grâce de bruits familiers, les tintements de l'horloge, le claquement du jet intermittent qui renouvelait l'eau du bassin, par l'apport d'objets amicaux, une petite toile barbizonienne qui eût pu être de Chintreuil, aperçue et ramassée, pour quelques francs, sur un trottoir de la rue Soufflot, quelques belles photographies inspirées de toiles célèbres, la sainte Anne des Vierges aux rochers, le portrait de Gevaertzius par Van Dyck, une petite aquarelle charmante d'Oudot, alors en la première fleur de son âge et de son talent.

C'est aussi en ces années que j'eus le privilège de mieux connaître Lucien Herr. Dupuy et lui étaient liés d'amitié. Ils ont été l'un et l'autre associés à la naissance et à la difficile destinée des *Cahiers de la quinzaine*, dans une parenté de pensée que le tempérament et la rigueur abrupte de Péguy allaient accompagner — ce sont les frères Tharaud qui le disent — « d'un fracas d'amitiés brisées ». Bibliothécaire de l'École, grand travailleur, érudit prodigieux, son bureau de la bibliothèque était un pôle d'attraction et d'accueil dont nous connaissions l'ouverture et l'amitié. « Carrés » en peine de leur Définitif, agrégatifs à court d'un document, d'une référence, tous étaient sûrs de trouver là le renseignement, la clé dont ils avaient besoin. Herr savait tout. Sans fortune, il s'était marié sur le tard. Des charges de famille alourdies le contraignaient à des besognes devenues peu à peu tyranniques ; il traduisait beaucoup, collaborait anonymement à des entreprises de librairie, et néanmoins ce forçat débonnaire trouvait encore — mais où ? — le temps de vivre dans le siècle, de s'informer, de réfléchir, de réagir à l'événement, humainement, honnêtement, passionnément. Ce géant blond sur qui avait neigé le temps, sa voix lente et profonde, son crâne énorme, dès l'abord imposants et qui eussent dû intimider, retenaient au contraire par une chaleur secrète, une dignité naturelle, une générosité d'attention qui dissipaient aussitôt toute gêne. La timidité devenait respect, la vergogne admiration. A son égard, la mienne a été grande. Elle a grandi encore quand je l'ai vu souffrir et s'acheminer vers la mort. Douleur physique, angoisse pour les siens d'un avenir difficile, déchirement de l'adieu dernier, il a tout assumé avec la dignité courageuse qui avait marqué toute sa vie.

Aujourd'hui, tandis que j'écris ces lignes, le sentiment me saisit soudain d'avoir tu jusqu'ici l'essentiel ; et du même coup celui d'avoir ainsi, par omission, par légèreté, failli à l'équité qui eût dû être la mienne. C'est le souvenir de ces deux hommes qui me conduit ainsi à une juste amende honorable. Dupuy, Herr, plus que jamais, demeurent à mes yeux les détenteurs et les exemples d'un humanisme trop oublié, ou méconnu, dont le déclin ou l'abandon n'honorent pas le temps où nous sommes. La force même de leurs convictions, au rebours de l'intolérance, les inclinait *a priori* vers le respect de l'autre, quel qu'il fût, de sa personne, de sa bonne foi. Capables de mépris, ils méprisaient à bon escient, comme en dernier recours, et ils n'aimaient pas leur mépris. On a parlé du sectarisme de Herr ; on en a fait, caricaturalement, je ne sais quel sergent recruteur d'un socialisme à la Andler. S'il est vrai que son rayonnement attirait et maintenait autour de lui des fidèles attentifs et séduits, c'était à cause de ce qu'il était, sans qu'il y fût besoin d'un prosélytisme verbal dont je n'ai jamais, pour ma part, décelé le moindre signe, entendu le moindre mot.

C'est avant 1914, dans l'Université française, singulièrement parmi ses dirigeants, qu'il m'a été donné d'approcher et de connaître des êtres qui honoraient l'homme, et dont il semble que la guerre, elle encore, ait pour un temps proscrit l'espèce.

Le Réalisme dans les romans de Maupassant, tel était le sujet de mémoire que j'avais proposé à l'agrément de Gustave Régnier. Il y avait alors vingt ans que Maupassant était mort. Ce n'était pas habituel, en Sorbonne et à cette époque, d'afficher pareil « modernisme ». M. Régnier, spécialiste du roman français, bon historien des lettres, critique averti et sensible, approuva mon audace et me laissa les coudées franches. Il y avait alors beau temps que j'avais renoncé à mes effusions rimées : des amours accessibles avaient incarné mes phantasmes. Il allait me falloir désormais attendre un bon demi-siècle pour voir redescendre sur terre, souriantes et quelque peu changées, telles de mes idoles d'autrefois dont j'avais déploré l'éloignement ou le dédain. Elles se souvenaient. C'était à elles, maintenant, de chanter nos amours anciennes, d'y croire peut-être... Ainsi va la vie.

A Lakanal, avec Deval et deux ou trois autres, nous avions joué à nous défier mutuellement, plume en main, en compliquant avec machiavélisme les intrigues et les épisodes d'un immense roman « à suivre » qui eût laissé pantois les Decourcelle et les Jules Mary. Nous y parvînmes si bien que l'aventure prit fin dans un enlisement collectif qui n'engloutit que des vaincus. Même à l'École, la tradition me donna bonne conscience quand j'abandonnai notre turne pour le premier étage du d'Harcourt. C'est là qu'Hermand et moi, entre onze heures et une heure du matin, enchérissions l'un sur l'autre à coups de calembours, de rosseries anodines et d'épaisses gaudrioles au bénéfice de la revue. Il n'y fallut que deux ou trois nuits. Nos rires sonnaient dans la longue salle, ricochaient sur les tables de marbre. Nous étions merveilleusement seuls : plus de couples, plus de fillettes en peine, le silence refluait de la nuit citadine : il y avait longtemps que le fracas du dernier omnibus avait roulé sur les pavés du boulevard Saint-Michel. Les chevaux du relais étaient partis vers leur écurie.

Cette revue, nous la jouions nous-mêmes dans une « Salle des Actes » bondée. Quel public en or ! Quel parterre ! Les archicubes glorieux, la science, la politique, l'Église même, les Painlevé, les Herriot, les Jean Perrin, les Baudrillart redevenaient élèves parmi leurs jeunes camarades, heureux de retrouver leurs vingt ans et de chanter en chœur nos folles élucubrations sur l'air des « Mains de femmes » ou celui — *horresco referens et refero tamen* — de la majestueuse « Pompe à merde ».

Il y a peu de jours, en quête de quelque document, je suis tombé sur un programme de la revue de 1912, la nôtre. Dessinée par un camarade scientifique, Viennot (il devait mourir des « suites de la guerre », à quarante ans), sa première page représentait le « Clou », Ernest Lavisse, élégant et galant compère d'une commère ravissante, jouant de la hanche et de la prunelle : un camarade conscrit, sorti de quelque *Cage aux folles* en avance de soixante ans ; l'un et l'autre très ressemblants. La page tournée sur la « Distribution », j'ai noté en face de chaque nom, d'un mot, d'une date, ce qu'il était advenu de chacun. Il y a trente-deux noms en tout. Le mot « tué » en marque dix-neuf, sept dès 1914, six en 1915, trois en 1916, un en 1917, deux enfin morts prématurément « des suites de leurs blessures de guerre ».

Le moindre commentaire devrait se borner ici à un bref et simple constat : « C'est beaucoup. » J'y ajouterai pourtant une remarque, parce qu'elle m'a sauté aux yeux et durement serré le cœur. Le recrutement, la loi, la stratégie s'étaient hâtés de nous faire la part belle. Sur ces dix-neuf « morts de la guerre », treize avaient été fauchés dans la seule première année. Plusieurs, blessés dès août-septembre, allaient tomber au printemps suivant, « grignotés » de Vauquois aux Éparges, de l'Argonne à l'Artois, du mont Kemmel au « Vieil Armand ». C'est sur ses pentes que Raymond Benoist, au mois de juin 1915, fut tué d'une balle en plein front. Nous en atteignîmes la crête ; mais ce sont les Allemands qui réoccupèrent sur-le-champ, pour s'y tenir jusqu'à l'armistice, le sommet de l'Hartmannswillerkopf.

Un peu plus tard, convalescent à Châteauneuf, j'ai repris la route de Fay pour revoir les parents de Benoist.

Le drapeau tricolore au seuil, la cour commune ensoleillée, tout ici m'était familier, aussitôt reconnu et pourtant refusé, distant : j'étais vivant et je me sentais vivre. Chacun de nous, quand le malheur le frappe, connaît seul sa propre souffrance. Mais ce jour-là, dans cette gendarmerie de village, entre le père et la mère de Benoist, il m'a semblé sentir jusqu'à en être traversé ce qu'était la douleur des parents d'un soldat tué. Le stoïcisme frémissant du père, le regard de la mère sur moi, l'afflux tumultueux des souvenirs, ces quinze années de compagnonnage, son labeur patient, volontaire, sa tendresse et son respect filiaux, sa volonté d'exaucer tant d'espoirs, de rêves peut-être, remis à son courage d'enfant, tout cela devant eux revivait, leur fierté, leur gratitude heureuse pour l'offrande de ses jeunes succès, le concours des bourses, le certificat, les mentions aux baccalauréats, l'entrée à Normale Sup devenue réalité ; et puis ce départ, ces galons, dix longs mois d'épreuves affrontées, le héros après l'agrégé : un homme, leur fils.

Le père, entre ses rares paroles, laissait ses yeux vaguer au loin. Vers la forêt ? Vers les peupliers du canal ? Comme Raymond, il aimait la pêche. Il nous accompagnait parfois sur le chemin de halage, pendant des kilomètres, quand nous promenions la cuiller sous l'eau verte en guettant l'attaque du brochet. Et soudain ses mâchoires se crispaient, j'en voyais les muscles frémir. La mère me regardait toujours. Et maintenant je détournais les yeux. Ce que je voyais dans les siens ne m'était plus, à la fin, supportable.

Souvent aussi je me suis demandé ce qu'Hermand serait devenu si..., si une intelligence libre de tout favoritisme avait, au lieu du hasard ou de règlements aveugles, inspiré les affectations des blessés encore utilisables. Hermand, guéri d'une blessure à la jambe, était resté boiteux et donc inapte à l'infanterie. Mais une myopie congénitale à n'y pas voir, debout, ses chaussures le désignait-elle donc irrésistiblement pour photographier de la nue les lignes et les ouvrages allemands ? C'était un être d'exception, souverainement intelligent. Quels services n'eût-il pu rendre si ?... Mais il est trop tard pour rêver.

Restent l'indignation, la colère ; peut-être encore, mais si fragile, l'espoir que le massacre de notre génération porte enfin sa trop tardive leçon. La débâcle et l'effondrement de mai-juin 1940 n'auraient-ils pas été comparables au refus d'un organisme débilité, encore exsangue, et qu'un élémentaire instinct de conservation avertit du danger mortel que lui serait une nouvelle saignée ? S'il est vrai que « gouverner c'est prévoir », la vérité de la formule appellerait un complément modeste ; car prévoir, c'est imaginer. On se souvient des coulpes battues alors qu'il n'en était plus temps, des « Je-n'ai-pas-voulu-cela » sur les millions de croix de bois et les cris des hôpitaux. Trente-cinq ans d'une paix précaire, et voici que les chancelleries, les assemblées élues, les mass media, en dépit des tueries qui ensanglantent partout la planète, évoquent à longueur de jour (et ça bavarde, ça bavarde ; et les mots mêmes n'ont-ils plus de sens ?) les prochaines apocalypses. Au nom de Dieu, messieurs, imaginez !

En décembre 1915, un soir, vers six heures, Dupuy monta jusqu'à ma chambre.

— Es-tu libre ?

Je l'étais, nous sortîmes ensemble. Et lui, chemin faisant : « Je descends boulevard Saint-Germain, chez Hachette.

Deux mots à dire à Guillaume Bréton, un de leurs adminis-
trateurs. Il a été mon « petit conscrit » à l'École. Je n'en
aurai pas pour longtemps. Tu peux d'ailleurs m'accompagner chez lui, il n'y trouvera rien à redire.

Bréton nous reçut tout de suite. Pendant qu'ils bavardaient entre eux, je regardais à droite, à gauche, j'abolissais
ma fortuite présence. Le grelottement d'un timbre me
surprit. Déjà surgissait un auxiliaire auquel le maître de
céans confia quelques mots à l'oreille. Dupuy souriait sous
cape : il y avait anguille sous roche.

— Lisez ceci, voulez-vous ? dit Bréton.

— Moi ?

— Oui, vous.

L'auxiliaire, réapparu, venait de lui remettre les feuillets
qu'il me tendait. Je lus donc, je relevai les yeux vers lui. Et
lui :

« Qu'en pensez-vous ? »

— Que ce contrat est sans objet, car il me paraît faire
état d'un livre qui n'existe pas.

— Il ne vous reste donc qu'à l'écrire.

Je regagnai le lendemain Châteauneuf et j'écrivis. J'avais
appris séance tenante, de la bouche des deux compères, le
fin mot de toute l'histoire. Dupuy avait remis à son vieux
camarade les longues lettres que, l'année d'avant, je lui
écrivais des Éparges. Elles avaient été, grâce à lui, mon
sésame et mon garant.

Lorsque m'échut le prix Goncourt, je contai cette anec-
dote, sous un pilier de la tour Eiffel, au premier de mes
« interviewers ». Il en tira un article où il me traita de
« faiseur ». Je n'y peux rien : c'est ainsi que les choses se
passèrent et que j'ai sauté le pas.

Peut-être, à mon insu d'ailleurs, y ai-je été un peu aidé

par Maupassant, par ma familiarité, cultivée au long d'une année, avec son œuvre et sa vie d'écrivain. Mes lectures de naguère et leurs saouleries prématurées m'eussent au contraire découragé, Balzac, Hugo, Dumas, un peu plus tard Stendhal, les grands Russes, toute cette thaumaturgie m'avait laissé durablement suffoqué. Maupassant, lui, réaliste, naturaliste, avait une démarche, une façon d'adhérer aux choses qui me ramenaient les pieds sur terre. Surtout, dans l'édition d'ensemble que venait de publier Conard, j'avais lu des nouvelles de jeunesse dont la gaucherie, l'infantilisme presque, m'avaient touché jusqu'à l'attendrissement. « Et c'était cet homme-là, m'étais-je dit, qui soudain, vers la trentaine, avait écrit *Boule-de-Suif* ! On ne sait jamais... Essayons ! »

VI

J'ai essayé. Dans ma chambre sous le toit, à Paris, dans ma chambre sur les Petits-Sentiers, à Châteauneuf, j'ai rédigé mes trois premiers livres de guerre. Ai-je eu à « m'interdire », comme l'ont écrit certains commentateurs, « toute affabulation, toute recherche de l'effet » ? Même pas. J'allais, de jour en jour, de page en page, dans une entière soumission à la réalité vécue, avec la volonté constante d'être véridique et fidèle. Étais-je doué, étais-je digne ? Je le souhaitais de toutes mes forces, dans la ferveur accrue de bouleversantes retrouvailles. Les misères, les horreurs dont j'avais si longtemps pantelé, la nostalgie poignante qu'elles faisaient se lever en moi, l'angoisse et aussi le regret, à chaque minute ravivés, de perdre à tout jamais tout ce que j'avais aimé, visages, ciels, lumières sur l'eau, bleu d'une forêt sur l'horizon, l'ivresse soudaine et pathétique de revoir, de reconnaître, d'aimer et d'aimer mieux encore tout cela qui m'était redonné, tels furent mes compagnons de veille. Je me souviens de mes deux chambres, de l'enveloppement de leurs deux solitudes, des bruits à demi entendus qui traversaient leurs deux silences, à Paris la pluie du jet d'eau, les quarts d'heure que sonnait l'horloge, à Châteauneuf un surgeon de la Loire, le long cri d'un courlis à travers le ciel nocturne.

J'étais là-bas, et j'étais libre. Combien de fois le même souvenir, dans mes longs retours de mémoire, surgissait-il dans sa réalité seconde, plus aiguë, et plus vraie, et sensoriellement même, que la réalité vécue; comme pour me dire soudain : « C'est ça, c'est ça. Courage ! Continue... » Le froid, le gluant de la boue, une flaque d'eau jaunie d'acide picrique dont la pluie, entre mes jambes, horripile sans trêve la surface, les deux hommes blottis contre moi qui respirent et qui tremblent de froid, le luisant des éclats d'obus qui brillent çà et là sur la boue et ces grumeaux rosâtres dont nous savons qu'ils sont des lambeaux de chair morte arrachés aux corps des hommes ; et puis eux, les tués de ces quatre jours, que nous pourrions tous nommer.

C'est alors qu'un obus de rupture énorme est tombé sur le parados. Le souffle de l'explosion m'a brûlé jusqu'au fond des entrailles, et, simultanément, une matraque d'air corrosif me frappait à la nuque et me laissait anéanti. Quand j'émergeai de l'hébétude, ce fut pour redécouvrir, et pour mieux en sentir la hideur, le monde dément qui m'entourait. Le tonnerre des éclatements n'avait pas fait trêve une minute, toute la colline continuait de trembler au choc des volées d'obus lourds. Dans la nuit commençante, un agent de liaison passa, masqué de boue, méconnaissable. Il m'apprit en haletant que Porchon, légèrement blessé à la tête, venait de se faire tuer en arrivant au poste de secours. J'aimais cet ami fraternel, ce compagnon des premiers jours de guerre. Nous étions, l'un et l'autre, orléanais. A cause de cela peut-être, et l'épuisement aidant, la solitude lugubre, la nuit déchirée de flammes sombres, je me laissai songer à lui, j'abandonnai la dureté inhumaine que nous nous imposions pour faire front à tant de barbarie, je cédai à un chagrin d'homme.

Ainsi songeant à lui, à notre commun pays, sans qu'il m'eût fallu rien appeler, rien provoquer, des images de lumière se levèrent, belles, sereines, d'une douceur indicible, à me mettre les larmes aux yeux : une plaine d'été après la moisson, des rangs de javelles alignées dont l'ombre transparente, à mesure que décline le soleil, s'allonge sur la splendeur fauve de l'éteule; les toits d'une ville par un radieux matin de fin d'hiver, leurs angles où s'accrochent des reflets, des buées de givre çà et là, des cheminées d'où montent de lentes fumées, entre eux l'ample coulée, lisse et calme, d'un fleuve qui caresse ses levées, leur herbe fraîche où pointent, blanches et roses, les premières pâquerettes de l'année.

La Beauce? Les toits d'Orléans? La Loire? Je ne me demandais rien. Je m'abîmais dans cette sérénité, j'étais en elle, assis un jour d'été dans l'ombre d'une touffe d'osier. Et je guettais des yeux les risées de la brise d'ouest lorsqu'elles faisaient courir, sur l'eau étincelante et pâle, des embus furtifs et bleus ; et j'attendais l'instant où elles passeraient sur mon visage, éveillant à travers les rameaux, dans un poudroiement d'argent blond, l'émoi soudain de la feuillée. J'avais cessé d'entendre les explosions, de voir les choses immondes ou pitoyables qui hantaient l'ombre autour de moi. J'écoutais chuchoter les feuilles, ces deux seules feuilles qui se frôlaient l'une l'autre et qui, parfois touchant ma joue, parachevaient ma délivrance.

J'écrivais, je tentais d'exprimer, soutenu dans mon dur et passionnant effort par le sentiment contrasté, pathétiquement et bellement vivant, de tout ce qui m'était rendu. Et cela m'acheminait — je ne l'ai su que peu à peu, mais j'en suis sûr, si sûr aujourd'hui — vers ce qui allait devenir, peut-être, au long de mon long cheminement, la raison d'être de toute une œuvre et sa justification.

« Contrasté »? Est-ce le mot qui convient? Qu'un autre souvenir, aussitôt appelé par celui que je viens de dire, inscrive ici ou précise ma réponse. En 1918, un peu après la mi-juillet, l'envie me prit avant de dormir de quitter ma feuille blanche et ma pipe et de descendre au bord de la Loire. J'aimais ces promenades solitaires, la nuit, aux confins de la petite ville endormie. Il pouvait être dix heures. Il n'y avait pas de lune, mais une clarté diffuse tombait d'un ciel fourmillant d'étoiles : c'était une très belle nuit d'été. Je traversai le pont, gagnai la lande, puis le bord de l'eau. Une immense grève, bleuâtre sous le clair d'étoiles, s'épandait sous mes yeux jusqu'au milieu du fleuve. Je marchai sur ce banc soyeux, ne m'arrêtai qu'à toucher l'eau et m'assis dans l'épaisseur du sable. Il était tiède encore de la chaleur du jour. L'air était absolument calme. L'eau glissait, silencieuse, elle-même si calme que le reflet de chaque étoile y inscrivait une autre étoile, une perle oblongue que l'on ne voyait pas frémir. De loin en loin seulement, d'un saut bas et coulé, un poisson émouvait la surface. Des rides fluides alors élargissaient leurs ondes, déformaient un instant quelques reflets d'étoiles et les rendaient à leur paix immobile. Quelle quiétude ! Quelle sérénité ! Le bonheur peut ainsi nous saisir. J'étais heureux.

C'est alors que tout là-bas, hors de cette nuit et pourtant *dans* cette nuit, la secouant faiblement, mais tout entière, d'étranges pulsations s'éveillèrent, à peine perceptibles d'abord, fondues ensemble dans un vague et battant grondement, mais fiévreux, traversé d'accalmies et de spasmes, peu à peu soulevant l'horizon, s'épandant, boursouflant sa trame ronronnante comme de grosses bulles sonores une à une éclatant : tout cela aux confins de l'espace, amenuisé par la distance, mais que l'on sentait effrayant. Mon cœur

194

aussi s'était mis à battre, une fièvre sourde montait dans ma chair, serrait ma gorge, faisait frémir mes mains.

Car je ne pouvais plus douter : à quarante ou cinquante lieues de là, porté sur l'eau jusqu'à mon oreille, un bombardement monstrueux ébranlait la nuit et le monde. Dans le grondement des artilleries déchaînées, dense à présent et continu, je pouvais discerner, brisante et sèche, la rage des canons de campagne, l'aboi plus rauque des obusiers, le bourdon lentement scandé des énormes pièces de marine, l'écroulement des obus de rupture. C'était très loin. C'était tout près. Le sable, sous mes paumes, avait la même tiédeur soyeuse, les mêmes étoiles piquetaient le ciel d'été, scintillantes, ineffablement suspendues. Et cependant je croyais voir, je voyais aux limites de la nuit, du côté où les canons grondaient, comme je l'avais vu tant de fois au temps des relèves dans la boue, une lueur rougeâtre qui soulevait le bord du ciel, couvercle instable entre le monde béni où je vivais et respirais et l'autre, la démente fournaise où mouraient en ce moment des hommes, tant et tant d'hommes, mes camarades. Je regagnai ma chambre. Peut-être est-ce cette nuit-là que j'ai écrit, au-delà des mots mêmes qu'allait traçant ma plume, mes pages les plus fidèles sur leur calvaire des Éparges.

Le lendemain, par les journaux, j'apprenais la contre-offensive de Foch aux abords de Villers-Cotterêts.

J'allais continuer d'essayer. C'est ce que j'ai fait toute ma vie. Pendant trois ans d'abord au cours desquels, jusqu'au début de 1919, Paris allait me retenir. Mon premier livre, *Sous Verdun*, avait été préfacé par le directeur de l'École, l'historien Ernest Lavisse. La critique après lui en avait reconnu l'accent de vérité, Beaunier à *l'Écho de Paris*, Souday au *Temps*, Billy à *l'Œuvre*, et j'avais ressenti le bienfait de leur témoignage. *La Revue de Paris*, que dirigeaient ensemble Lavisse et Marcel Prévost, en avait publié les bonnes feuilles. Désormais j'étais un « écrivain de guerre », et ç'allait être ma première étiquette.

Jusqu'en 1922, j'alternai les romans et les livres de guerre, *Jeanne Robelin* avant *la Boue*, *Rémi des Rauches* avant *les Éparges*. Mais, entre-temps, j'avais quitté Paris. Non sous le coup d'une décision délibérée, sur le conseil des médecins. On s'en souvient peut-être : depuis l'été de 1918 une maladie épidémique, une peste pulmonaire baptisée grippe espagnole multipliait à travers l'Europe ses attaques et ses ravages. Elle me saisit brutalement aux premiers jours de décembre, dans le grand amphithéâtre de la Sorbonne où l'on recevait solennellement le président Woodrow Wilson. Je regagnai péniblement l'École où, soigné et bien soigné, je traversai en peu de jours la phase critique de la maladie. Mais j'en restai des semaines affaibli, atteint dans ma vitalité et presque à bout de résistance. Un camarade médecin, interne des hôpitaux et délégué à l'hôpital 103, intervint alors avec une amicale autorité : « Ne te laisse pas traîner comme ça... Je t'emmène voir Rist, à Laennec. » Ce devait être en janvier ou février 1919. Le Pr Rist m'examina, m'ausculta, remarqua la longue cicatrice qui balafrait mon muscle pectoral gauche : souvenir de la troisième balle qui m'avait, en m'arrachant à l'hébétude où m'avaient jeté les deux premières, probablement sauvé la vie dans le layon de la Calonne.

— Elle vous a touché la plèvre ? dit Rist.

— Je n'en sais rien. Le bras, si j'ose dire, primait. Mais je pense que c'est possible.

— Moi aussi, dit le professeur. Avez-vous la possibilité de quitter Paris quelque temps ?

— Pour le Loiret, par exemple ?

— Pour la campagne. Vous n'êtes pas bacillaire. Mais ici... hum !

C'est ainsi que je quittai Paris. Je n'allais revenir l'habiter que trente et un ans plus tard. Il n'avait fallu que peu de mois pour me rendre la santé ; mais ce peu de mois avait suffi pour me nantir d'une certitude : que ma vie, au-delà même de mon salut, était là où je l'avais menée depuis mon retour à Châteauneuf, à la Croix-de-Pierre, entre la Loire et la forêt, près des deux arbres de notre jardinet, le cèdre et le marronnier rose, face à la longue côte de Sologne, son bleu de rêve au bord d'un horizon qu'il me semblait parfois caresser de la main. Ce qui m'avait été prescrit était devenu libre choix.

Ce choix, je n'ai pas eu à en délibérer, pesant le pour, pesant le contre. L'ai-je même jamais mis en question ? C'était ainsi et c'était bien. C'est mon enfance, je le pense aujourd'hui, qui avait choisi pour moi. Bien des choses, pourtant et déjà, m'attachaient à Paris, qui eussent pu, guéri, m'y ramener, des engagements, des sympathies de lettres qui inclinaient vers l'amitié : indiquer et sélectionner, pour un rival britannique de Nelson, des œuvres de grands auteurs français, assurer la critique de *l'Europe nouvelle* que venait de fonder Louise Weiss. Mes deux premiers articles y avaient déjà paru, l'un d'eux sur *la Vie des martyrs* où je disais ma fraternelle admiration. Duhamel m'avait écrit, en formulant le souhait de me connaître. Notre première rencontre avait eu lieu au Luxembourg, amicalement déambulatoire entre sa femme Blanche Albane et lui, l'un et l'autre poussant à tour de rôle le landau où leur fils premier-né souriait aux anges et aux ramiers.

Je me rappelle aussi une intervention de Dupuy, un matin, et son embarras ; ou plutôt, dans ses propos, une lenteur hésitante qui ne lui était pas habituelle :

— Je ne peux pas ne pas t'avoir dit...

Il s'agissait d'une offre « sérieuse », d'un essai, d'une mise à l'épreuve qui pouvait engager tout l'avenir : un poste d'associé de direction d'abord, d'*alter ego* si j'étais digne, le pied à l'étrier en somme, et à un étrier doré. Ma réponse est partie d'un trait :

— Certainement non.

— Bravo ! dit Dupuy.

Et ce jour-là, au sourire qu'il a eu, j'ai mesuré son amitié et la confiance qu'il me faisait.

Jusqu'en 1928, c'est dans ma chambre, à Châteauneuf, que j'ai assidûment écrit une quinzaine de livres à coup sûr, de *Sous Verdun* à *Forêt voisine*. C'est pendant ces années-là aussi que j'ai lentement apprivoisé des techniques difficiles ou rétives dont n'a que faire, nous le savons, le génie des brèves impatiences, mais dont l'effort de toute une vie, si longue et si laborieuse soit-elle, n'épuisera pas les découvertes et ainsi, jusqu'au bout, sauvegardera les chances de parfaire encore son métier.

Rémi des Rauches, mon deuxième roman, avait paru en 1922. C'est peut-être celui de mes livres qui reflète le mieux, et sans qu'il en soit dit un mot, l'ivresse des retrouvailles entre ma province et moi. La Loire y est partout présente, et par elle ses riverains, paysans et pêcheurs. L'intrigue est simple, toute inspirée d'un thème élémentaire, un amour, une nostalgie, un retour ; mais chaque page en est sous-tendue par une disposition de l'être, un « engagement » qui se vit à mesure et qui requiert le rythme du chant.

Je le précise une fois pour toutes : il ne m'appartient pas ici de me risquer, au sujet de mes livres, à des propos critiques dont la nature impliquerait un jugement. Je voudrais seulement, dans cet ultime pèlerinage à travers un siècle presque, au seul gré des empreintes encore reconnaissables qu'ont pu laisser mes propres pas, essayer de déceler et de dire les mouvements d'âme, les battements de cœur qui en éclairent la genèse et l'esprit, de marquer des rapports à mes yeux véridiques, et dès lors nécessaires à un jugement qui ne m'appartient plus.

J'étais maintenant et du jour au lendemain — et ç'allait être ma seconde étiquette — un écrivain régionaliste. Qu'était-ce à dire ? Et que serait-ce à dire, deux ou trois ans plus tard, quand j'aurais publié *Raboliot* ? La Sologne après la Loire, une récidive révélatrice. Pêcheur à la ligne, braconnier, « écrivain pour mulots » selon Pierre, on reviendrait à moi, selon Paul, « lorsque j'aurais pris quelque chose ». La réplique serait trop facile : pour un échange, il faut être deux. Et si cette insensibilité superbe tenait en l'occurrence à la pauvreté du lecteur ? Tout le monde n'aime pas la campagne : on m'a dit que Mme Rachilde s'était beaucoup « ennuyée » à la lecture de *Raboliot*.

J'en parlerai quand même, pour les raisons que je viens de dire. Avec *Rémi des Rauches*, le « menteur » que j'ambitionnais d'être avait osé essayer ses ressources, prospecter hardiment vers une réalité seconde qui serait mienne et où l'on me reconnaîtrait. Et c'était commencer le dur et passionnant apprentissage qui, je l'ai dit aussi, ne saurait avoir de fin. Peut-être, avec *Raboliot*, l'ai-je poursuivi plus lucidement, avec une conscience plus critique de ma démarche, de mes déboires, de mes surprises aussi et de mes joies, chemin faisant.

Il y avait maintenant cinq années que je vivais près de mon père et dans notre maison. Tous les liens s'étaient renoués. Pêcheur à la ligne en effet, j'avais repris de mouille en mouille mes lancers d'ablettes mortes au museau des brochets, mes longues marches le long des rouches où les files des chevesnes remontaient, le nez au courant. Angèle, depuis trente ans bientôt, pourvoyait à tout céans. Je connaissais chacun au pays. La rue, les quais, les allées du Chastaing, les bistrots m'étaient comme une maison plus grande, animée de « bonjours » et de poignées de main. La transe heureuse des retrouvailles s'était calmée, apaisée peu à peu dans le sentiment quotidien d'un équilibre heureux, raisonnable et mérité. Mais il suffisait d'un souffle, d'une rencontre, d'un livre nouveau, pour que tout se remît à flamber.

Je voulais faire pour la Sologne ce que trois ans auparavant j'avais fait pour le Val de Loire : l'évoquer, la traduire selon moi, mon engagement depuis l'enfance, ma gratitude pour ce qu'elle était à mes yeux. J'ai réfléchi d'abord, faisant appel et sommation à ma raison raisonnante. Mon oncle du Magasin, à son retour de guerre, cédant peut-être à un élan de même nature que le mien, avait acquis, « entre Sauldre et Beuvron », au cœur de la Sologne solognante, un territoire de chasse où le bois, la lande et l'étang étaient ensemble comme le cœur de ce cœur. Je décidai de m'y installer, pris un soir, mon vélo à l'épaule, le petit train sur route qui me conduirait à Brinon. J'y arrivai à la brunante, sautai en selle, fis s'envoler deux compagnies de perdreaux, débouler des familles de lapins, mis pied à terre après six kilomètres devant la maison du garde-chasse Trémeau. Adossée à un bois de bouleaux, entourée de bassins d'alevinage, face au bel étang des Clouzioux hanté de buses et de hérons, quel quartier général eût été plus propice aux projets que je méditais?

Mes cogitations premières m'avaient amené à cette conclusion : la Sologne est éminemment giboyeuse. Le héros de mon futur roman, vrai fils de ce terroir de chasse, ne peut donc être qu'un chasseur ; non un chasseur occasionnel, un quelconque tirailleur du dimanche, mais un chasseur d'instinct, un homme libre, insoucieux des contraintes sociales, qui ne relève que de sa race, des appels qui le sollicitent et l'obligent, autrement et précisément dit : un braconnier.

Et me voici roulant à travers le finage, provoquant les rencontres, me ménageant des intelligences, jusqu'au jour triomphal où l'un de mes informateurs m'apprit qu'il avait obtenu pour moi... j'allais dire, et le dis : une audience de Carré-Depardieu. Ç'avait été, dans les jours précédents, une espèce de plébiscite. Le plus fameux, le plus malin, le plus habile, le plus sensationnel braco du cru, c'était lui. Et c'était cet homme-là qui daignait m'accorder un entretien à mes yeux capital, révélateur, irremplaçable ! J'ai cru alors que mon roman était, autant dire, écrit.

Le lieu du rendez-vous était une salle d'auberge, on ne peut plus couleur locale, tables de bois, bancs de bois sans dossier, patron mafflu receleur de gibier, une horloge comtoise, au cadran enluminé, qui battait dans un coin les secondes. Elles étaient lentes, impitoyablement scandées. Des mouches tenaces, vainement chassées, revenaient pomper sur la table les ronds poisseux des verres anciens. Mon entremetteur bénévole avait commandé d'avance (il avait dit : « Carré aime ça ») les bols, les œufs crus et le litre de gros vin rouge où l'on battait leurs jaunes à la fourchette. Lui aussi était du terroir, le poil noir, le teint olivâtre des

« mangeux d'caillé » d'autrefois. Ses regards et les miens allaient et venaient sans trêve du cadran de l'horloge à la porte. Ils se croisaient aussi, parfois ; et nous pouvions alors, sans qu'il fût besoin de paroles, y lire un verdict sans appel dont les battements du balancier scandaient la pesante évidence : « Pas de Carré. Pas de Carré. Allez-vous-en. »

— I's'aura méfié, dit l'aubergiste en manière d'adieu.

Sans aucun doute : Solognot et braco, sa méfiance à la fin devait à coup sûr l'emporter sur sa gloriole fanfaronne. Mais comment, et si vite, le comprendre et m'y résigner ? Déçu ? Ce n'est pas assez dire ; accablé, désarçonné, obsédé. Heureusement obsédé. Car, désormais incapable d'échapper à l'envoûtement de ce personnage inconnu, déjà mythique, mon imagination et ma mémoire ensemble se sont mises à voleter alentour. Stendhal me l'eût dit à l'oreille : « Voilà que tu cristallises. C'est bon signe. » Dix, vingt personnages, en effet, bien réels ceux-là, tous connus de moi, et que j'eusse pu croire oubliés, tous rencontrés au cours de mon enfance, au temps où, petit porte-carnier, je suivais mon père et mes oncles dans les labours et les friches de Nevers, ont repris vie au fond de moi. Quel empressement était le leur ! Quelle complaisance jamais lasse ! Au point, certes, de m'étonner. Encore un peu, je les interrogeais : « Qui êtes-vous ? Que me voulez-vous ? » Et eux : « Que t'importe ! Fais-nous confiance, écoute... » Et l'un : « Reconnais le son même de ma voix d'autrefois. » Et un autre, aussitôt : « Et voici mon allure exacte, coulée, courbée à la lisière du bois des Boulats où je tends ce soir mes collets... » Un autre encore : « Oui, c'est bien elle, ma petite chienne noire Aïcha ; nous ferons cette nuit un grillage à la queue de l'Étang-l'Évêque... » Et cela se poursuivait. Encore, encore : une façon de sourire, de hausser une épaule, un tic, un bégaiement soudain; et chacun de ces menus apports, s'agrégeant dans un même floconnement, venait faire boule de neige autour de mon obsession même, lui donner corps et l'animer.

Je simplifie ; comment faire autrement? Ces processus, au-delà de toute analyse, restent obscurs et mystérieux. Mais l'essentiel est là : au lieu d'une forcerie hâtive et bousculée, que mûrisse l'œuvre selon ses propres exigences, d'un mouvement naturel qui fasse confiance ensemble à une unité intérieure et aux rythmes secrets de la vie.

C'est aujourd'hui que j'écris cela. Me rendais-je compte, dès alors, de ces intercessions chuchotées qui avaient attendu leur heure? Inconscient plus qu'à demi de leur providentielle venue, il m'arrivait de déplorer encore, devant le garde-chasse et sa femme, la déconvenue où m'avait laissé la carence de Carré-Depardieu. J'avais un lit chez eux et je partageais leurs repas.

— Qu'à cela ne tienne, me dit un soir Trémeau. *Votre* Carré, la Sologne l'avait pas attendu. Et la chasse au falot non plus... Vous voulez y tâter? Allons-y, je vous emmène.

— Mais, observai-je, qui fera le troisième?

— C'est Carmier. Il est d'accord.

— Qui est Carmier?

— Le garde d'à côté.

J'ai accepté, d'avance désabusé. Et, dès la nuit suivante... C'est un merveilleux souvenir. Quelle nuit ! Quelles découvertes ! Et quel trio, moi compris ! Je secouais le « grelot », en l'occurrence une vieille boîte à conserves pleine de clous, pour « corrompre » le bruit de nos pas sur la friche. Carmier, le lanternier, promenait à travers la nuit le faisceau cru de la lanterne, transperçait ses ténèbres, l'obligeait à avouer ses secrets. Trémeau suivait, balançant un fusil superflu.

Les loirs, les campagnols, les rainettes sautelaient, drus comme des puces de mer lorsque les atteignait, comme un épervier qui s'abat, le rond lumineux du rayon. Dès que le gaz d'acétylène, dans un léger bruit d'explosion, s'était allumé dans le noir, je m'étais senti un autre homme, exalté, plein de joie, Solognot et braconnier. Elle est restée à jamais sous mes yeux, la compagnie de perdrix rouges « arrêtée » au revers d'un sillon, toutes serrées les unes contre les autres dans la nuit aigre et venteuse pour se donner de l'une à l'autre un peu de leur chaleur vivante, petites têtes au bec rouge, collerettes noires ourlées de blanc pur, et, toutes ensemble dardées sur nous, les pupilles noires, agrandies par l'angoisse et la peur, par la prière aussi, peut-être. Carmier leur a fait grâce, détournant la lumière crucifiante. Et aussitôt, dans un claquant bruit d'ailes, la compagnie a pris l'essor. Un instant poursuivie, éclairée à revers par le rayon remontant en plein ciel, elle a bientôt disparu toute dans l'immense, dans l'exorable nuit.

« Lapin !... Lapin !... »

C'est la voix de Trémeau. Nous les voyons, ils surgissent de partout. Comme les perdrix, nous pourrions les toucher. Les ondes du vent, au passage, rebroussent leur pelage d'hiver. Le falot allume dans leurs yeux un reflet insondable et doré, piqueté au milieu d'un point vif, extraordinairement brillant : l'image du papillon de gaz qui flambe au cœur du réflecteur. Paralysés, ils se traînent de guingois, se rasent, s'immobilisent. Et soudain, à ma stupeur, je vois Trémeau qui s'écroule de son long, fouille sous lui et s'agite comme s'il luttait contre un adversaire invisible et souplement, de toute sa taille, se redresse et brandit au bout de son bras tendu un oreillard qui se débat. Cinq fois de suite il a recommencé. Au dernier, il n'a pu y tenir. La montée de sa joie surgeonnait, il riait d'un rire superbe, interpellait son camarade : « Hein, Carmier ? Le sang nous pousse ! »

Solognots, gardes, braconniers, la même chose, la même poussée du sang. Le même rire me montait à la gorge. Et Carmier riait, et nous allions, et la nuit était à nous, ses faisans au perché dans les chênes ronds de la vallée, le grand bouquin qui déboula d'une plaisse, que Carmier « éblouit » en le rendant brusquement aux ténèbres et qui, crochetant à l'aveuglette, vint se heurter à pleine vitesse contre les guêtres de Trémeau.

Possédé, entièrement livré dans une disponibilité d'enfant. Il serait temps, demain, d'inventorier, de peser, de raisonner, de combiner. Je recevais, insatiablement. Toute la nuit y suffirait-elle ? Alors je recommencerais. « Faire un grillage, poser une " tente " de collets... D'accord, Trémeau ? Entendu, Carmier ? » A mes côtés, solidaires, je les admirais tous les deux, Carmier, petit, délié, inspiré dans chacun de ses gestes par un instinct, une prescience infaillibles, jouant de sa baguette lumineuse comme un magicien de la nuit ; Trémeau, puissant et sûr de lui, asseyant chacun de ses pas en amitié avec la glèbe, la motte d'herbe ou la touffe de bruyère.

Parfois, la frange du rayon venait à toucher leur épaule, leur visage. Et leur présence, soudain, se faisait inspiratrice. Je la reconnaissais toute à partir du liséré lumineux qui cernait un profil, une mèche de cheveux dans le vent. Et je savais, de toute certitude, que ce profil était celui du héros qui me hantait, qu'il ne pouvait être autre, ni son allure, ni les mouvements qu'il allait faire, qu'il faisait, aussitôt reconnus, aussitôt ressemblants. C'est lui, Carmier, cette même nuit-là, qui m'a suggéré son nom, alors qu'il venait d'« arrêter » à cinq pas un lapereau hasardé hors du nid souterrain. Il l'a gracié comme les perdrix rouges. Quelle prestesse ! Quelle vivacité dans le bond ! La houppe blanche de sa queue a disparu dans le trou d'un terrier. « Bon voyage, Raboliot ! », a murmuré Carmier.

— Un « raboliot », m'a dit Trémeau le lendemain, c'est un lapin de rabouillère — en Sologne, on dit « rabolière » — encore au nid et au duvet, mais déjà dru et débourré.

Lui aussi, je l'avais annexé, baptisé. Compagnon de Raboliot : Berlaisier, lent, sûr et fidèle. Qu'en penseraient demain Lepinglard ou Piveteau, les hommes du Saint-Hubert ? Car j'ai tenu, au moins une fois, à passer de l'autre côté. Dans un autre canton, bien sûr, je n'ai trahi personne. Avec des hommes de la brigade des chasses appuyés de quelques gendarmes, j'ai pris le guet dans un pailler de ferme. Deux gardes-chasse du voisinage guidaient les policiers dans cette région mal connue d'eux. L'air de la nuit d'hiver, très froide sans être encore glaciale, était d'un calme absolu. Pas un bruit, de si loin qu'il vînt, qui n'atteignît la butte où ces sept hommes étaient à l'affût, tous assis contre une énorme meule qui les dissimulait aux vues : l'aboi au loin d'un chien de ferme, le tapement de patte d'un garenne surpris.

L'attente, dès le début, m'a paru interminable, angoissée : car le gibier, cette fois-ci... Le premier coup de feu claqua, très proche déjà, me sembla-t-il, et nous vîmes aussitôt le halo pâle de la lanterne. Il zigzagua un long moment dans la plaine, se rapprochant, s'éloignant, un moment même s'éteignant, puis demeurant éteint assez longtemps pour que je me sente soulagé. Un des Saint-Hubert chuchota :

— Ils doivent recharger la lanterne.

Et de nouveau les fusils claquèrent. Le falot s'était rapproché, brillait maintenant droit vers nous ; on entendait les pas des lanterniers, le murmure de leurs voix qui se concertaient entre elles. Aucun doute n'était plus possible : une quinzaine de secondes encore, et ils passeraient au pied même de la butte. Les deux Saint-Hubert bougèrent, très lentement, je devinais leurs deux silhouettes tendues. Et c'est alors que tout à coup, bruyamment, irrépressiblement, l'un des deux gardes-chasse toussa. Je devrais dire : « La Sologne toussa », véhémente, éloquente, décisive : « Alerte, les gars ! Alerte aux Saint-Hubert ! Qu'ils retournent à leur niche, à Paris ! *Sauve qui peut, malheureux qui est pris* : vive la Sologne ! »

Les policiers avaient bondi. Mais la toux s'était déjà calmée : le galop des lanterniers, en même temps qu'elle, avait rendu la nuit au silence.

— Excusez, dit le garde aux Saint-Hubert qui revenaient. Comme ça m'a pris, j'y pouvais rien.

C'était admirablement joué. « Niais de Sologne, dit le dicton, qui ne se trompe qu'à son profit. » J'assistais. Ma présence en Sologne était devenue ce qu'elle devait être : une référence vivante, succulente, un moyen de contrôle permanent qui me gardait, j'en étais désormais certain, sur la bonne route.

Raboliot parut en 1925. Y eut-il, dans les mois qui suivirent, un village de Sologne, aux alentours de Brinon-sur-Sauldre, où ne surgît, convaincu, revendicatif, un Raboliot ? A Brinon même, bien sûr, Carré.

Je l'ai rencontré par hasard, et c'était la première fois :

dans la cour du « château », parmi un grand concours de peuple attiré par une vente publique. Il appuyait les enchères, il était l'attraction, la vedette, le braco à la ronde fameux. Il jouait sur scène, et il jouait faux. Je n'ai pas voulu le gêner et suis resté dans la coulisse. Aussi bien, que lui aurais-je dit ? Que je le remerciais de n'être pas venu dans la petite auberge où battait l'horloge comtoise ? Ma gratitude était grande et sincère. Mais Carré m'aurait-il compris ?

La légende l'emporte toujours sur la réalité confuse qui nous est originellement donnée. Aujourd'hui encore, après cinquante-cinq ans, il arrive qu'un jeune gars de Sologne avec qui je bavarde au passage fasse allusion à Raboliot. Qu'alors je lui demande « si par hasard il l'a connu », j'aime qu'il me réponde avec l'accent de l'évidence : « C'était mon oncle ; ou mon beau-père » ; en attendant, demain : « mon grand-père ».

On l'entend bien : j'ai conté longuement cette histoire parce qu'elle m'a paru, en l'occurrence, significative. Entre d'autres. Pendant ma longue appartenance à ma province, au Val de Loire, à la forêt orléanaise, aux étangs et aux brandes de Sologne, c'est la légende qui m'a tenté, sa poésie intemporelle dans un monde où les signes ne répondent qu'à la patience de la quête et à la ferveur de l'appel. Chaque livre, et ainsi tous mes livres, en portent le même témoignage. Autour de moi le monde changeait, et les hommes, et leur condition d'hommes. De ce branle obsédant où j'étais moi-même entraîné, je n'ai pu ni voulu m'abstraire. Mais toujours, au-delà du quotidien, de sa rumeur ou de sa frénésie, j'ai guetté, poursuivi, comme Bonavent le cerf de *la Forêt perdue*, par les voies traversées de soleil et d'ombres où se dérobent et bougent les secrets de nos destinées, la permanence des symboles où se rejoignent la mort et la vie.

Régionalisme, réalisme, naturalisme, symbolisme, animisme, unanimisme, je ne récuse rien. Pourquoi ? Tout est bon, tout est légitime si le mot est docile, le ton juste, la phrase exacte ; et si le mot, le ton, la phrase sont, enfin et surtout, les nôtres. Le fleuve, l'arbre, l'animal, autant que l'homme m'ont dicté les miens. Leur patience et la mienne ont fait, à la longue, amitié. Promeneur familier de la forêt, enfant, adolescent, soldat meurtri devenu écrivain, j'ai été d'abord, par les routins herbus et les layons de la forêt orléanaise, pareil au peintre que le motif arrête, qui plante son chevalet et qui peint ce qu'il a sous les yeux, ce qui vient de s'offrir à lui et qu'il ambitionne de « rendre ». Ainsi de moi, dans *Forêt voisine*. Lieux-dits, futaies, mares perdues, tout est nommé, reconnaissable et repérable. Mais le *Nocturne* des dernières pages, déjà, présage une libération.

Elle s'accomplit dix ans plus tard avec *la Dernière Harde*. C'est encore une forêt française, mais d'où ? Sillé, Othe ou Tronçais aussi bien qu'Orléans. Une forêt ; et déjà *la* forêt, une harde dans la forêt... C'est que j'avais pu entre-temps, avec une ferveur accrue, m'abandonner à la forêt, me perdre en elle avec la harde, m'enfoncer dans sa nuit, seul et marchant au brame à travers ses taillis.

J'avais laissé ma voiture au village de Seichebrières. Une lune d'octobre, large et blonde, se levait derrière moi, projetant mon ombre sur le sable pâle des ornières où mes pieds, chaussés d'espadrilles, faisaient si peu de bruit que j'entendais les battements de mon cœur. Le premier brame avait empli la nuit à l'instant même où j'abordais la lisière, éveillant aussitôt, nettement frappés contre mes côtes, ces coups profonds qui semblaient rythmer ma marche.

209

Énorme, solennel, propagé de cime en cime, émouvant les échos des combes. Et le silence refluait, lui aussi surréel, où le rebond de branche en branche d'un gland qui dégringolait me faisait suspendre mes pas ; jusqu'à l'instant où, achevant sa chute, il roulait sur les premières feuilles mortes.

Le second brame retentit à ma droite, grave, déchirant, autant rugissement que plainte, arraché du fond des entrailles, interminable, enfin s'achevant en un chevrotement de gorge, une espèce d'aparté ronchonnant et furieux. Venu de loin, des profondeurs feuillues, un autre brame passa haut dans le ciel. Je tressaillis : on avait bougé dans le fourré. Tout près. Il me parut dans l'instant même que j'avais changé de monde, intrus téméraire et par chance ignoré, cloué sur place par un charme inconnu, angoissant, délicieux, tout-puissant. La nuit était vaguement brumeuse. Un grand bouleau, à la frange du fourré, semblait un arbre de songe : si je l'avais vu tout à coup appareiller et glisser dans l'espace, je ne m'en serais pas étonné.

Toute notion de lieu et de temps m'avait à jamais déserté. Depuis quand étais-je là, et d'où venu ? Les deux mâles continuaient de bramer. Le « mien », lui aussi, était *là*, dans ce monde où j'avais pénétré. A quelques pas ? Plus loin ? Dans la même forêt nocturne où je sentais, à chacun de ses brames, panteler ses flancs, se gonfler sa gorge, et son mufle tendu délivrer en plein ciel, vers le mâle qui le défiait, le cri de son propre défi. Et de nouveau, dans l'immense silence revenu, il bougeait, froissait l'épine du fourré, et j'entendais l'étrange grognement saccadé qui continuait de dire, pour lui-même, son tourment et son ardeur sauvages.

Hors d'état de rien prévoir, je restais là, oublieux de mon propre corps. Maintenant, de-ci, de-là, dans l'étendue de la forêt sans rives, d'autres brames retentissaient, bourdonnements d'un tonnerre lointain, rauquements fauves qui déchiraient la nue. La forêt s'animait et son peuple était en elle, sa beauté, ses tourments, ses passions, sa vérité vivante. Si la pensée m'eût été rendue, elle eût rejoint les biches en attente, dans une clairière, sur la « pelouse » d'un étang. Mais non. Il y avait cette bête et elle seule, sa fièvre, son âcre odeur de rut, ce point brûlant dans la forêt.

Et pourtant ce fut des biches que me vint le sursaut qui brusquement rompit le charme. Une vieille femelle, une bréhaigne sans doute, avait dû m'éventer dans une coulée de brise. J'entendis, presque effaré, le grand frouement de leur lancer, de leur galop. Comment, mû par quelle intuition, me suis-je élancé moi aussi, droit vers l'allée par où j'étais venu ? J'y arrivai à temps pour voir encore leur file galopante s'alentir en un trot allongé, la lueur diffuse de la lune caresser au passage deux, trois, cinq échines ondulantes. Et aussitôt, presque ensemble se jetant sur la gauche, elles disparurent dans le taillis.

En revenant vers le village, je pus lire leur pied dans le sable meuble, entre les touffes de bruyère sèche. Les empreintes déjà étaient à peine distinctes. La brise d'ouest prenait de la force, annonçait le vent de l'aube qui demain les aurait effacées.

Est-ce avant, est-ce après que j'ai fait amitié avec Brout ? Ce n'était qu'un valet de chiens ; non de limier, de chiens seulement, serviteur de la meute pour la soupe et pour l'ébat : un simple, un peu hurluberlu, rêve-debout, instable comme la graine du chardon. Les rouliers et les bûcherons des ventes riaient de lui à cause de sa voix chantante, haut perchée, mais ils s'accordaient à dire qu'il était « bon comme le bon pain ». Je le rencontrais souvent, toujours inopinément et toujours avec la même joie. J'aimais la transparence de ses yeux, d'un bleu de lin pur et pâle, extraordinairement limpide à travers des lunettes qu'il ne quittait jamais, de vieilles conserves à monture de fer, aux verres éraillés ou fêlés, et dont les branches lui marquaient aux tempes deux minces raies rouges jusque sous les cheveux. Je m'en souviens comme d'hier. Je l'avais rencontré ce soir-là sous la hêtraie du Sourdillon, une des plus belles futaies de la forêt. La nuit commençait à monter et j'allais regagner Châteauneuf. Mais Brout me dit à l'improviste :

— Vous tombez bien. J'ai quelque chose pour vous. Venez.

Je n'hésitai pas un instant. Son sourire, son air mystérieux, plein de promesses... Je le suivais déjà. Il s'était engagé dans une laie broussailleuse, serrée d'épais buissons de bourdaine et d'épine noire que festonnaient la clématite et le houblon sauvage. La marche y était difficile. Brout, devant moi, courbé, le front bas, les avant-bras protégeant son visage, s'ouvrait péniblement passage. On eût dit par instants qu'il donnait du boutoir comme un sanglier dans son fort. Et peu à peu, en effet, il me sembla que notre progression devenait moins malaisée, que d'autres avant nous avaient frayé la piste à travers le fourré, une veine d'humus noir où des empreintes, soudain, venaient de me sauter aux yeux, de plus en plus serrées, enfoncées dans le terreau gras par de petits sabots fourchus. Dans le même temps, aux basses branches des buissons, de longues traînées boueuses, à hauteur de mes genoux, appelaient et retenaient mes regards, elles aussi révélatrices.

« Chut ! dit Brout, un doigt sur la bouche.

212

Il redressa le buste avec une lenteur végétale. Et il dit de sa voix menue, simplement, souriant et nullement déçu :
« Ils sont partis.

Nous étions dans une sorte de crypte, une conque feuillue qu'assombrissait le soir, glauque de l'épaisseur du couvert et de la mare, couverte de lentilles d'eau, qui stagnait en son milieu. Cette dalle verte, dans toute sa largeur, laissait voir une profonde fissure où l'eau brune frémissait encore. Et le sol boueux, tout autour, était non plus piqueté mais trituré par un piétinement nombreux, assidu, à certaines places lissé au contraire par la pesée de flancs lourds et velus. Je cherchai Brout des yeux : il avait silencieusement disparu.

Le charme inoublié qui m'avait subjugué pendant la nuit du brame fondit sur moi, aussitôt reconnu. La solitude où Brout m'avait laissé en accroissait singulièrement la force. Pas plus que lui je n'étais déçu. J'étais là et j'attendais. Le son de la voix chantante, mon oreille le percevait encore. « Ils sont partis... » A notre approche ils ont reculé dans l'ombre, mais ils sont là, comme moi ; et leurs regards m'épient tandis que leur fumet, aigre et fort, afflue à mes narines, pénètre loin en moi avec l'air que je respire. Je n'imaginais rien, j'étais sûr de cette présence. Pas un instant je n'ai songé, je n'aurais pu songer aux sangliers maintes fois vus de mes yeux, au ferme, faisant tête au vautrait, décousant, éclair noir, un fox qui hurle, le flanc ouvert, tourbillonne deux fois sur lui-même et retombe, aplati dans son sang. Mais j'étais prisonnier de ces sangliers cachés. Et maintenant je les voyais, avec une liberté prodigieuse qui appelait et suscitait pour moi, à mon seul gré, les dos serrés, fauves et rayés de brun, des marcassins autour de la laie, leur bousculade et leurs couinements autour des tétines pendantes, le garrot d'un vieux mâle, bleu par les verrues d'un poudroiement bleuâtre, les défenses mirées d'un quartannier, croissants éblouissants sur son groin plus noir que la nuit. Et surtout, je me sentais regardé. Comme si des yeux avaient croisé les miens, atteint les miens des brefs éclairs violâtres qui s'allumaient sous l'épaisseur des soies, au vif de leurs pupilles sauvages.

C'est la crainte, la nuit venant, de ne pas retrouver ma route qui m'a fait m'arracher à cet antre halluciné. Dans la futaie du Sourdillon, un reste de jour touchait encore les tertres moussus d'où s'élançaient les fûts superbes. Entre eux je vis surgir la menue silhouette de Brout. Et aussitôt, de sa voix chantante :

« Vous les avez vues, les bêtes noires ?

Quelle franchise dans cette voix, quelle conviction profonde, quelle bonne foi ! Je lui ai répondu avec la même foi fraternelle :

— Bien sûr, Brout, je les ai vues.

— C'est la vérité vraie, dit-il.

VII

J'ai eu d'autres compagnons et j'en ai cité quelques-uns. En ces jours mêmes, relisant Proust, j'ai parcouru à ses côtés les chemins normands de Combray. Il parlait et je l'écoutais. « C'est, disait-il, parce que je croyais aux choses, aux êtres tandis que je les parcourais que les choses, les êtres qu'ils m'ont fait connaître sont les seuls que je prenne encore au sérieux et qui me donnent encore de la joie. Soit que la foi qui crée soit tarie en moi, *soit que la réalité ne se forme que dans la mémoire*, les fleurs qu'on me montre aujourd'hui ne me semblent pas de vraies fleurs, tandis que... » Il soupira, eut un sourire qui ressemblait à celui de Brout et reprit : « tandis que les bleuets, les aubépines, les pommiers qu'il m'arrive, quand je voyage, de rencontrer encore dans les champs, parce qu'ils sont situés à la même profondeur, au niveau de mon passé, sont immédiatement en communication avec mon cœur. »

J'ai réellement rencontré Marcel Proust. Ou plutôt je l'ai vu, quelques instants presque furtifs, peu de semaines avant sa mort. C'était en 1922. Je venais d'apprendre, par un journal d'Orléans, qu'un jury parisien venait de m'attribuer l'une des deux bourses littéraires de la Fondation Florence-Blumenthal. Cette dame, femme d'un banquier américain, avait pris l'initiative de signaler à l'attention et d'aider momentanément, par des bourses de douze mille francs, de jeunes artistes de tous bords, peintres, sculpteurs, graveurs, musiciens, écrivains, que des jurys habilités auraient jugés dignes d'encouragement. A cette époque et à Châteauneuf, c'était deux ans de vie matérielle assurés. Je m'enquis de mes juges, pris le train pour Paris afin de les remercier.

Quel jury ! La comtesse de Noailles, Henri de Régnier, Boylesve, Gide, Proust, Valéry... Chacun d'eux me reçut, et d'abord Mme Blumenthal. C'était une femme émouvante, très brune, au teint mat de créole, riche d'un charme dolent, et d'une aménité parfaite. Elle habitait, boulevard Montmorency, un château précédé d'une immense pelouse, lentement ascendante vers un seuil à haut perron. Je sonnai au pavillon d'entrée, fus reçu par un concierge monumental, qui sonna, faisant surgir là-bas, sur le perron, un majordome de semblable stature. Je traversai dignement, abordai ce souriant cerbère, qui sonna, faisant apparaître... Finalement remis à la diligence cinquième d'une femme de chambre traditionnellement « accorte », je fus introduit par elle dans la chambre où, au fond d'un lit à dessus de malines, jeté sur un dessous de satin de couleur crevette, reposait l'hôtesse de ces lieux. Nous nous entretînmes un temps. Entre nous, sur un plateau d'argent, fumaient deux tasses de chocolat assorties de croissants hyperbeurrés. Survint un pékinois à falbalas soyeux, parfumés, qui sauta sur le lit et me considéra longuement, de ses gros yeux exorbités, peut-être dédaigneux, assurément impénétrables. Je pensai m'attirer ses bonnes grâces en lui offrant, de deux doigts délicats, une bribe de croissant mince comme un pétale de fleur. Il la saisit du bout des lèvres, continuant de me dévisager, et tout à coup, d'un souffle à coup sûr dédaigneux, la rejeta sur la dentelle. Je vis alors s'y élargir, ronde, huileuse, et lentement s'engendrant elle-même, une tache qu'au premier coup d'œil j'avais sentie indélébile. « Ce n'est rien », dit Mme Blumenthal avec une extrême bonne grâce.

Mais je voyais encore cette tache, une heure après, tandis qu'au côté d'André Gide j'arpentais les allées de la villa Montmorency.

— Je savais, me dit-il, que vous aviez publié plusieurs livres de guerre. Je ne les avais pas lus, par scrupule. Comment juger d'un talent, en effet, sur le compte rendu pur et simple d'événements dont on fut témoin ? Ce qu'on appelle, à tort, « la littérature de guerre » ne relève pas, à mes yeux du moins, de la création littéraire ; de ce que j'appelle, moi, l'art littéraire. Heureusement, ajouta-t-il, votre roman m'a « rassuré ».

Il m'en parla, nos pas bien accordés, avec une compréhensive gentillesse, mais à partir de considérations dont je devais m'avouer, à mesure, qu'elles s'accordaient aux miennes — je veux dire à mes scrupules, à mes vœux, à mes jeunes espoirs — moins harmonieusement que nos pas. Je le quittai vaguement déconcerté et me rendis, rue des Vignes, chez René Boylesve. Que l'on veuille bien y songer. Je n'avais jamais vu, jusqu'alors, aucun des personnages illustres ou notoires qui voulaient bien me recevoir. J'allais vers eux avec une curiosité franche, un peu naïve, prête à une gratitude plus proche et plus personnelle dont était garante à mes yeux l'admiration que je leur portais. Immédiatement, par ses premiers mots et par l'accent dont ils m'étaient dits, René Boylesve m'a conquis. Car il avait répondu en effet, dans le droit-fil de mon attente, à l'appel informulé qui accompagne, qui ne peut pas ne pas accompagner l'inquiétude d'un homme jeune, qui s'engage et se voue doublement, pour lui-même et pour partager.

J'étais ainsi, le suis sans doute encore. C'est au-delà du désir de plaire, de s'entendre complimenter. La complaisance pour soi n'est pour rien dans cette disposition de l'âme, encore moins la vanité. Je crois que là encore c'est la guerre qui m'a fait ainsi, une connaissance des hommes, une révélation sur l'homme et sur notre commune nature qui allait désormais m'accompagner et m'obliger. Mais sans doute n'abandonnerai-je pas ces pages sans m'en être expliqué plus à fond.

Henri de Régnier, moins expansif à l'abord, avait une autre façon d'être proche et de le donner à sentir. Sa haute stature, son monocle, ses moustaches désabusées n'altérèrent ni ne gênèrent en rien un échange pour moi exaltant, dont il m'avait déjà donné témoignage dans un article de l'*Écho de Paris*. Il y avait fait référence, à propos de ce *Rémi des Rauches* qui avait rassuré Gide, à un roman d'un des dieux de ma jeunesse, *les Bâtisseurs de ponts* de Kipling. Et c'est moi, qui en avais besoin, que cela avait « rassuré ». Ces gestes, ces générosités d'aînés, comme leur souvenir reste vif ! Comme ils gardent, la vie durant, leur bienfaisant pouvoir d'émotion ! J'en veux dire un qui me rit au passage.

En 1925, dans un train, entre Paris et Orléans, je me trouvai avoir comme vis-à-vis le romancier Gaston Chérau, mon aîné d'une vingtaine d'années. Nous étions seuls. Nous nous connaissions à peine, mais j'avais lu plusieurs de ses livres, et récemment *Valentine Paquault*, ce roman chaleureux et fort dont on peut s'étonner qu'aucun éditeur d'aujourd'hui ne songe à le republier. Chérau s'enquit de mes projets. Je lui parlai de *Raboliot*, dont je venais précisément de donner le bon à tirer chez Grasset.

— Un roman, bien sûr ? dit Chérau.

— Oui, un roman.

— Situé dans votre Val de Loire ?

— En Sologne.

Il m'a semblé qu'une onde d'alerte, imperceptible presque, venait d'effleurer son visage. Mais je me trompais sans doute. Son sourire était resté le même.

— Et le héros ? poursuivit-il.

— Un braconnier.

— Ah ! dit-il, toujours souriant.

Et, désignant du doigt sa mallette sur le porte-bagages : « Savez-vous ce que j'ai là-dedans ?

— Des épreuves, je parie ?... Oui ? Le bon à tirer d'un roman ?...

— Hé oui ! Sur un braconnier de Sologne.

J'en restai quelques instants décontenancé, muet. Enfin, prenant sur moi, non sans effort :

— J'attendrai donc, le temps qu'il faudra...

— Jamais de la vie ! dit Chérau.

Et il entreprit de me convaincre, avec des arguments si justes, si raisonnables, mais d'abord si généreux que mes scrupules fondirent à peine nés. Aussi bien sa réaction première, sa vivacité spontanée y avaient déjà suffi.

Rue Scheffer, chez Anna de Noailles, je traversai un tourbillon. Elle aussi recevait de son lit. Mais au milieu d'une petite foule. C'est peut-être chez elle, et ce jour-là, que j'ai pour la première fois rencontré Jean Cocteau. Mais il n'y fut qu'une vague, un rebond de cascade, un remous. Une chevelure sombrement répandue, des yeux immenses, une voix volubile et chantante, d'autres voix, des entrées, des départs, des exclamations qui se croisent, des éclats de lumière et des ombres, un rire soudain, un murmure inexpliqué, des battements de mains tout à coup, le sentiment

de la tombée du jour qui bourdonne gravement sur la ville...
Je me retrouvai dehors, étourdi et titubant.

Ce doit être le même soir que j'ai entrevu Marcel Proust.
Une porte qui s'entrouvre sur une femme pâle et lasse dont
la blondeur grisonne, d'étranges épaisseurs de silence
engourdies aux plis des tentures, une odeur de créosote,
de poudre de Dover qui brûle...

— Monsieur Proust est très malade. Il regrette. Il ne
peut recevoir.

Une autre porte, en face, est restée entrouverte, qui
vaguement bouge, s'entrebâille à demi. Et par l'entrebâil-
lement, droit dans l'axe de mon regard, entre deux zones
d'ombre impénétrables, une apparition saisissante semble
s'avancer vers moi. D'où vient la clarté qui l'éclaire? De
quel mystérieux foyer? Soulevé sur son séant par un amon-
cellement d'oreillers, immobile, les yeux fixes, dilatés par
l'angoisse d'une respiration impossible, soulignés au-delà
des pommettes par deux cernes d'un bistre nocturne, que
regarde ce spectre au-delà du monde où je suis, où Céleste,
se retournant vers lui, regagne la porte entrouverte et
silencieusement la referme? Ce soir-là, en m'endormant,
des images passaient sous mes paupières où le souvenir de
ma vision réelle, dans un jour fantastique et changeant, se
laissait traverser par des apparitions soudaines, surréelles
celles-ci, phantasmes de mémoire que le sommeil un à un
emportait : le « petit pan de mur jaune » caressé par l'adieu
du soleil, le beau visage périssable de Titus, peint par Rem-
brandt « en habit de moine », quand il ne pouvait plus
douter que son fils allait mourir.

En cette année 1922, Paul Valéry abordait tout juste à la
gloire qui allait être la sienne. Même des hommes d'ample
et vivante culture, un Paul Dupuy, un Lucien Herr, n'étaient

sans doute qu'à l'instant de le « découvrir ». C'est ce que j'allais faire quant à moi, le matin où il me reçut chez lui, rue de Villejust : l'homme Valéry, dont je n'avais lu alors ni une ligne, ni un vers.

Dès l'abord, il me fascina. Sa présence physique, son visage aux joues sabrées, ses yeux changeants, traversés de secrets et d'aveux, je ne sais quelle enfance aux aguets dont l'imminence, tout à coup, me mettait le rire à la gorge... Je l'écoutais, j'assistais, silencieux et tout donné, à un éveil jamais imaginé. J'étais partie d'une initiation dont je mesurais dès alors que j'en retrouverais la joie dès que demain, tout à l'heure, à ma guise, je tiendrais dans mes mains les livres qu'avait écrits l'homme que j'entendais parler. Je ne doute pas, aujourd'hui encore, qu'il ait perçu intégralement la ferveur de mon attention. Et non plus d'avoir été pour lui, ce matin-là, non la présence définie mais l'idée de présence qu'il fallait pour qu'il parlât comme il l'a fait. Le jour même, dans le train qui me ramenait à Châteauneuf, il me semblait qu'un vent vif et iodé soulevait les pages valéryennes qui tournaient enfin sous mes doigts.

Si j'ai jamais, écrivain dans le siècle, ambitionné quelque laurier, ç'a été le prix Goncourt. Je ne pense pas avoir été le seul, et cela me dispense d'énumérer ici toutes les raisons, aussi diverses que convergentes, qui légitiment cette ambition. Elle a germé en moi de bonne heure, à partir d'une graine semée par une main amicale, celle d'Émile Chénin-Moselly, mon ancien professeur de seconde. Je voudrais conter cette histoire en oubliant que j'y fus partie. C'est une chronique, celle d'un prix Goncourt d'autrefois.

Peu de temps après qu'eut paru *Sous Verdun*, je reçus une lettre très touchante : « Je voudrais savoir, monsieur, si le gentil [*sic*] Maurice Genevoix, l'élève intelligent et vif [encore *sic*] que j'ai eu dans ma classe de seconde, à Orléans, et l'auteur de *Sous Verdun* sont une seule et même personne. Si oui... » Suivait un horoscope fougueux, un coup d'épaule à me propulser à travers une éternité.

Ma réponse appela une seconde lettre où Moselly me fixait un rendez-vous à Paris. Il enseignait maintenant à Janson-de-Sailly. Il n'avait pas changé, les mêmes yeux sombrement étincelants, la même barbe bifide et stricte. Il commenta les termes de sa lettre, alla jusqu'à me réciter — je reconnus sa voix orléanaise — quelques lignes de mon « chef-d'œuvre ». Et enfin, la main sur mon épaule :

— Non seulement je persiste dans mon jugement premier, mais j'entends bien qu'il soit reconnu, et sanctionné. Je vous emmène chez Lucien Descaves : il faut que vous ayez le prix Goncourt.

Descaves, rue de la Santé, dans son pavillon à bordure de troènes, à l'ombre des hauts murs de la prison, recevait chaque dimanche matin : Géraldy, Benjamin, Brousson, qui venait d'épingler un *Anatole France en pantoufles* dont Paris faisait des gorges chaudes, animaient ces réunions. J'y ai pris part quelquefois, par la suite, à l'occasion de mes passages à Paris. Mais nous étions seuls, Moselly et moi, lorsque Descaves nous accueillit. Petit, campé bien droit sur ses courtes jambes, la moustache raide comme des vibrisses de chat, il se montra cordial et direct :

— Je vais vous lire. Mon fils Jean, lui, vous a déjà lu.

Médecin de bataillon, il sait de quoi il retourne, et il est avec vous cent pour cent. Faites-moi confiance. Dans quelques jours, j'en écrirai à Moselly qui vous tiendra au courant. Au revoir, lieutenant.

La lettre de Moselly, ponctuellement, me rejoignit à Châteauneuf. Elle était catégorique : enthousiasme de Descaves, fatigué des bourrages de crâne et désormais désabusé ; accent de vérité, talent, besoin de livres comme celui-là... « C'est gagné, concluait Moselly. Dormez sur vos deux oreilles et travaillez. »

Le prix Goncourt, en 1916, n'avait pas encore acquis la toute-puissance publicitaire qui est aujourd'hui la sienne. Mais déjà plusieurs de ses choix, Frapier, Farrère, les frères Tharaud, commençaient d'affermir son prestige. J'avais suivi le conseil de Moselly : je travaillais à un second livre de guerre et dormais sur mes deux oreilles, alléché, laborieux et serein, quand arriva une nouvelle lettre : « Il faut que vous reveniez me voir, que nous retournions chez Descaves. Je vous attends. »

— Voilà, m'expliqua Moselly. Il s'est produit un fait nouveau : l'*Œuvre* vient de publier...

— *Le Feu*, dis-je. Et j'ai déjà compris.

— Retournons voir quand même Descaves.

— En effet, dit Descaves en souriant, Barbusse va avoir notre prix.

Il marqua un temps, son sourire s'épanouit :

« Et vous aussi. Car nous disposons, cette année, de deux prix : celui de 1916, Barbusse. Et celui de 1914 qui n'a pas été attribué en son temps, Genevoix.

Je rentrai à Châteauneuf, à bon escient rasséréné et retrouvai mon manuscrit. Peu de jours avant le vote, nouveau message... Oui, c'est une complainte à refrain, une

223

antienne éducative, une comptine pour grands enfants.
« Venez, me redisait Moselly, plus que jamais attentif et
fidèle. Car cette fois-ci, j'en ai grand-peur... »

Il avait raison d'avoir peur.

— Je vous fais juge, m'a dit Lucien Descaves quand je me
retrouvai devant lui. Un de vos camarades, grand blessé
comme vous, plus gravement encore, car le pauvre est
perdu...

Et je rentrai à Châteauneuf.

Six ans plus tard, lorsque parut *Rémi des Rauches*, j'ai
eu plaisir à constater que ni Descaves, ni Léon Hennique ni
Pol Neveux ne m'avaient tout à fait oublié. Car c'est à eux,
à n'en pouvoir douter, que je devais l'agréable surprise de
voir mon livre exposé, avec trois ou quatre autres, à la
devanture des librairies parisiennes : « Sélection pour le
prix Goncourt. » J'en restai à ce plaisir intime sans m'être
informé au-delà, de plus en plus coureur de grèves et bar-
bouilleur de toiles que je détruisais une à une.

Deux ans encore et j'eus une autre surprise qui, celle-ci,
m'alerta d'assez près pour réveiller, après huit ans, le grain
de rêve semé par Moselly. C'est de Descaves encore qu'elle
me vint. J'avais continué à le voir. Il m'arrivait, lors de mes
rares et toujours brefs séjours parisiens, de passer à son
bureau du *Journal* dont il dirigeait la page littéraire et
d'aller lui serrer la main. Aux derniers jours de 1924 et le
prix Goncourt de l'année une fois donné, il me dit un soir
tout à trac :

« Genevoix, il faut qu'enfin je libère ma conscience. Nous
souhaitons, et depuis longtemps, vous attribuer notre prix.
« Nous », c'est une majorité. Malheureusement pour vous,
il y a là contre un veto. Rosny aîné, notre président, pour
des raisons dont nous n'avons pas à connaître, nourrit un

tel ressentiment à l'encontre des frères Fischer qu'il s'est fait à lui-même un serment : jamais, au grand jamais, lui vivant, le prix Goncourt n'ira à un auteur de la maison dont ils sont les directeurs littéraires...

— Alors, dis-je, je dois en faire mon deuil.

— Et pourquoi diable ?

— Parce que je suis lié à cette maison par un contrat de quinze années.

— Et après ?

— Il y en a encore neuf à courir.

— Et puis après ? redit Descaves. Je vous garantis bien que si votre prochain roman vaut votre *Rémi des Rauches* (nous l'avons regretté, celui-là), vous ne manquerez pas d'éditeurs qui prendront les risques d'un procès. Moi, je vous aurai dit ce que je voulais vous dire. Concluez.

Ce fut Bernard Grasset qui prit le risque. Le procès fut plaidé. Nous le gagnâmes pour l'essentiel : une dérogation pour trois livres. Et j'eus enfin le prix Goncourt.

Poursuivrai-je ? La suite, à grande distance, a pris un caractère folâtre qui m'a échappé sur le coup. On me donnait gagnant. Frédéric Lefèvre, le matin même du vote, m'avait pris une interview pour son papier des *Nouvelles littéraires* : cette « heure avec » était un signe, presque une consécration déjà. Bernard Grasset loin de Paris, c'était son directeur Louis Brun qui m'avait pris rondement sous sa coupe et donné ses instructions :

— Déjeunez quelque part, dans le voisinage de Drouant. Je vous conseille Emil's, place Gaillon. Dès que le vote est acquis, je bondis à travers la place et nous ne nous quittons plus.

— Vers quelle heure pensez-vous que ?...

— Au plus tard vers midi.

Je n'étais pas seul chez Emil's. Deux proches parents, oncle et tante, m'accompagnaient et m'étayaient. Les rognons de veau sauce madère, spécialité de la maison, fumaient dans leur cocotte de cuivre. Il allait être midi. Par intervalles la porte à tambour, sous la poussée d'un client qui entrait, tournait dans un léger soupir. Elle était à ma droite. A chaque fois, les deux mains cramponnées à la table, je faisais basculer ma chaise et me tordais le cou vers elle. Midi...

— Tu ne manges pas ?

— Si, si !

— Ils sont délicieux...

— Oui, oui.

Et toujours ce soupir feutré du tambour, ces inconnus au teint fleuri, avivé par l'air du dehors. Midi et demi. Une heure bientôt... Déjà ! Ou enfin... La sauce des rognons se figeait dans les assiettes refroidies. Je dis bravement, influencé peut-être par l'ambiance gastronomique :

« Il y aura eu un pépin, une peau de banane, un os... Si nous parlions maintenant du beau temps ? »

Il allait être une heure et demie lorsque la porte à tambour a explosé avec fracas. Brun, les lunettes fulgurantes, une horde sur ses talons, fonçait vers moi et tonitruait :

— Debout ! Allez ! Ce n'est plus le moment de flâner !

J'avais levé vers lui des yeux agrandis par l'angoisse, murmuré un timide « Eh bien ? ». Quelle stupéfaction fut la sienne ! Il porta l'index à sa tempe, souleva lentement une épaule compatissante :

— Ça ne va pas, ou quoi ? Nous l'avons, oui, le Goncourt ! Paris, la France le savent depuis deux heures...

— Sauf moi, cher ami, osai-je dire.

Il s'était, dès l'annonce du résultat, précipité vers la rue des Saints-Pères. Du haut de sa passerelle amirale, il avait sonné le branle-bas, donné ses ordres, distribué ses consignes. Journée faste pour la maison : le Femina, à la même heure, couronnait Joseph Delteil. Brun le Belluaire nous jeta dans l'arène, lui et moi. Nous parlâmes, des stylos coururent, décrivant ma moustache « couleur feuille morte », mes dents du bas irrégulières, mon pardessus cintré comme un dolman, mon élocution de professeur. Des caméras sur nous braquées ronronnèrent dans la rue Récamier. Et nous reprîmes le train le soir même, Delteil vers Pieusse, Genevoix vers Châteauneuf.

Qu'on n'aille pas croire, en ce qui me concerne, à une sauvagerie délibérée. J'aimais la vie qui était la mienne, assez pour la préférer. Mais Paris n'était pas loin, à deux heures de voiture à peine, et j'écoutais souvent les appels qui m'en parvenaient. J'allais bientôt découvrir au bord de la Loire la maison où je souhaitais vivre. Lorsque je pensais à elle — souvent, de plus en plus souvent —, je ne m'y voyais jamais seul, confiné en quelque érémitisme jaloux, mais porte ouverte, disponible, fidèle au souvenir des compagnons perdus, mais offert désormais à l'amitié des vivants. Guéhenno, professeur à Lille, allait être nommé à Paris. André Billy, encore parisien, allait élire Barbizon. Beaucoup plus près encore, Max Jacob à Saint-Benoît, Alzir Hella à Germigny participeraient demain aux rencontres chez Feuillaubois ; Dorgelès, et le bon peintre Maurice Asselin, et bientôt, accompagnant Descaves, promis demain à mon admiration et à mon amitié, Vlaminck.

227

Feuillaubois était un hôtelier de Châteauneuf, cuisinier inspiré du poulet aux morilles et du zampone italien, pied de porc désossé, énorme et rose, distendu jusqu'à la monstruosité par une farce aux inépuisables arômes. Max Jacob et Vlaminck aux prises, quel Homère eût congrûment chanté leurs empoignades chez Feuillaubois ? L'un, une malice brasillante aux yeux, la lèvre, les joues bleuies par le rasoir, tour à tour diacre et matador, banderillait Vlaminck aux justes places avec une prescience infaillible, une bonhomie perfide qui déchaînaient dans l'instant la tornade. Les verres grelottaient sur les tables, les têtes, de toutes parts et d'un même mouvement, se retournaient vers l'œil du cyclone, les visages trahissaient l'affolement et le scandale. Éclairs des yeux, tonnerre des mots, scansion des poings abattus sur la table. Et quels mots, au-delà de la truculence, horrifiques, jamais entendus ! Mais cinq minutes n'avaient point passé que l'unanimité des convives, sidérés encore mais ravis, écoutaient les tirades et retenaient leurs applaudissements.

C'était, Max Jacob et Vlaminck, deux acteurs incomparables, duettistes aux affrontements merveilleusement accordés. J'en devinais la chute à certaine petite lueur dans les prunelles bleues de Vlaminck : « Est-ce que je marche ? Est-ce que Max me ferait marcher ? » Suivait un sourire en dedans, enfantinement matois, guilleret ; et, non moins prodigieux que ses débordements, le calme monumental et le silence de Vlaminck.

Entre les Vernelles et Paris, les jours passaient, et les années : peuplés, animés, chaleureux. Je travaillais beaucoup, libre dans la liberté même qu'avait souhaitée mon adolescence et qui maintenant était la mienne. Des Vernelles à la Chevrette, du boulevard de Clichy à Saint-

Benoît, du Chastaing à la rue d'Ulm, les allées et venues ne cessaient guère, et chacune d'elles à mon gré. J'aimais conduire, peut-être parce que la voiture m'emportait vers des rencontres dont chacune m'allait être une joie : André Billy en sa forêt de Fontainebleau, Bedel en sa Genauraye tourangelle, Robert Kemp et sa femme Yette dans leur thébaïde montmartroise, Guéhenno aux Lilas, et toujours, au bout de la rue d'Ulm, le fidèle et cher Paul Dupuy.

Depuis vingt ou trente ans, les annuaires du téléphone n'ont cessé d'allonger leurs colonnes. Quelques coups de doigt sur un cadran, et déjà l'on a « raccroché ». C'est le contraire qu'il faudrait dire : le combiné retombe comme un couperet. La plume, autrefois, s'attardait. On « pensait » alors à l'autre, sûr moyen de vraiment le rejoindre. Dupuy, pendant des années, m'a écrit quotidiennement.

C'est un de ses billets qui me lança dans une rocambolesque aventure, mince en soi et sans conséquence, mais porteuse d'enseignements livrés pêle-mêle et, si je puis ainsi dire, tout crus. « Si tu ne l'as déjà, m'écrivait Paul Dupuy, procure-toi le numéro de *la Revue des deux mondes* du tant. Tu y trouveras, en tête, un article qui t'intéressera. » Ce que je fis, intéressé d'emblée, et progressivement davantage. La signature, d'abord. Elle était d'un membre de l'Académie française, personnage célèbre et puissant qui présidait alors la Commission des réparations, M. Louis Barthou. Le sujet ? Le titre l'indiquait : « Sur un manuscrit inédit d'*Une vie* ». Bibliophile très averti, M. Barthou avait découvert un manuscrit du roman de Maupassant, en effet inédit, et qui présentait avec la version publiée d'intéressantes variantes qu'il signalait minutieusement. Heureuse trouvaille, utile contribution. Parfait.

Il y avait toutefois une seconde partie, assurément la plus originale : des notations de lecture qui concernaient, celles-ci, l'ensemble des romans de Maupassant, et singulièrement leur composition. Originalité ? Je n'y avais point prétendu. Il suffisait de disposer du loisir et du temps nécessaires pour une lecture très attentive, à l'occasion reprise, des trente volumes des œuvres complètes. Telle avait été ma chance à la veille de la guerre, pendant ma seconde année d'École. Dupuy connaissait mon Mémoire, il ne s'y était pas trompé. Moi non plus. Certaines remarques, certaines trouvailles d'expression revenaient me sauter aux yeux : « Mosaïque de contes », tiens, tiens !...

Je m'en ouvris à des aînés que je savais de bon conseil. Leurs réponses concordèrent : « De toute façon, vous n'y pourrez rien, jeune pot de terre que vous êtes. Mais... — Mais ? — Mais pour votre satisfaction personnelle et si j'étais à votre place, je ferais en sorte que votre... collaborateur sache au moins que l'autre... enfin vous, c'est vous. » Je décrochai mon téléphone, formai le numéro qui m'avait été indiqué. La communication fut immédiate. Je déclinai mon nom, exprimai le désir « de parler à M. Louis Barthou ».

— A quel sujet ?

— Affaire personnelle.

— Vous pouvez parler : je suis le secrétaire de M. Barthou.

— J'aimerais mieux...

— Parlez. Je suis M. Barthou.

Je parlai donc, franchement, alléguai les coïncidences qui m'avaient alerté, intrigué, et décidément convaincu.

— Coïncidences, en effet, dit la voix au bout du fil. Tous les bons écrivains le savent : l'impropriété étant la mort du style, il suit de là que pour désigner un objet, cerner au plus juste une pensée, il faut absolument trouver la meilleure, donc la seule expression adéquate. Exemple : « mosaïque de contes »... Ni vous ni moi ne pourrions trouver mieux.

S'il m'était resté le moindre doute, la dialectique de mon interlocuteur invisible l'eut intégralement balayé. Il acheva, après un court silence :

« Et où voulez-vous en venir ?

— Là où j'en suis venu, monsieur le Président. A compléter votre information. Et c'est fait.

Un peu de temps passa. Je pouvais croire l'incident clos ; quand Léon Treich, dans son *Almanach des Lettres françaises*, publia un écho transparent. Il connaissait beaucoup de monde, l'un de mes conseillers avait dû lui ouvrir l'œil. Son écho allait en ouvrir d'autres, et parmi eux ceux de Léon Daudet. *L'Action française* fit tinter le grelot. Barthou n'en aima point le son. Je le sus par un mot de Louis Brun : Barthou demandait à me voir.

L'entrevue eut lieu chez lui. Nous eûmes, Brun et moi, au cours d'une brève attente, le loisir d'admirer quelques raretés bibliophiliques, parmi lesquelles un nu de Juliette Drouet, superbement couché par Hugo. Et le président entra :

— Bonjour Brun !

Sur quoi se tournant vers moi, le lorgnon pétillant et la main largement offerte :

« Eh bien ! voilà donc le coupable ?

— C'est ce que j'ai pensé, monsieur le Président, à l'instant même où vous entriez.

C'était parti avant toute réflexion. Il rit. Je ris. Le ton était donné. L'entretien allait se prolonger, facile à mon grand étonnement, et pour moi d'un intérêt constant par les révélations jusqu'alors insoupçonnées qu'il prodiguait à ma candeur. Je découvrais des réalités que je n'eusse jamais imaginées, l'arsenal clandestin, dérisoire et sans doute efficace, d'un pouvoir politique habitué à en user le plus naturellement du monde, le plus légitimement aussi au regard du temps et des mœurs. J'ai pensé au moment du départ, je pense toujours que Barthou me fit l'honneur de juger mon cas désespéré. Louis Brun aussi, sans doute : ce n'était pas un enfant de chœur. Avant de nous séparer nous avons encore beaucoup ri. La conversation avait abandonné le soupçon de raideur qui l'avait d'abord sous-tendue.

— Je ne connais pas les frères Fischer.

— Monsieur le Président, le hasard a de ces malices. Je sortais un matin de chez eux. Devant la loge de la concierge, j'ai croisé un monsieur que je voyais pour la première fois. Je l'ai remarqué au passage parce qu'il ressemblait trait pour trait aux images de vous popularisées par la presse. Je l'ai entendu s'enquérir : « Monsieur Fischer ? », a-t-il demandé...

— C'est bien la preuve que je ne le connaissais pas.

— « Lequel ? », a dit alors la concierge.

Et vous :

— Celui chez lequel on déjeune.

J'aurais pu vous répondre : « C'est Max. »

Il m'a fallu deux ans de procédure pour récupérer mon mémoire, tous moyens dilatoires épuisés par les frères Fischer. Maurice Garçon a plaidé ce procès. Il l'a gagné avec brio après m'avoir enjoint de lui laisser les coudées franches. Pas une fois, de part ni d'autre, le nom de Louis Barthou n'avait été prononcé. Aussi bien y avait-il beau temps que les échos des *Lettres françaises* avaient voltigé ailleurs.

Barthou, l'on s'en souvient, fut assassiné à Marseille en même temps que le roi Alexandre de Serbie, cinq ans avant la Seconde Guerre mondiale, par un terroriste macédonien. Il est mort d'une blessure dont je puis, de personnelle mémoire, énumérer les caractéristiques : « Balle au tiers supérieur du bras gauche, face interne, section complète du faisceau vasculo-nerveux. » L'affolement allait retarder la ligature de l'artère humérale. Il est mort de cette hémorragie. Il avait soixante-douze ans. Je lui garde la compassion d'un lieutenant de vingt-quatre ans que sa jeunesse avait sauvé.

La vie allait, une vie d'homme parmi les hommes avec son lot de chagrins et de joies ; et toujours, d'une année à l'autre, engagée. Je suis de ceux qui n'ont jamais été tentés, sauf pendant mes mois au front et pour les raisons que j'ai dites, de tenir leur journal intime. A quoi bon, s'il n'est pas une page de ce qu'ils écrivent et publient où ils ne soient tout entiers — je viens de le dire — engagés ? D'abord appel à peine audible, tentation que l'inquiétude assiège, c'est une force intérieure peu à peu révélée qui, par une suite d'enchaînements fatals, fait peu à peu d'une vocation une manière que l'on a de vivre, et de la vie une vocation. C'est bien ainsi que j'ai vécu, ainsi que j'ai toujours écrit. L'approche du soir m'a décidé, voilà quatre ans, à risquer une gageure doublement téméraire. D'une part éveiller l'attention, retenir l'intérêt, émouvoir durablement, peut-être, par le simple récit d'une journée apparemment banale,

233

où il semble qu'il ne se passe rien, rien d'autre que la vivre en effet entre un hier encore présent et un demain déjà donné ; d'autre part, et par ce moyen, obtenir que transparaissent les constances d'une inspiration, l'unité profonde et les fidélités d'une œuvre qui retrouve et reconnaît ses sources au moment où elle va s'achever.

— Ce d'Aubel, ce héros de *Un jour*, ce personnage de roman, imaginé, fictif, ne serait donc que votre double, un complaisant porte-parole ?

A cette question maintes fois posée, ainsi posée, j'ai d'abord envie de répondre : « Si vous voulez, comme vous voulez ; et peu m'importe. » Mais, honnêtement, ma vraie réponse est une autre question. « Existe-t-il ? » Car s'il existe, je suis d'Aubel, à moins que d'Aubel ne soit moi, selon que vous le préférerez ; comme je suis le chat Rroû, Raboliot, le Cerf rouge de *la Dernière Harde*, les garçons affrontés de *Lorelei*, Fatou Cissé la servante noire, et Soucaille, le triste assassin des deux vieillards qui lui ont ouvert les bras. A mes yeux, cette sorte de commentaire ne peut que balancer entre truisme et commérage. Dieu m'en garde ! Mon cheminement d'aujourd'hui, s'il s'égarait sur de tels chemins, ne serait plus qu'un jeu de pseudo-confidences, un radotage à perte de vue. Moins que jamais je ne me sens d'humeur à y céder.

Il y a trente-quatre ans, dans une France libérée, l'Académie a comblé ses vides. J'ai été l'un de ceux à qui elle a ouvert ses portes. J'en suis, douze ans après, devenu le secrétaire perpétuel et le suis resté quinze ans. Cela n'a pas manqué d'influer sur le train de mes jours, sur le rythme de mon travail. J'ai parlé de cet avatar dans une œuvrette où passent quelques souvenirs. Si j'avais été mémorialiste, il y eût fallu des volumes. Leur intérêt eût d'ailleurs moins tenu au piquant des anecdotes, à la vivacité et à la couleur des portraits qu'à l'occasion ainsi offerte à la bonne foi de récuser des clichés ressassés depuis trois siècles, et la légende simpliste, trop facile, qui oublie et trahit l'essentiel. Lorsqu'en 1946 j'ai fait chez François Mauriac ma « visite de candidature », il m'a dit d'entrée de jeu :

— Vous y tenez tant que ça, à être de l'Académie ?

— Ma foi, lui ai-je répondu, à peu près, j'imagine, comme vous y teniez vous-même quand vous étiez à la place où je suis.

Il a souri, rêvé une seconde :

— C'est vrai, dit-il, Dieu sait si j'ai tenu à en être, si j'ai fait fonds sur ce qu'elle était, sur ce qu'elle pouvait être, ce que j'espérais qu'elle serait ! Mais vous ne le verrez que trop : ils sont vieux.

Il leva le bras, pointa l'index et, parcourant le long du mur une frise imaginaire :

« Quand vous êtes dans le métro, dit-il, vous vous voyez précédé, poursuivi jusqu'à l'obsession — Du Bo... Du Bon... — oui, n'est-ce pas ? Eh bien ! ici, figurez-vous, il m'arrive la même chose. Tout au long de ces longs couloirs, de buste en buste, au-dessus de ces crânes chenus, je lis un mot absent et néanmoins obsédant. Et c'est...

Je vis, sous sa courte moustache, se retrousser une lèvre sarcastique et, les incisives à l'air, il articula par trois fois :

« Prostate... Prostate... Prostate...

Cela arrive, même à l'Académie ; mais ce n'est pas un apanage. Je sais de vieux routiers de la chronique et du

235

billet — comment va leur prostate, à propos ? — qui, tous
les dix ans à peu près, ressortent le même papier sans même
prendre la peine de ravigoter leur vieux stock. Je sais des
jeunes dont la bonne foi « s'étonne » de buter sur des noms
prestigieux qui font tache et les gênent dans le ramassis
qu'ils ajustent pour la joie de le mépriser. Alors ils disent :
« Comment ont-ils fait pour élire tel ou tel ? » C'est une
question qu'ils devraient se poser plus souvent. Cela leur
arrivera peut-être, aussi bien, lorsqu'ils seront à la place
où j'étais en face de François Mauriac.

Mauriac aimait l'Académie, n'eût-ce été que dans la
personne des académiciens qu'il admirait et respectait. Un
jour, dans un de ses blocs-notes, il avait évoqué un Claudel
patriarche assis sur le bord de la mer, la mer « toujours
recommencée », les rouleaux, le fracas des vagues... autour
de lui la grève, ses grains de sable inaperçus. Le jeudi qui
suivit, saluant Claudel avant la séance, je pensai soudain à
Mauriac et je dis : « Monsieur l'Ambassadeur, un grain de
sable vous salue. » Quelques confrères présents, ayant mal
entendu mes paroles mais bien vu le visage de Claudel
s'éclairer, de questionner incontinent : « Qu'est-ce qu'il
a dit ? » Et Claudel de répondre, faussement bougon, entre
ses dents : « C'est cet imbécile de Mauriac. » Rien de plus.
Mais j'ai senti alors comme jamais la relativité des mots de
notre langage, l'importance capitale du ton, des modula-
tions vocales. C'était venu du fond de la gorge, lourd de
chaleur, de fierté, de gratitude et de tendresse. Un souvenir
alors est revenu du fond des temps. Je me suis revu, jeune
mâle assez content de soi, prompt aux admirations chan-
geantes, assis en quelque dîner près d'une femme à mes
yeux hors de cause : n'avait-elle pas le double de mon
âge ? Et tout à coup, comme illuminé et vraiment stupéfait

de l'être, je m'avisai qu'elle était belle. Je le lui dis alors, le plus simplement du monde, dans une sincérité entière. Et elle me répondit d'un mot : « Imbécile ! » Rien de plus. Mais de quelle voix venue de loin, du fond de l'être, claudélienne.

Est-ce là passer du coq à l'âne ? Non et non. Je me prends moi-même à témoin. M'en soit témoin, pour la seconde fois, Hugo : « Un des privilèges de la vieillesse, c'est d'avoir, outre son âge, tous les âges. »

Tous les âges ? Me voici arrivé, vieil académicien français, dans le peloton des burgraves : troisième doyen d'âge, après Antoine de Lévis-Mirepoix et Jacques de Lacretelle ; troisième doyen d'élection, après Lacretelle et Louis de Broglie. Je tiens pour un émouvant privilège la chance qui a été la mienne d'avoir pu rencontrer librement, tout au long d'un tiers de siècle, des hommes aussi pleinement et diversement hommes que la plupart de mes confrères. J'ai admiré beaucoup d'entre eux, je les ai respectés tous, et j'ai noué avec quelques-uns des amitiés qui sont une des fiertés de ma vie.

C'est le règlement qui m'a désigné pour recevoir le maréchal Juin. Les volontaires ne manquaient pas ; mais j'étais « directeur » lorsque Jean Tharaud est mort et c'est à son fauteuil que Juin avait été élu. Il me revenait, de ce fait, l'honneur de le recevoir.

— Il paraît, s'enquit un jour Georges Lecomte, que vous déclinez cet honneur ?

— Quoi ?

— On me l'a dit.

— On a eu tort de vous le dire.

C'est l'occasion de ce discours d'accueil qui m'a fait rencontrer le maréchal. Je ne l'avais, jusqu'alors, jamais vu. Nous étions, à un ou deux ans près, du même âge. Tout de suite, notre commune mémoire a devancé ses paroles et les miennes : « Cette camaraderie du front, plus sainte que bien des amitiés. » « On n'envoie pas les cœurs à l'atelier, pour révision, comme l'armement... » Quand j'ai pris publiquement la parole, j'ai cité ces mots de lui, de l'officier de troupe, du jeune commandant de compagnie qui survivait sous ses étoiles. Aussi bien avions-nous vu tout de suite l'une de nos mains paralysée, la même, et par la même blessure.

Ce que je dois à l'Académie ? Faut-il le répéter ? Une possibilité de choix, de libre choix et d'échange dont il serait décevant, sauf exception, et qui m'échappe, de rechercher où que ce soit l'équivalent. Je lui dois, exactement, ce que j'ai dû à l'École normale, à la troupe souffrante des guerriers, à la grande école et à l'Asile de Châteauneuf, à ses rues, à ses Petits-Sentiers : des rencontres d'enfants, de jeunes hommes et de jeunes filles, d'hommes faits, de vieillards à présent. Et cela veut dire : je le dois aux normaliens, à Benoist, à Hermand, à Bouvyer ; à Porchon aux Éparges ; à Najard, qui m'enseigna les secrets de la pêche au poisson mort, à Daguet le chef piqueux qui m'apprit, par les layons de la forêt, à lire ce que disent les feuilles mortes, la veine de glaise ou l'ados du fossé.

Ce que je dois à l'Académie ? Exactement, et encore une fois, ce que des académiciens, beaucoup d'académiciens m'ont donné. J'ai reçu de l'un d'eux, un soir, une lettre dont je veux parler. Ce n'était pas l'un des plus illustres, mais à coup sûr l'un des plus nobles, riche de culture et de méditation, sensible et bon, dont la discrétion laissait apercevoir un grand désir secret d'échanges vrais et d'amitié. Il allait, le lendemain, subir une opération. Il m'en annonçait la nouvelle sans que perçât l'appréhension d'une épreuve grave, dangereuse pour sa vie. Mais l'amitié, de ligne en ligne, discrètement et comme à mi-voix, laissait courir la plume et parlait. Je lui répondis le soir même, d'un élan où il pût sentir que sa lettre m'avait ému. Il était tard. Je cachetai ma lettre et la laissai sur mon bureau : elle partirait au courrier du matin. Et le lendemain, par la radio, j'appris qu'il était mort pendant l'intervention. J'ai mis ma lettre avec la sienne, pour que persiste entre lui et moi, silencieux désormais, l'échange qu'il avait souhaité.

VIII

« Paris, la Loire, la Sologne, accidentellement la Meuse, c'est votre méridien de Concord ? » Cela m'a été demandé quelquefois, la transparence de l'interrogation laissant voir une arrière-pensée. J'ai néanmoins répondu « oui », sans m'attarder aux commentaires qu'eût appelés pareille question. *Walden* suffit à la justification et à la survie de Thoreau. Qui oserait contester, sauf parti pris de nihilisme, la nécessité d'un méridien ? Vlaminck, ce fauve, cet « orphelin de la peinture », n'avait pas attendu la vieillesse pour dire autrement la même chose. « Dans l'immense forêt humaine, il y a des buissons et des arbres : quelques rares géants de futaie, superbes ; quelques baliveaux prometteurs ; et de vastes espaces où ne se voit qu'un fouillis hasardeux d'arbustes rabougris et de broussailles. » Et de commenter, véhément, fixant sur moi un regard bleu d'acier :

— Les branches, c'est l'adventice, le saisonnier, le jouet de l'heure, du temps qu'il fait, un gribouillis sur une toile vaine. Que de buissons autour de moi ! Sans tronc, sans fût, sans assise solide et sûre. En peinture, en littérature, en politique, en affaires, partout... Je ne veux pas n'avoir que des branches.

Il l'entendait de toutes les façons, pour son art et pour sa vie d'homme. « Fanfaron de l'inculture », disait de lui

André Salmon. D'un autre que de lui, cela eût peut-être été vrai ; mais il était intégralement Vlaminck, à plein tronc ; et dès lors cette fanfaronnade — fibre, sève, aubier tout ensemble — cessait d'être une fanfaronnade. Au temps de leur jeune amitié, Derain et lui peignaient côte à côte, jugeaient réciproquement leurs toiles et ne ménageaient pas leurs mots. Ainsi, lors d'un commun voyage dans le Midi : « C'est bien, très bien, dit Vlaminck devant un Derain frais éclos. Mais curieusement, mon vieux, on dirait que tu peins pour les futurs musées de province. » Et Derain, juge à son tour devant un fulgurant Vlaminck : « C'est bien, très bien, mon bonhomme. Mais c'est curieux : tu viens travailler dans le Midi, et tu attends pour peindre que ça ressemble à Chatou. »

Grand voyageur sur le tard, ma quarantième année révolue, d'Israël au Mexique, du Canada au Nigeria, ai-je attendu pour écrire « que ça ressemble aux Vernelles » ? J'espère que oui, au sens où l'entendait Derain. Ce n'est certes pas le désir de renouveler mes horizons qui m'a fait quitter mon fauteuil, face à la baie ouverte sur le Val de Loire, toujours changeant, toujours nouveau au fil des saisons et des ans, délaisser ma plume d'écolier pour le stylo et l'appareil-photo du voyageur. Car je savais déjà qu'une longue vie tout entière n'épuiserait jamais ce que la seule enfance avait inscrit en moi de souvenirs indestructibles, prêts à revivre au premier appel, à situer dans leur juste lumière les événements, les sensations, les sentiments et les passions qui seraient mon lot de vivant. Je le sais encore mieux aujourd'hui. Les livres que j'ai écrits *in partibus infidelium*, ce n'est pas un facile exotisme qui me les a dictés, mais une consonance à moi-même, à l'arbre que moi aussi je me sens être ou souhaite d'être : ainsi la nostalgie d'Éva, la petite Québécoise exilée dans les montagnes Rocheuses, l'oubli de soi de Fatou Cissé et sa maternité sublime en écho à mon désespoir d'orphelin.

Si libre que l'on se soit voulu, qui ne nourrit au fond de soi des regrets de ce qui eût pu être ? Au sortir du lycée d'Orléans, à supposer par impossible que mon père m'eût demandé : « Et maintenant, que souhaites-tu préparer ? », j'aurais probablement répondu : « Tu le sais bien, puisque c'est décidé d'avance. » Mais je n'ai même pas eu l'occasion d'effleurer la controverse. Sensoriel, immédiatement percevant avec force, aussi sensible aux formes, aux couleurs qu'aux jeux de la lumière et de l'ombre, c'est par les réactions et les ressources du plasticien que j'eusse voulu répondre aux sollicitations du monde. Le père de Vlaminck, lorsque son fils lui déclara qu'il renonçait pour la peinture aux cinq francs « assurés » que lui procurait son violon dans l'orchestre du café des Princes, l'avertit d'abord en conscience : « Réfléchis bien. Avec ta peinture, mon garçon, gagneras-tu seulement de quoi mettre du sel dans ta soupe ? » Après quoi il conclut : « Tu feras ce que tu voudras. » Mais je sais encore aujourd'hui qu'aux environs de 1910 un professeur agrégé débutait à quatre mille deux cents francs ; que s'il « réussissait » et terminait sa paisible carrière dans une chaire de lycée parisien, il « arriverait », quelques leçons particulières aidant, à « se faire » dix mille francs par an ; et que la retraite, ensuite...

Je n'ai pas de regret, de nostalgie non plus, je crois. Ou si parfois, peut-être, je les ai sentis bouger, je les ai leurrés aussitôt avec quelques tubes de couleur, une mine de plomb, une sanguine. Je suis resté le gamin prisonnier, oublieux des remugles de l'étude en copiant sous les « rostos » la musculature d'Héraclès ou le cheval cabré d'une métope

243

parthénonienne. J'ai trouvé d'autres dérivatifs, jalons tout au long de ma vie, le musée du Luxembourg, ses Degas, ses Monet, le portrait de Mme Charpentier ; au Louvre les Chardin, la Bethsabée, la Jeune Fille au turban bleu ; un peu plus tard, jusqu'à beaucoup plus tard, pour un plaisir plus égoïste et plus secret, les galeries confidentielles où j'entrais au hasard des flâneries, des tentations qui venaient à distraire le secrétaire perpétuel des soucis administratifs, des « vacances de fauteuils » et des candidatures.

Je n'ai jamais été collectionneur. Je l'étais peut-être dans l'âme, si je m'en fie à un critère qui a été longtemps le mien. Un tableau inconnu éveillait-il en moi non tant d'abord l'admiration que le désir de le posséder, j'en concluais qu'il était beau. Ce désir allait-il jusqu'à l'impulsion — heureusement refrénée — du rapt, mon verdict montait d'un cran : « Il est très beau. » Je m'en taisais, je m'en cachais peut-être, et jusqu'à mes propres yeux. Ce fut Vlaminck, encore lui, qui m'éclaira et du même coup me rassura. Il avait admiré dans une exposition à Bruxelles... Mais déjà je l'entends parler : « Il y avait là, disait-il, un petit Corot que j'aurais volontiers emporté sous mon bras. Mais j'ai craint d'avoir des ennuis avec les gardiens. »

J'ai cédé quelquefois, moins souvent que je l'eusse voulu, et moyennant une honnête contrepartie. Amateur donc plus que collectionneur. Ce ne sont pas toujours mes élans qui ont déterminé mes choix, mais quelquefois des sympathies d'hommes, quelquefois le hasard d'une rencontre. Les peintres que j'ai ainsi connus, leur personne à travers leur art, leurs propos, l'intérêt souvent passionné que je n'ai cessé d'y prendre, tel allait être mon troisième et meilleur dérivatif. Pas plus que collectionneur, je ne me suis voulu critique d'art. Mais souvent, au fil de ces rencontres, j'ai laissé aller ma plume au gré de mes impressions. Sur Claude Rameau à Saint-Thibault, au pied de la colline sancerroise, dans la maison de marinier où l'avait conduit et fixé, loin de la rue du Dragon, son amour exclusif pour la Loire ; un peu, aussi, le blanc fumé des coteaux. Son fleuve, ses grèves, ses verdiaux, ses courants, ses bras morts, ses hauts ciels plafonnants, il les a peints toute sa vie. Étranger à son siècle, ami des vignerons, des pêcheurs, insoucieux des caprices monétaires, il trouvait à la fin naturel que l'amitié entre sa vineuse rivière et lui transformât ses tableaux en futailles. Entre elles et sa femme Suzette, cuisinière inspirée, il a vécu satisfait de son sort, de sa femme, de son fleuve et de son art. Louis Charlot, à Uchon, avait trouvé un autre ermitage. Plus savant, moins naïf à coup sûr, quelque peu bourreau de lui-même, la rudesse du haut Morvan lui inspirait des toiles sans concessions, âpres et dures, où la pureté de la lumière passe comme souffle le vent, tout à coup, au versant d'une colline, en octobre, lorsque l'hiver est proche ; Chapelain-Midy, Segonzac, Méheut, Asselin, Couty, pas un d'eux auquel je ne doive des clartés sur le peintre que je n'ai pas été et que pourtant je n'ai pas cessé d'être. Ai-je peint trente toiles en soixante-dix années ? C'est à peine une tous les deux ans. Et toutes détruites, sauf deux ou trois contre mon gré, liées qu'elles sont à un souvenir où la tendresse a toujours sa part. Mais que quelques années encore s'égrènent dans mon corbillon, je peindrai.

Qu'on me pardonne cette échappée, cette fugue avant la lettre. Elle manquerait au long retour qu'a voulu être le présent livre avant même d'être entrepris : un retour, en effet, un cheminement où l'écrivain et l'homme ne sont qu'un. Comme si, veneur de moi-même et dans la forêt de mes jours démêlant mes propres traces, je détournais exprès les yeux de celles qu'ils retiennent à présent, si parlantes à leurs regards. « Parlantes », c'est langage de veneur, expressif, savoureux et parfois illuminant. Ce qu'elles me disent ? Seulement, et cette fois encore : « Rappelle-toi, laisse-toi faire suite. Tes souvenirs sont à leur reposée, tu ne trouveras pas buisson creux. Il n'est que de marcher doucement. »

Trois souvenirs, et chacun d'eux un peu étrange, orienté vers le signe, le clair-obscur, le surréel. Trois peintres aujourd'hui disparus, chacun d'eux une seule fois rencontré, et tous les trois inoubliés.

Pendant les deux années de guerre où j'habitais l'École normale, je déjeunais presque chaque jour dans une brasserie proche de l'Observatoire. La chère y était bonne, le fils de la maison avait perdu un œil au front, et deux ou trois billards favorisaient quotidiennement la rééducation de mon bras gauche paralysé. C'est là que j'ai rencontré Amédée de La Patellière. C'était un jour proche de l'été, radieux. Nous nous assîmes à la terrasse. On entendait de là le frais bruit d'eaux jaillissantes de la fontaine des Nations et les roucoulements des pigeons dans les marronniers du Luxembourg. Tout de suite nous nous sentîmes ensemble. Ni lui ni moi n'étions enclins aux confidences à tout venant. Et pourtant, tout de suite, nous avions su que les barrières, les réticences, les précautions du respect humain n'étaient pas de mise entre nous.

Une seule fois, j'avais senti cela avec cette promptitude et cette force, à Revigny, en 1915, dans un hangar à marchandises transformé en gare régulatrice. Dans les rangées de couchettes militaires, deux seulement étaient occupées : par un médecin aide-major enturbanné d'un pansement crânien et par moi. Au bout d'une heure quelque commissaire de gare passa, qui aiguilla Maurice Bedel vers quelque

Côte d'Azur, moi vers Vittel, à moins que ce ne soit Dijon. Nous nous étions promis de nous revoir. Il n'y fallut qu'une douzaine d'années. En 1927, lorsqu'il eut le prix Goncourt, un croquis des *Nouvelles littéraires* illustrant la traditionnelle « heure avec » fit surgir brusquement l'image des « pageots » alignés, de deux blessés parqués ensemble dans ce hall à odeur de crésyl. Je lui écrivis au journal et j'eus aussitôt sa réponse : « C'était bien moi, c'était donc vous » ; et nous nous liâmes d'une amitié qui dura jusqu'à sa mort.

Je n'ai pas eu cette chance avec La Patellière.

— Nous nous reverrons...

— Bien sûr.

Il suffit de la grippe espagnole pour que ce fût de vaines paroles. Lorsque je revins vivre à Paris, sexagénaire, La Patellière était mort depuis vingt ans. Et pourtant je l'ai retrouvé. Brusquement et tout entier. Il y suffit, cette fois, d'un voisinage. Le quai Conti touche le quai Voltaire. C'est là, à quelques pas, qu'habitaient à Paris sa veuve et son neveu. A cause de ce voisinage j'allais les rencontrer, les connaître ; et j'ai pu ainsi grâce à eux, presque d'emblée, pénétrer dans le monde où le peintre La Patellière avait ardemment travaillé et créé. Au quai Voltaire, puis à Vaugrigneuse, la contemplation a fait corps avec le souvenir. Pas une des toiles offertes à mes yeux où n'éclatât une ressemblance élaborée au fond de la mémoire et tout à coup magiquement révélée. « Sortilège, magie », ce sont des mots qui lui appartiennent, qui correspondent à une certitude. Il reconnaît ses dons, ses moyens, son métier, mais toujours en fonction de sa mythologie personnelle. « Vivre dans son rêve, disait-il, et travailler. » Le camarade soldat, le passant de la lointaine jeunesse devenait ainsi un intercesseur, un de ces messagers prédestinés et visionnaires qui suscitent leurs propres secrets, et qui, par la magie de touches de couleur sur une toile, nous entraînent avec eux de l'autre côté du miroir.

Il a fallu bien des années encore pour que l'homme que je suis aujourd'hui prenne de ces évidences une conscience plus claire et plus stable. A cause de cela, je citerai ce soir quelques-unes des lignes que je pensai naguère lui consacrer, dans la pensée où je suis aujourd'hui qu'il me les a, longtemps d'avance, dictées : « Par la grâce d'une communion franciscaine il était devenu un pèlerin, un chemineau des routes intemporelles où les mythes fleurissent sous les pas... Hésiode, Homère, voilà de ses rencontres. A ses Europe-en-sabots, à ses Chevaux-aux-crinières-ondulées, à ses Dormeuses-aux-belles-paupières, c'est une *Iliade* sans âge qui accolerait ses épithètes. L'homme et la bête participent, créatures. Entre les cornes de la vache et la crinière blanche du cheval, le vieux paysan au crâne chauve va lever son bâton pour saluer le centaure au passage. Ses baigneuses sont des déesses mères. Ses jeunes-filles-branches, ses jeunes-filles-eau-qui-coule, mythes encore, douces incarnations constellées de fleurs des champs. Il se peut que la vie soit un songe. Des masques cachent les juvéniles visages. L'un d'eux, peut-être, est celui de la mort. Mais la vie se rit de la mort. Elle est une fête, grave et belle, pleine, riche, inépuisable, soulevée par une force d'enfance éternellement renouvelée. »

Le second peintre, ai-je échangé avec lui une parole? Je connaissais son œuvre, j'en avais admiré souvent la violence et les paroxysmes. Mais j'ignorais les traits de son visage et jusqu'alors le son de sa voix. En mai 1942, après un séjour de deux ans dans un village du causse aveyronnais, une nostalgie à la longue invincible me fit manquer à la parole que je m'étais donnée. Je passai la ligne de démarcation et pris à Gien, un matin, l'autocar qui m'amènerait à Châteauneuf et aux Vernelles. C'est la dernière fois que je vis Max Jacob. Vêtu et cravaté de noir, un sombre melon sur la tête, il partait pour Quimper où l'une de ses sœurs venait de mourir. Entre Saint-Benoît et Châteauneuf, il n'y a qu'une dizaine de kilomètres. Il monta, m'aperçut, vint s'asseoir à côté de moi. Si grande et si sincère que fût la tristesse de son deuil, il était évident qu'il souffrait d'une tristesse plus profonde, viscérale, en vérité désespérée. Je l'ai quitté. Nous nous sommes serré les mains et j'ai suivi des yeux jusqu'au tournant de l'église l'autocar qui l'emportait. J'étais sûr que je ne le reverrais pas. Mais je ne savais pas que les Allemands l'arrêteraient quelques jours plus tard et que Drancy serait sa dernière halte. Le savait-il, lui ? Quand j'évoque le visage qu'il avait ce matin-là, mon cœur se serre et répond : « Il le savait. »

C'est aussi dans un autocar, à Tours, que j'ai vu monter un homme jeune encore, au visage durement marqué, aux yeux très sombres mais pleins de flamme. Il parlait fort, donnait ses ordres au chauffeur qui hissait ses bagages sur le toit, des valises, une voiture d'enfant. Deux femmes l'accompagnaient, l'un d'elles tenait un bébé dans ses bras. Pèlerin du souvenir, j'allais à Champigny-sur-Veude pour m'y recueillir sur les tombes de mes grands-parents paternels, de l'oncle Albert et de son fils Paul. C'est là que descendit aussi le voyageur autoritaire.

La Veude est une rivière de prés, sans courant, qui sinue à travers des pâtures entre de hauts peupliers. Elle est peu poissonneuse et mon adolescence boudait un peu la marmaille de vairons qui pullulait à Chasné. C'est un moulin à eau dont les issues attiraient en foule ces poissons lilli-

putiens, mais chamarrés au temps du frai de couleurs
somptueusement irisées. Je suivais lentement le chemin qui
borde la rive, reconnaissais les saules un à un, les hauts
peupliers de l'autre rive jusqu'à leur cime ponctuée de
touffes de gui. J'allais, en amitié avec l'immense silence,
la fraîcheur du soir déjà proche, quand j'aperçus, seule et
frêle sous les arbres, la silhouette du voyageur. Il peignait,
debout devant une toile de grand format, prenant quelques
pas de recul, examinant son œuvre ébauchée, méditant,
immobile, et soudain revenant à la toile où il posait fiévreu-
sement quelques touches. Je respectai sa solitude, son
tête-à-tête avec lui-même. Aussi bien la lumière déclinait.
Lorsque au bout de quelques minutes je revins vers le
moulin, il repliait son chevalet. Je le vis partir à grands pas,
en coupant à travers les prés.

Le lendemain, chez Émilienne, j'entrepris de me rensei-
gner. Émilienne tenait l'auberge-hôtel, seule alors à Champigny. Je me doutais bien que le peintre, ses compagnes et
leur bébé avaient pris pension chez elle. J'en eus d'elle-
même confirmation.

— Son nom? lui dis-je.

— Un drôle de nom, pas de chez nous. Je regarderai
mon registre et vous le dirai demain.

— Je vais vous demander autre chose : dites-lui que je
suis ici, pour peu de jours, et que je serai heureux si je peux
le rencontrer.

— Il est d'accord, me dit le soir même Émilienne. Ici,
demain midi, pour l'apéritif.

J'étais content. Sans avoir reconnu l'homme, pour cause,
quelque vague réminiscence, une photographie peut-
être, entrevue en feuilletant un magazine, m'avaient suggéré un nom. Je fus ponctuel au rendez-vous. Dès que

250

j'entrai, Émilienne vint vers moi, le visage bouleversé.

« Le pauvre ! dit-elle. Il est parti, elles l'ont emmené avant l'aube, à Tours. Il avait un ulcère de l'estomac. Il a perforé cette nuit.

Comme je la quittais, elle m'a retenu un instant.

« Vous m'aviez demandé son nom. Un nom pareil, comment voulez-vous ? Je vous l'ai écrit là-dessus.

Elle me tendait un lambeau de papier où je lus : Chaïm Soutine.

La même année, l'été déclinant, j'étais à Nice. Libres de nous en quelque après-midi, nous entrâmes, Suzanne et moi, dans une galerie du boulevard Victor-Hugo où exposait une jeune femme peintre, Jeannine Guillou. Ses toiles, presque toutes de petit format, traduisaient une sensibilité vive, impressionnable et tourmentée. Elle était là, elle vint vers nous, une toute petite fille sur le bras. A Nice et à cette époque, il fallait de l'argent pour ne pas connaître la faim. Suzanne et moi échangeâmes un regard. Il était évident que cette maman et sa petite fille souffraient toutes deux de dures privations. La petite fille surtout émouvait. On ne pouvait lui donner d'âge. Un an peut-être ? Un peu plus ? Davantage ? Un menu visage étroit, délicat, des yeux attentifs et sérieux, des yeux d'adulte, où passait brusquement pour aussitôt s'éteindre un rayon de joie et d'enfance. Suzanne avait détourné la tête, le temps de retrouver une contenance qui ne la trahît point. Nous restâmes là un bon moment, les visiteurs n'étaient pas nombreux. A l'instant où nous prenions congé, la toile que nous venions d'acheter dûment empaquetée sous le bras, Jeannine Guillou nous dit sur le seuil :

— Voulez-vous me faire plaisir, un autre plaisir ? Si par chance vous aviez un moment, j'aimerais vous voir chez moi, chez nous... Mon mari aussi sera content de vous connaître. Il est peintre. Auprès de lui, qu'est-ce que je suis ?

L'homme qui nous accueillit, en dépit d'une courtoisie et d'une affabilité parfaites, ne cessa, tout le temps que dura notre visite, de me paraître lointain, distant. D'assez haute taille, le visage allongé, strictement glabre, le regard aigu et direct, attentif à ses devoirs d'hôte, spontané et même confiant, il me semblait pourtant et tandis même qu'il nous parlait se retirer dans un monde intérieur, une obsession plus forte que son extrême bonne volonté : attiré, tiré ailleurs, vivant au-delà de la vie temporelle alors même qu'il la vivait. Ce que des familiers m'avaient dit de La Patellière, je le reconnaissais là. La pièce où nous étions, assez spacieuse, presque entièrement dépourvue de meubles mais bien ouverte à la lumière, eût pu passer pour un atelier si quelque toile, en attente ou accrochée aux murs, y eût attiré les regards. Je me rappelai ce que Jeannine Guillou nous avait dit et demandai, en m'y contraignant presque :

— Est-ce ici que vous travaillez ?

Il sursauta, le front soudain crispé, un éclair de colère dans les yeux.

— Je travaille chez un ébéniste. Encore heureux ! Je fais du vernis au tampon, oui, pour ne pas crever de faim.

Un moment de silence suivit, pénible. Il soupira profondément, parvint à vraiment nous sourire. Et il dit, avec sérénité :

« Ne me demandez pas à voir quelques-unes de mes toiles. Pas même une. J'ai tout brûlé.

Promesses de se revoir encore, et qu'allait encore rendre vaines la tourmente qui nous roulait. Les Allemands, en

252

novembre, supprimèrent la zone libre. Occupés pour occupés, nous rentrâmes aux Vernelles où nous allions vivre huit ans. D'autres années passèrent. Ni Suzanne ni moi n'avions oublié Jeannine Guillou, son mari et leur petite fille. La toile de Nice était dans notre chambre, où elle est encore aujourd'hui. Mais eux? Qu'étaient-ils devenus? Quel avait été leur destin? La réponse nous vint brusquement, un matin à l'heure du courrier, en ouvrant un magazine à grand tirage : huit pleines pages en couleurs, reproduisant des œuvres éclatantes de force, aux limites presque outrepassées de la concentration, de la synthèse, pour mieux libérer, déchaîner l'ivresse de l'expression colorée, du chant lyrique, fût-il délirant. Le souci du « sensationnel » n'était pas absent de l'article qui accompagnait ces splendeurs. Mais le but était atteint d'avance : Nicolas de Stael venait de se suicider.

C'est aux Vernelles, à ma vieille table de travail, que j'ai voulu écrire ce livre. J'avais pressenti de longtemps que ce serait le lieu du monde, entre tous ceux qu'avaient connus mes jours, où répondraient le mieux à mon appel les souvenirs qui importaient à mon souci et à mon dessein d'écrivain. Et dès les premières pages, en effet, ils ont de toutes parts afflué. Ce que j'écrivais alors, je peux le récrire aujourd'hui : « Qu'il est donc dru et serré, ce tissu de la mémoire ! On le touche, on l'effleure à peine, et le voici tout entier qui tremble. »

Il n'a pas cessé de trembler. Souvenirs, souvenirs... Maintenant que l'heure approche où je vais me distraire d'eux et continuer, au jour le jour, de vivre, je pense à ceux

dont je me suis exprès détourné, tous ceux dont le tremblement me liait d'avance à des chagrins, des joies, des tourments, des secrets qui n'étaient pas seulement les miens.
Mais pour me dire qu'ils sont là eux aussi, qu'ils tremblent
dans chacune de ces pages, plus proches peut-être et plus
vrais que si j'avais été, si peu que ce fût, complaisant à des
curiosités superflues.

Tout homme est voué à n'être que ce qu'il aura été. Mais
quel homme qui ne pense, lorsqu'il va fermer les yeux, aux
autres hommes qu'il eût pu être et qui vont mourir avec
lui? C'est l'écriture qui m'a fait solidaire, qui témoignera
pour moi demain si tant est que l'incessant jusant des
générations prochaines n'emporte de ses premières vagues
les dernières traces et le souvenir même de tout ce dont
j'aurai témoigné. Peintre, médecin, acteur, avocat, funambule et politicien même, au moins en rêve j'ai été tout cela.
Ne rêvons plus. S'il est vrai, comme l'ont dit tant de maîtres, qu'à douze ans déjà tout soit joué, que dira le nonagénaire?

Peut-être que son assentiment n'a pas besoin d'être
formulé et qu'il vient ici même, une fois de plus, de souscrire à cette vérité. Peut-être cédera-t-il à une témérité du
grand âge en confiant que son prochain livre, voué tout
entier à la première enfance, essaiera d'oublier le temps des
illusions perdues, autant dire le reste de la vie, et qu'ensuite
il se taira. Mais avant de clore celui-ci, l'enfant avide de
recevoir et de donner, de rencontres et d'échanges sans
calculs, l'enfant bavard qu'il a été lui aura chuchoté à
l'oreille : « Et moi? »

C'est me rappeler les jours où l'écriture et sa nécessaire
solitude ont cédé à cet enfant-là, où le besoin de la parole,
du recours à l'attention de l'autre, à son regard, à sa pré-

sence tangible et mystérieuse m'a poussé à travers le monde, où j'ai « fait des conférences ».

Cela s'apprend, comme la guerre au combat. Écrire, parler, ce n'est pas du tout la même chose; mais il y a des vérités premières qu'il faut découvrir par soi-même. Je m'en suis aperçu à Tunis, et c'était mon début de parleur. J'avais le trac, comme jamais de ma vie. Pressentiment? Et pourtant je n'eusse pu souhaiter circonstances plus favorables : affluence, public bienveillant, d'avance acquis, et de ma part préparation intégrale... Hélas ! Non seulement j'avais rédigé mon texte, ligne à ligne, mais je l'avais « écrit », balancé, cadencé. Si encore je l'avais donné pour ce qu'il était : lisable ! Mais je l'avais appris et je l'ai récité, comme je récitais à dix ans le *Souvenir de la nuit du quatre*.

J'ai constaté le lendemain, par la presse, la bienveillance dont j'avais crédité mon auditoire. Les comptes rendus étaient outrancièrement indulgents, jusqu'à l'éloge, et de nature à me fourvoyer sans appel. Par chance, deux exceptions allaient me remettre d'aplomb : celle d'un journaliste et la mienne.

J'avais été, je pense, non seulement le plus attentif, mais le plus dur de mes commentateurs. Tout le temps que j'avais parlé, je n'avais cessé d'être deux : à côté du moi conférenciant, seul « en face » sur son perchoir, l'autre moi, caustique et gouailleur, d'autant moins miséricordieux que ma colère était plus vive, ne cessait d'accompagner mes courageux mais dérisoires ronds de langue d'une voix seconde de moi seul entendue. Mais quelle glose! Je l'entends encore : « Bravo! Bravo! Tu l'as voulu, savoure... Encore bravo, tu te surpasses... La pédale forte! Trémolo! Parfait... » Vainement m'adjurais-je au travers, de moi à moi : « Ne te fatigue plus, j'ai compris... », le sarcastique l'emportait toujours et continuait son odieux ronronnement.

L'autre exception, le journaliste, à supposer que quelques écailles eussent encore occulté mes yeux, eût achevé de les faire choir. Il écrivait en substance, il me faisait l'honneur d'écrire que si Maurice Genevoix, romancier, avait en effet du talent, ce n'était pas une raison suffisante pour qu'il vînt à Tunis « ennuyer », abusivement, jusqu'à ses admirateurs. « Comme vous aviez raison, monsieur! »

Quelques jours plus tard, à Alger, je faisais ma seconde conférence. Vaste salle, public impressionnant, par le nombre et par l'attention. Et tout de suite, comme on sort d'une parallèle d'assaut, j'ai foncé. Je mentirais par omission si je taisais ici mon exorde : « J'étais, ai-je dit, partisan résolu, contre la conférence '' polie sans cesse et repolie '', de la conférence '' bafouillée ''. » Suivirent de brèves explications sur ce que j'entendais par là : spontanéité, confiance faite à l'auditoire appelé ainsi à collaborer, expression libérée, vivante, qui se cherche, s'approche et quelquefois, Dieu merci, se trouve : tel le peintre qui cerne son trait, le reprend et qui, de repentir en repentir, le débusque et le révèle au jour. Sur quoi, j'allais justifier amplement l'épithète que j'avais arborée; mais aussi, quoique dans une part moindre, le souhait que j'avais formulé. Ma conférence achoppait sans cesse, mais elle allait son pas quand même et, si bafouillée qu'elle fût, elle était une conférence.

Perfectible, certes, et heureusement, au bénéfice de toutes les autres. D'Oran à Fez, à Casa, à Rabat, à Dakar, j'eus beau jeu à parfaire mon rodage. Et désormais, vingt ans durant et davantage, j'allais périodiquement boucler mes valises de nomade, des Vernelles à Monaco,

256

de Stockholm à Harlem, de Bruxelles à Palerme, de Vancouver à Bamako, de Zurich à Orléans. Je n'ai jamais, pour l'essentiel, été déçu. J'ai vraiment rencontré, je le crois, d'autres hommes : de salle en salle, en dépit des rites et de leur gêne, mais aussi sur les « portages » canadiens et sur les pistes africaines. A Rufisque, à Sébikhotane — c'est un exemple entre bien d'autres —, parmi des jeunes femmes, des jeunes hommes noirs que des enseignants français formaient à notre culture, j'ai approché d'autres cultures, perçu leur chaleur vénérable et senti s'émouvoir en moi le sentiment de fraternité humaine qu'y avaient éveillé mes passages parmi des hommes vrais, en des heures où l'on ne pouvait plus mentir.

A Sébikhotane, après ma conférence, maints élèves vinrent à moi, spontanément. Ni la différence de race, ni celle de l'âge ne nous étaient à contrainte. Des mots simples, directs, éveillaient d'eux à moi des échos aussitôt familiers.

Le lendemain ces normaliens présentèrent sur une scène en plein air un spectacle adapté, réglé, interprété par eux. Il y avait là des Sénégalais, des Camerounais, des Ivoiriens, des Dahoméens. C'était la nuit, la scène était obscure. Un vent léger soufflait, mêlant les chuchotements des praticables de roseaux aux murmures des ombres qui bougeaient vaguement dans les ténèbres. Brusquement, la rampe s'allumait toute et le beau groupe humain, superbe d'architecture, de plastique et de couleur, surgissait en pleine clarté.

Ils chantèrent, chacun dans sa langue, les Dahoméens un chœur nagot, les Camerounais un chœur douala, les Ivoiriens un chœur « apollinien ». Je ne comprenais pas les paroles, mais la beauté des voix, l'admirable entente collective du rythme, des nuances de la polyphonie, les évolutions des mimes, leurs danses lentes, presque immobiles comme si elles eussent soumis les corps à quelque gravitation cosmique, leur jeu d'acteurs, lorsque un peu plus tard alternèrent les fabliaux, les légendes, les récits héroïques, j'y étais pris comme ils l'étaient eux-mêmes, entraîné dans le jeu qui faisait tour à tour jaillir leurs rires, s'assombrir leurs visages. Terreur, pitié, tendresse, dévouement maternel, malice frondeuse, générosité filiale, enthousiasme des chevaleries guerrières, tout cela m'entraînait vers un jeu personnel dont mes notes de voyage me rappellent l'irrésistible attrait. Ce bariolage, ces drapés, cette sourdine des voix à bouches closes, ce foisonnement de la couleur, du langage, du mystère même, il me semblait que de tels éléments, par l'intercession du génie, avaient finalement abouti à la perfection du drame eschylien. Les légendes des théogonies, les batailles des tribus et des clans où des hordes se sentirent patries, « qui sait, me demandais-je, oublieux de l'endroit, des baobabs monstrueux, des rouges fleurs d'hibiscus qui mouraient dans la nuit, ce qu'un Sophocle, un Aristophane noirs feraient surgir de ce bouillonnement ? ».

Ce sont de telles rencontres, d'homme à hommes, de l'homme que je suis à des inconnus toujours changeants, toujours divers, toujours semblables au plus secret de l'être, qui m'ont pendant vingt ans et plus poussé à travers le monde. J'y ai toujours cherché, sans m'en lasser jamais, les différences et les similitudes. C'est une quête toujours exaltante, soit que l'assentiment incline vers une joie fraternelle, soit que la résistance éveille un désir de conquête qui d'avance est un lien et affirme une solidarité. Comment ne pas me souvenir de certaines soirées hors de France où l'amabilité ne pouvait tant faire qu'abolir une certaine tension secrète, un guet qu'il eût été naïf de tenir pour bienveillant? Rien de plus tonique, du moins en ce qui me concerne. Et sourie de moi qui voudra si j'en fais l'aveu sans détour : le même contentement me chatouille pour peu que je revoie, dans la nuit citadine, un piéton solitaire qui regagne son gîte, le pas léger, rebondissant, tandis qu'il revoit en pensée des rangées de messieurs en frac et se dit : « Je les ai bien eus. »

Il y a un alcool de la parole, et qui grise. Mais ce n'est, comme aurait dit Vlaminck, sensible comme personne à cette ébriété de la voix et des mots, ce n'est qu'un accident du comportement, un rameau adventice, un « gourmand » qui épuise l'arbre. L'essentiel dont je parlais, et pour en dire qu'il ne m'avait jamais déçu, c'est Sébikhotane, ce sont mes longues tournées à travers le Québec en compagnie de l'abbé Tessier alors que, futur monseigneur, il inspectait ès qualités les écoles ménagères de la province. De Rimouski à Chicoutimi, de Rivière-du-Loup à Grand'Mère, nous allions, de petite ville en petite ville, lui projetant ses films de nature, moi parlant de la bête et de l'arbre, et d'amis paysans, hommes de la terre, du fleuve et du bois, aussitôt fraternels à ces hommes des défrichements, de la *drave*, des « rangs » aux rives des amples vallées. Et l'on se séparait tard, ayant dansé, trinqué chez le maire, avec une bonne chaleur au cœur, un goût de vivre accru, comme si quelque obscure prière venait d'être, ce soir, exaucée. L'essentiel, c'est l'ouvrier d'usine qui vient à vous, offre sa main et dit, de la joie aux yeux : « Est-ce donc cela, une conférence? Figurez-vous : je ne savais pas. » Et c'est de lui répondre, en serrant la main offerte, avec une sincérité, une conviction pareilles aux siennes : « Moi non plus, avant cette minute. »

Quant au foisonnement « adventice », on peut se plaire — et c'est mon cas — à en glisser quelques feuilles sèches dans l'album aux souvenirs. Les rubriques en varieraient peu : celle du présentateur disert qui ne parvient plus à se taire et qui épuise radicalement, en y mettant tout le temps nécessaire, les facultés d'attention de quelque auditoire que ce soit. Contre ceux de son espèce, j'oserai conseiller un recours : demander candidement, lorsque enfin il consent au silence : « C'est à moi? » Celle du présentateur lyriquement délirant dont on apprend, avant de quitter la ville, qu'il était sorti la veille d'un hôpital psychiatrique pour y rentrer le lendemain. Et celle de la présidente qui vous reçoit à sa table, aux fins de vous « servir », vous aussi, à ses invités. Et, nullement dupe mais bon prince, vous avez de la repartie, vous brillez. Sur quoi la présidente, ayant regardé sa montre et constaté que l'heure est venue de partir, soupire en se levant de table et dans l'euphorie générale : « Et dire, maintenant, qu'il va falloir se taper une conférence! »

Pour ne rien révéler des joyeuses surprises du voyage, de l'annexe de l'hôtel dont la chaudière a éclaté, de la boule d'eau chaude percée qui a fait du lit une baignoire, ou du vieux cerisier dont les branches frôlent les vitres de la fenêtre sans volets, et où vous voyez au matin, hilare et toute ronde, la face du fils des patrons, déjà en poste, qui épie votre intimité... (c'est bien fait pour toi, mon garçon!) solitaire.

IX

Ai-je déjà, au fil de ces pages, fait allusion à une remarque dont je m'étonne d'autant moins de l'avoir plusieurs fois entendue que de ma propre initiative j'avais été au-devant d'elle ? Il est vrai : ni devin, ni prophète, ni apôtre, ni conducteur de peuples, je n'ai jamais contraint ma plume à des exercices solennels dont j'avais pu, au long de ma studieuse jeunesse, mesurer la vanité sonore et la facile puissance d'illusion. « Vous n'aimez pas les idées générales... Vous éludez les grands problèmes, religieux, philosophiques, sociaux... » Que sais-je encore ? Je réponds à cela : « Croyez-vous ? Comme vous, comme tout homme conscient de sa condition d'homme, de son essence et de son être, de son destin et de ses fins dernières, j'ai été confronté à eux. Je n'ai jamais cessé de l'être et le serai jusqu'à mon dernier souffle. Mais c'est affaire entre moi et moi et je n'en dois compte à personne. »

« C'est mettre ses convictions à trop haut prix, disait Montaigne, que d'en faire cuire un homme tout vif. » La communication que je souhaite est ailleurs, et ses moyens sont autres, tels dans leur foisonnante et rebelle richesse qu'ils requièrent l'effort de toute une vie. Sans vouloir plaider au fond, et selon qu'on l'envisage, ce procès de tendance ou cet examen de conscience, j'en reviendrai au simple constat que me dictaient, il y a un instant, mes souvenirs. Il en est que j'ai tus, disais-je, non pour me conformer à je ne sais quel tri préalable, mais parce qu'ils engageaient avec moi des vivants à qui mes jours sont liés. « Seulement, ajoutais-je, peut-être sont-ils présents quand même, avec les autres, dans chacune de ces pages où je suis engagé tout entier. » De même pour ce que je crois, ce que je sais, ce que je pense, confronté aux « grands problèmes » qui me requièrent moi aussi et m'obligent.

Si libre que l'on se soit voulu, si confiant que l'on soit resté, l'heure venue de la décision et du choix, dans l'instinct qui nous anime, on ne choisit jamais qu'entre des murs : mur-lycée, mur-guerre, mur-blessures. Si la peste espagnole, ajoutée à ces contraintes, ne m'avait pas rendu au monde de mon enfance, peut-être ma vie même d'écrivain, les confraternités, les collaborations, les revues, m'eussent-elles insidieusement poussé dans le sens de mon entraînement normalien. C'est un jeu que j'avais assez joué, et assez « brillamment » au dire de mes censeurs et juges, pour peut-être y prendre goût et continuer d'y « briller ». Qu'on me pardonne si je crois aujourd'hui que j'y aurais perdu mon temps.

Je pense avec Maeterlinck que « la simple vie des êtres contient des vérités mille fois plus profondes que toutes celles que peuvent concevoir nos plus hautes pensées ». Sans souscrire à son arithmétique non plus qu'à sa rigueur tranchante, je me réclame d'une conviction qu'une inhumaine expérience a fait lever et mûrir en moi. Il était entendu qu'à la guerre on tirait sur des inconnus que l'on ne voyait pas; ou seulement sur de vagues silhouettes, aperçues dans un éloignement qui les dépersonnalisait. Pas toujours. Deux fois au moins, dans la nuit de la Vaux-

Marie, et le matin du 18 février, lors de la première contre-attaque allemande aux Éparges, j'ai tiré sur des hommes que je voyais assez pour me rappeler aujourd'hui leur visage.

Sous la pluie torrentielle, dans le fracas brisant du tonnerre et les crépitements confondus des lebels et des mausers, à la lueur crue des éclairs qui vibraient dans un ciel violâtre, j'ai vu la peur et l'angoisse de mourir dans les yeux du sergent allemand qu'avec trois de ses hommes nous venions de faire prisonniers. Avant de les lancer à l'assaut contre nous, leurs chefs les avaient persuadés que nous fusillions les captifs. Cet homme parlait, parlait, avec une volubilité qui trahissait une angoisse affreuse. Le seul fait qu'à ses premières paroles j'avais répondu dans sa langue l'avait quelque peu apaisé, mais sa peur persistait et faisait trembler tout son corps. « Je ne suis pas prussien, je suis souabe. Dimanche encore, à Sommaisne, j'ai donné à boire à des Français blessés. Voilà ce que font les Souabes! » M'attendrir, me distraire à tout prix... « J'habite Stuttgart, je suis électricien... Je peux courir cinquante mètres sur les mains. » Il l'eût fait sur un geste de moi. Je sentais mon cœur se serrer, peu à peu sourdre en moi une gêne obscure et profonde, à cause de lui, à cause de moi, de mon revolver encore chaud.

Aux Éparges, aux premières grenades, nous étions sortis de l'entonnoir de mine, Butrel, Sicot et moi, pour faire face aux premiers assaillants. Ils ont surgi à quelques mètres au-dessus des vagues de glaise bouleversées par les obus. Nous avons tiré tous les trois. C'était hier, ce sera toujours hier, hors du temps, sous mes yeux comme alors : mon vis-à-vis, l'autre, le « gonflé », le meneur de horde, sa face ronde sous le béret à bordure rouge, la broussaille jaunâtre de sa barbe, et ses yeux pâles, fixes, sans regard, inhumains. Lorsqu'il s'est abattu en lâchant son fusil, il a crié. Un homme ainsi frappé crie. Tout son corps crie, son corps de bête assassinée, mais ce cri nous traverse et nous brûle, hommes que nous sommes et qui avons tiré. Sicot, atteint quelques secondes plus tard, a poussé le même cri en lâchant son fusil. C'est lui que j'ai vu mourir dans la casemate du Génie, avant notre contre-attaque, et pleurer sur sa mort, silencieusement. Je ne pense pas qu'un visage d'homme puisse atteindre à plus de pathétique beauté.

J'en vois un autre pourtant, et un troisième encore, que je veux évoquer ici. L'un, c'est ce grand soldat, à l'artère fémorale ouverte, adossé contre un hêtre par ses camarades de combat, mais dont un garrot de fortune ne prolongerait pas la vie assez d'instants pour qu'on pût la sauver. Lui aussi était beau, assis très droit, à peine pâli à cause du hâle. Grand, athlétique, un collier de barbe noire cernant son visage de terrien, aux longs traits fermes que n'altérait point la souffrance, il se savait perdu et se sentait mourir. A quelques pas de lui, au milieu du layon où j'avançais vers les balles qui allaient m'abattre, le jeune gisant dont j'ai senti les yeux céder doucement sous mes doigts quand je lui fermai les paupières me parut un enfant pitoyable, cruellement, stupidement mis à mort. L'autre mourait sans doute pendant que mes hommes m'emportaient. Mais chaque fois qu'en pensée et aujour-d'hui encore je revois son viril visage, l'admiration, le respect me saisissent, la gratitude aussi et la fierté d'être homme, devant le visage d'homme qu'a gravé dans ma mémoire le dernier « tué » au front que j'ai vu faire tête à la mort.

Quant au « troisième », je voudrais être simple, encore plus simple. C'était un inconnu, soldat d'une autre compagnie, un homme sans nom. Le même 18 février 1915, un ordre de mission m'obligeait à franchir une zone du champ de bataille entre les plus pilonnées, retournées, bouleversées par la canonnade. Il me fallait emprunter un boyau dont les détours m'étaient familiers. C'eût été sans autre danger que la chute d'un nouvel obus, si les parois de cette galerie de taupes avaient tenu jusqu'à cet instant. J'avais vu dès mes premiers pas qu'en maints passages, aux tournants surtout, elles étaient largement, donc dangereusement écrêtées. Les Allemands avaient eu le temps d'organiser la lèvre de l'entonnoir de mine que nous occupions le matin, l'entonnoir 7 : quelques créneaux blindés derrière lesquels ils pointaient des fusils, dont ils rectifiaient et ajustaient le tir sur les points les plus vulnérables. Cela, je ne le savais pas encore. Mais j'allais bientôt l'apprendre, et par moi-même.

Le cheminement était extrêmement pénible à cause de la boue visqueuse, approfondie depuis la veille par le passage de milliers d'hommes. Je m'arrêtais de loin en loin, le temps de reprendre haleine. Je venais de me remettre en marche, quelques mètres avant un coude, lorsque inexplicablement je me suis senti mis en garde, arrêté. Je me suis retourné vers la boursouflure de la colline d'où pendant tant de mois nous avions été épiés et que nous nommions le piton. Il n'émergeait pas encore au-dessus des vagues de boue, mais j'ai eu le sentiment très net qu'il s'en fallait de deux ou trois pas. J'ai avancé alors, presque insensiblement, courbé, me retournant sans cesse, désormais mis en garde. Et j'ai vu.

Juste au bord du redan, allongés sur la boue et les uns

par-dessus les autres, quatre ou cinq morts qui venaient d'être tués. Aussitôt j'ai su et compris : l'entonnoir 7, les créneaux, les tireurs aux aguets et leurs fusils braqués... Tout homme qui passerait là était d'avance un homme mort.

Du point juste où je me trouvais, j'étais à l'abri de leurs vues. Mais je voyais les malheureux gisants. Il me fallait passer. Mais que faire? Remonter, tenter de suivre un autre boyau, celui de l'entonnoir 8?

C'était une ou deux heures perdues, deux heures de plus d'une lutte épuisante contre l'épaisseur de la boue; et pour buter sans doute contre un autre passage mortel que, celui-là, je n'aurais pas décelé à temps. Il y a des degrés de fatigue où le corps renonce et trahit. J'en étais là. Si j'étais assez prompt, je devancerais sans doute le réflexe des tueurs de là-haut. C'est le parti que je pris aussitôt. J'observai donc, minutieusement, le terrain proche, repérai des yeux à l'avance la place exacte où poser mon pied pour assurer le bond nécessaire. Une main, au bord du tas des morts, reposait à demi sur la boue, la paume au ciel. Je me rappelle très bien m'être dit : « Il faudra que je prenne garde de ne pas la meurtrir en sautant. Il y a un quart d'heure, peut-être, elle vivait. » Or, juste à ce moment, il me sembla la voir tressauter d'un faible spasme. Mon regard remonta, suivit le bras pendant, jusqu'à l'épaule, jusqu'au visage, et je tressaillis : deux yeux me fixaient, grands ouverts, anxieux de croiser les miens, et dont les prunelles s'éclairèrent dès qu'elles rencontrèrent mon regard. Cet homme avait dû être atteint d'une balle dans la moelle épinière. Incapable de bouger, d'articuler une parole distincte, son corps gisant, son regard à présent persistaient à m'arrêter, à m'avertir.

Mais c'est en vivant, moi debout, que j'ai d'abord réagi :
« Aie confiance, vieux. Tu vois, je descends. Mais je vais
bientôt remonter, je ramènerai les brancardiers. Promis. »
A mesure que je parlais, je voyais son regard changer.
Dans ce visage immobile, déjà spectral, les yeux seuls continuaient d'exprimer, de nouveau agrandis par l'anxiété,
la tristesse de n'être pas compris. Et lorsque en effet, tout
à coup, dans une fulguration bouleversante, il me sembla
comprendre enfin, lorsque je murmurai, comme si j'eusse
parlé à sa place : « ... Que je fasse attention, moi ? Que je
vais me faire tuer si j'avance ? », la lumière que je vis
monter dans ce regard d'agonisant m'a fait mieux homme,
et pour toujours.

Qu'est l'idéologie qui ne soit en même temps une façon de vivre, et pour le moins une aide à vivre ? Ce
regard d'homme, cette joie sur le visage exsangue d'un
homme qui se savait perdu, tout espoir pour soi révolu,
et qui vouait sa dernière lueur de vie à sauver la vie d'un
autre homme, c'est un viatique, et ç'a été le mien. Je
l'ai quitté sur ce dernier regard et je suis revenu sur mes
pas.

Ils allaient jour à jour, beaucoup de jours, et quels
qu'aient été mes chemins, me ramener vers les Vernelles.
C'est ma maison, mon jardin, mon pays, tous les horizons
de ma vie. C'est Decize où je suis né, c'est Châteauneuf,
le Chastaing, l'Herbe verte, la fausse rivière qui sinue
dans le parc du Château, sous les arbres immenses plantés
par M. d'Hérou et où je vois toujours, plus blancs, plus
majestueux, plus gracieux que tous les cygnes au monde,

nager les cygnes miraculeux qui éblouirent mes yeux d'enfant. Ce livre ne serait rien s'il m'avait refusé la grâce de retrouver ces yeux et leurs regards, et par eux la poésie. J'aurai traversé le siècle sans avoir éludé jamais les épreuves qu'il me réservait, celles qui nous sont à tous communes et les miennes propres, respectivement si dures à chacun. La loi commune, l'adolescence venue, a requis et pétri l'enfant que j'avais été à des fins qui n'étaient pas les siennes. Et cependant, au fond de lui, presque éteinte, toujours vivace, une petite lueur veillait que la bonace eût peut-être éteinte, mais que la tourmente et l'orage ont ranimée inextinguiblement. Pour l'homme que j'ai été, chaque fois qu'il l'a fallu, c'est la mort qui, soulevant le voile, a ramené son cœur et ses yeux vers la vie. C'est son intercession qui m'a rendu au monde intemporel, celui des « longs échos qui de loin se répondent », des « forêts de symboles » familières au pays de Baudelaire, d'Apollinaire et de Nerval.

Il y a plus d'une place dans la maison du Père. Roger Caillois, peu de jours avant de mourir, comme il lui était demandé « quelle image il aimerait que l'on gardât de son œuvre et de lui », répondait : celle d'un poète, et qui ose dire « je ne parle qu'en mon nom mais comme si chacun, dans mes mots, s'exprimait autant que moi »; d'un poète qui ose dire : « Je m'adresse à un interlocuteur invisible, mais de façon telle que chacun peut avoir l'illusion que mes mots ne s'adressent qu'à lui. »

Une telle réponse me touche directement, et plus encore lorsque Caillois ajoute, en face de soi et comme pour lui-même : « Oui, c'est cela que j'ai essayé de faire. » Je viens d'être en face de moi et les mêmes mots me viennent aux lèvres. Moi aussi, j'ai essayé, je n'ai jamais cessé d'essayer;

et s'il m'était donné, un peu de temps encore, de poursuivre ma route terrestre, je continuerais d'essayer.

En 1919, lorsque mes premiers mois à Châteauneuf, mes
promenades par le Val et les bois m'eurent rendu la santé
et la force, j'avais aussi recouvré tout entière ma vraie
mémoire et ses vierges trésors; sans peut-être en avoir
encore la pleine et décisive conscience, mais assez claire
déjà pour en reconnaître les signes et répondre à leurs
appels. Les propos que je prête à d'Aubel, dans *Un jour*,
sont ceux d'un homme très âgé. « Il y a des signes partout », dit-il. Et encore, parlant à l'enfant d'autrefois :
« Les mythes, en vous et autour de vous, ne cessaient de
fleurir et d'animer la création. » Et encore, avec une
confiance qui se confond avec sa vie : « Ce qui doit venir
viendra, il y aura forcément rencontre. » Mais si d'Aubel parle ainsi et si cette confiance est en lui, c'est que ce
qui devait venir est en effet venu; c'est que les rencontres
attendues, une à une exauçant sa ferveur, ont porté avec
elles, inépuisablement, les promesses nouvelles et leur
joie.

En 1919, le jour que je vais évoquer, je n'avais que vingt-
huit ans. Guéri, mutilé *seulement*, j'aurais pu revenir à
Paris, m'y fixer, renouer avec mes années de naguère,
suivre la route qu'elles avaient désignée. J'avais quitté
l'École, en 1914, à la fin de ma seconde année. Hermand
et moi étions alors ensemble caciques de notre promotion;
à cause de quoi nos maîtres avaient les yeux sur nous. En
vérité, je nourrissais déjà un projet qui m'eût épargné,
fût-ce en professeur agrégé, le retour à une classe de lycée :
demander un poste de lecteur français dans une faculté
étrangère, Bucarest ou Upsal, ou Munich, ou l'Amérique,
peu m'importait pourvu que cela m'ouvrît des fenêtres

sur le monde. De surcroît des vacances plus longues me vaudraient le loisir d'éprouver et de reconnaître mes ressources d'écrivain, vers une éventuelle liberté. Le 2 août 1914 avait changé tout cela.

Dès l'armistice, l'Université avait réclamé les siens. Les rares normaliens survivants de ma promotion d'avant la guerre, en application de leur engagement décennal (servir pendant dix ans dans l'enseignement public), avaient été tenus de se faire réinscrire en Sorbonne. Mais c'est à moi, comme distraitement, que Paul Dupuy avait remis ma demande de réinscription. Je l'avais déchirée sous ses yeux.

Des mois avaient passé. Réformé, libre de moi, j'avais fait de cette liberté l'usage que j'avais souhaité; Dupuy comme moi, son seul geste me l'avait dit.

Venu pour deux jours à Paris, j'avais passé la nuit rue d'Ulm, dans une chambre de l'infirmerie déserte. Je m'habillais, bien reposé, dispos. Torse nu, blaireau en main, je me tartinais les joues lorsqu'un bruit de pas nombreux fit retentir les escaliers. Aucun doute, cela venait, se rapprochait. Des portes s'ouvraient, se refermaient dans une sonorité de chambranles et de parquets nus que j'eusse dite, à coup sûr, péremptoire. Et en effet, brusquement, largement, la porte de ma chambre s'ouvrit.

— Oh! pardon...

— Je vous en prie. Vous êtes chez vous, messieurs.

Ils étaient six ou sept, vêtus de sombre, serrés dans l'encadrement de la porte : en tête Lavisse et Lanson, derrière eux, Dupuy et Herr, Meynieux l'économe, un ou deux huissiers. « C'est vrai, pensai-je, Lavisse s'en va, Lanson s'installe. Reconnaissance domiciliaire, tout l'état-major sur le pont. » Je m'essuyai les joues, enfilai un veston, déplorai l'insuffisance de sièges et dis :

« Je suis tout à vous.

L'entretien eut lieu sur le seuil, et debout. Ce fut Gustave Lanson qui en prit l'initiative : « Vous, Genevoix! Vous, le transfuge! Mais comment, comment se fait-il...? »

Je le laissai tout à loisir exprimer son étonnement, déplorer ma « défection ». Je le respectais. Je le plaignais aussi : son fils était parmi les tués. Avant qu'il eût achevé, mon parti était pris. Puisqu'on m'en offrait l'occasion, je ne la laisserais pas échapper; quitte, comme on dit, à casser le morceau. Rarement les mots m'ont-ils été plus dociles. Autant que pour mon interlocuteur, c'est pour moi que je parlais, que j'énonçais un à un les motifs d'une décision sur laquelle je savais que je ne reviendrais pas, mais dont j'éprouvais en public, en présence de témoins dont le jugement m'importait, l'aloi, la légitimité. C'est pourquoi, aux motifs personnels qui m'avaient déterminé, j'ajoutai sur ma lancée quelques considérations générales qui ne m'importaient pas moins :

— Depuis cinq ou six ans, monsieur, nous avons beaucoup changé. Du tout au tout, en vérité. Morale, culture, justice, rien de ce qu'évoquait pour nous le mot de civilisation que nous n'ayons dû remettre en cause. Je parle d'ici, monsieur, en normalien d'avant 1914, en tant que tel. Nous avons été retranchés, séparés. Notre monde, le rythme de nos jours, nos mœurs, quoi que nous puissions dire et faire vous sont inconcevables et le resteront, j'en ai peur, aussi longtemps que nous vivrons. Nous devons prévoir entre nous d'inéluctables malentendus...

A ce mot je le vis sursauter, lever deux mains qui protestaient :

— Croyez-vous? Nous faites-vous si peu de crédit?

— Ce ne sera la faute de personne. Ce n'*est* la faute

271

de personne : car c'est notre lot de chaque jour. Chaque jour, immanquablement, votre bonne volonté même prouve votre incompréhension.

— Par exemple !

— Votre « agrég des mobilisés », par exemple. Le cacique ? Lorsque je suis entré en cagne — voilà plus de dix ans, monsieur —, il était élève de sixième, en col rond et en culotte courte. Mobilisé *in extremis*, tout près encore de la chauffe et du bain, il a bénéficié d'un privilège exorbitant qui faussait le principe même du concours. Vos recalés ? Deux de mes camarades d'École, les plus anciens, les mieux hommes, et pour cause. Je les connais bien tous les deux. Pour vous aussi, pour vous d'abord je regrette amèrement leur échec.

— Et que fallait-il faire, selon vous ?

— Leur faire confiance à eux d'abord. Leur accorder l'agrégation comme vous l'aviez fait, sans oral, aux admissibles de 1914. Ce qu'ils avaient appris de leur dur métier d'homme compensait de si loin les quelques possibles trébuchements de leur mémoire scolaire ! Ils y auraient paré eux-mêmes, sans jury. Selon moi c'est cela qui eût été *juste*, de votre part plus généreux qu'une cotation de zéro à vingt, et mérité.

Le cortège a repris sa marche. Avant que l'huissier de queue eût refermé la porte, j'ai vu par-dessus ses épaules le visage et les mains de Dupuy : le temps à peine de se retourner, d'incliner une barbe approbatrice et de me dédier au vol un battement de paumes silencieux.

« Il y a des signes partout. » Maintenant que j'ai l'âge de D'Aubel, je le crois et le dis comme lui. Peut-être lui est-il arrivé quelquefois, comme à moi, de s'étonner qu'ils soient si peu souvent et de si peu d'hommes perçus. A croire qu'au fil des siècles la race des humains ait laissé s'en aller d'elle les dons, les mots, les humbles et merveilleux secrets qui l'unissaient à l'universelle création. Je sais pourtant quelques-uns de ses fils saufs de cette malédiction. Il en est, Dieu merci, parmi les clercs que l'orgueil d'une certaine *libido sciendi* n'a pas, pour leur chance, aveuglés. Mais ceux qu'il m'a été donné de croiser sur mes chemins étaient insoucieux de leurs dons, je veux dire sans retour sur eux-mêmes, naturellement et sans cesse disponibles, ouverts au monde comme des enfants. Apiculteur l'un, valet de chiens l'autre, un troisième baladin des foires de village, ce sont eux que je nomme intercesseurs, parce qu'ils m'ont tendu la main pour me ramener vers le monde et les signes de mon enfance. Et que dire de la petite fille, compagne de nos promenades dans notre *jardin sans murs*, et de ce que j'ai dû, déjà sur le versant de l'âge, à sa tendre intercession? C'est avec elle que j'aimerais clore ces pages sur l'une de nos dernières promenades et sur les signes qu'elle m'a prodigués. Ç'a été une escapade, mais sa maman était d'accord. Elle le sera encore ce soir.

Auparavant, toutefois, je voudrais donner quelques saluts qu'il me chagrinerait d'oublier : aux sept points vermillon de la noire coccinelle qui vient de se poser sur ma main. D'où venue à travers les fenêtres closes? A la phrygane du soir qu'attire la lumière de ma lampe et dont les ailes s'irisent, un peu lilas, un peu roses, un peu vertes, des nuances mêmes que j'ai vues tout à l'heure caresser le ciel du couchant. Au rouge-gorge qui ce matin, par la baie grande ouverte sur le frais soleil d'avril, s'est heurté en plein vol à la vitre de la fenêtre d'angle, à demi assommé, les ailes étalées et palpitant sur le parquet. Je sais l'approche. Elle est patiente, et longue, et douce aux mains, et bonne au cœur dès qu'au creux de la paume s'apaisent les battements du petit camail incarnat. Il s'envole, et l'allégresse de son essor va porter sur ses ailes chaque heure de ce jour qui commence. Est-ce hasard, ou signe, ou retour à moi-même, le souvenir qu'il laisse derrière lui, la vision d'une caissette débordante d'oiseaux pris au piège, un jour d'hiver, par un homme du magasin aux foudres? La mort déjà? J'avais quatre ans. J'avais seulement pleuré. Je suis le même. L'homme, doucement, balançait la caisse, les petits corps soyeux glissaient les uns sur les autres. Le plus léger, le plus frêle, le plus joli, c'était celui d'un rouge-gorge. Et je l'ai revu ce matin.

Quatre ans, l'âge de Sylvie lorsque, par un jour d'avril encore, au temps des floraisons, des éclosions, des mises bas, nous sommes allés ensemble jusqu'à la ferme du Mont. C'est à plus d'un kilomètre, le bout du monde pour ses petites jambes. Pas une fleur de l'herbe qui n'ait été pour elle signe transparent et source de joie. Elle allait, d'élan en élan, de la drave au muscari, de l'ononis à la potentille, des poules blanches du fermier au veau nouveau-né dans l'étable. Les crêtes rouges des gelines, traversées de soleil, éveillaient dans tout son être un chant glorieux, un hosanna. Le veau, vacillant encore sur ses pattes, poussait contre sa main le poil bourru de son frontail. Elle riait, levait les yeux vers moi, me prenait à témoin de sa joie, toute consentement au monde, à ses merveilles, à leur afflux miraculeux. Qu'est l'amour s'il ne partage, s'il n'accepte ce qu'il reçoit du même mouvement qu'il offre et donne? Et que ne m'ont donné, en ces jours, les trottinements, les rires, les étonnements ravis, les cris heureux de cette petite fille que j'aimais?

C'est en ce temps que m'est arrivée une aventure extra-ordinaire, pour moi aussi très « étonnante », très mysté-rieuse toujours à mes yeux, mais il me suffit d'en accepter, tel qu'il est venu vers moi, le symbole privilégié. Je l'ai plusieurs fois racontée, tant devait rester vif en moi le sentiment de son importance. Mais je veux la redire ici, car si elle manquait à ces pages, je sentirais ce manque comme un dol et une mutilation.

Ce jour-là j'étais seul. Je pense que ma femme et nos filles, rappelées à la maison, m'avaient laissé poursuivre ma flânerie. Je suivais, à la crête du talus qui domine la rive droite de la Loire, une piste aux trois quarts effacée, envahie d'herbes folles et de touffes de genêt. Du côté du sol ferme, elle bordait une pinède dont les arbres de lisière, baignés de lumière et d'espace, avaient crû superbement.

Il y eut soudain devant moi, sous le couvert des hautes herbes, un glissement furtif qui suspendit mon pas et attira mes yeux. Je m'attendais à voir le sillage d'un aspic : c'est la saison où ils sortent et bougent, où ils peuvent être dangereusement agressifs. Point de sillage, mais un preste éclair roux; et devant moi, à toucher mes jambes, surpris comme moi, immobile comme moi, un écureuil qui me regardait. Un enfant d'écureuil en rupture de famille et de nid. Je devais être, si j'ose ainsi parler, son premier homme. De sa stupeur, de sa curiosité, laquelle l'emportait sur l'autre? Les premiers pins étaient à dix pas, trop loin pour un jeune fugueur présomptueux.

Je dois ici, même s'il m'en coûte et dût-on sourire de l'aveu, ouvrir une parenthèse nécessaire. Au dire des proches qui partagent ma vie, j'aurais un don, un charme, un fluide, que sentent les bêtes et les petits enfants. Ils le prétendent, ils en sont sûrs. Aux premiers temps de notre intimité, peut-être un reste de scepticisme se mêlait-il encore à la confiance qu'ils me faisaient. Mais la tribu de hérissons que je conviais, les soirs d'été, sous les tilleuls en fleur de la terrasse, la faisane capturée à la main que je rapportais à la maison, bien vivante, calmée, le cou en volute et tournant les yeux vers moi, avaient chassé leurs derniers doutes. Les hérissons, ponctuellement, trottinaient sur le gravier; j'ouvrais les doigts devant ma femme — « qu'en vas-tu faire? » — et la faisane s'envolait. Il n'y avait fallu, selon moi, qu'une longue patience, hors du temps, toute donnée, toute communion.

Je patientai. Le monde n'était plus que cette petite bête rousse dans l'herbe, son museau levé, son œil brillant qui me fixait. Jusqu'au moment où mon corps a commencé à bouger. Imperceptiblement, de peur de rompre (j'y reviens donc?) le charme. Et l'écureuil, en effet, bougea. Mais au lieu de bondir vers les pins, il sautela : de petits bonds espacés, hésitants, dont chacun me laissait le temps de combler, sans courir, la distance. Le premier pin qu'il atteignit ainsi était l'un des plus beaux, écailleux, puissamment branchu, tutélaire. Ses petites mains griffèrent l'écorce, il disparut derrière le tronc.

Je recommençai d'attendre, debout à moins d'un pas de l'arbre, de nouveau immobile et retenant mon souffle : avant tout, éviter qu'un mouvement trop brusque le chassât vers les hautes branches, d'où il ne redescendrait plus. Il était toujours là, à ma hauteur, j'en étais averti par des

indices infimes, un grattis d'écorce griffée, un grognement
à peine perceptible qui trahissait l'alerte et la curiosité.
C'est un penchant de toute sa race, il finirait par y céder.
Il y céda. J'aperçus tout à coup la pointe de son nez, son
œil, et je fus aussitôt saisi par le plaisir d'un jeu qui venait
de s'esquisser à peine, mais qui allait bientôt, je ne pouvais
plus en douter, nous unir.

A partir de cet instant, un grand trouble fut en moi,
tumultueux, véhément, où l'étonnement, l'humble et
tranquille acceptation, l'exaltation, l'incrédulité, tour à
tour alternant, se mêlant, devinrent peu à peu une même
joie, capiteuse et légère, quelquefois jusqu'alors pressentie
et désormais, l'heure venue, révélée. C'est ainsi que j'ai
joué ce jeu. Ainsi que j'ai pu effleurer son pelage encore
hivernal, rude, froidi par la brise d'avril, poser sur lui
ma main, l'y laisser le temps qu'il fallait pour sentir s'apai-
ser peu à peu, se retirer de lui, peu à peu, l'étrange frisson
panique dont avait frémi toute sa chair, pour sentir enfin
l'abandon, la confiance de son petit corps, si menu, si
vivant, sa chaleur sous le manteau roux.

J'ai conté cela, tout cela. Mais qu'en ai-je dit ? Son sommeil, oui, lové en un cercle parfait ; mon retour de stupeur
au moment des adieux, lorsque j'ai vu qu'il me suivait ;
notre long cheminement commun sur la sente escarpée,
difficile, non trottant, mais bondissant : par légers sauts
basculés, infatigablement recommencés, un kilomètre
durant, davantage... Notre rencontre d'un bûcheron qui
stérait des bois abattus, son visage dur, un peu camus,
et la clarté qui l'éclaira lorsqu'il vit l'écureil me suivant,
et le ton de sa voix qui répétait comme un salut, comme un
hommage attendri : « Un écureux!... Un écureux!... »

Je l'ai ramené le soir même, après un conseil de famille

résigné à ce seul dénouement. Un peu de sang avait séché sur ses doigts grêles, translucides, écorchés par quelque gravier. Nous sommes revenus ensemble vers le grand pin de notre jeu. Je l'avais mis sur mon épaule et le soutenais de la main. J'allongeais et coulais mes pas pour ne pas le secouer trop fort. Si un cahot me faisait trébucher, il jetait en avant ses deux pattes antérieures, deux bras menus aussitôt cramponnés, à mon nez, à ma moustache, et je sentais le picotement griffant de ses ongles qui se crispaient. Pas une fois il n'a essayé de me quitter, de sauter à terre. Il a trouvé lui-même la poche intérieure de ma veste et il s'y est lové en rond, aussitôt endormi. Cela aussi, je l'ai conté. Mais qu'en ai-je dit ?

La nuit montait lorsque nous sommes arrivés au grand pin. Je l'ai éveillé doucement et lui ai dit : « Nous y voilà. » Il s'est laissé poser sur la rude et bonne écorce, aussitôt reconnue, agrippée. Mais il est resté près de moi. J'ai alors accolé l'arbre, appuyé contre lui ma poitrine jusqu'à faire corps avec lui. Et aussitôt l'écureuil a bougé. L'écureuil ? Ou quelque elfe des bois, impondérable, matériel à peine, juste ce qu'il fallait pour que de tout mon être je sente les méandres de ses virevoltes ailées, les liens légers et forts dont il nous unissait, l'arbre et moi. L'air fraîchissait. Le front contre mes bras, je percevais pourtant cette lumière des ténèbres que dispensent les nuits étoilées. Par intervalles, un surgeon murmurant montait du fleuve, passait sur nous avec l'odeur d'un églantier proche. Le silence l'accueillait, le rendait à la nuit. Silence aussi, du côté de la terre et des bois, le léger froissement d'ailes de quelque palombe endormie.

Qu'était devenu l'écureuil ? Je n'avais pas perçu l'instant où il avait gagné les hautes branches, retrouvé les siens et son nid. Je me détachai de l'arbre, repris la sente vers les Vernelles. Mais l'homme que j'étais, ce même jour, lorsque je les avais quittées, le reconnaîtrais-je tout entier? Comme Florie, la jeune chasseresse de *la Forêt perdue*, il m'avait été donné de voir s'entrouvrir sous mes yeux un monde vrai, où les symboles et les correspondances sont la seule réalité, où la création est Dieu même, et Dieu sa propre création.

Mais qu'en ai-je dit?

IMP. HÉRISSEY, A ÉVREUX (6-80)
D.L. 2e TRIM. 1980. No 5603-2 (26259)

DU MÊME AUTEUR

La Grèce de Caramanlis
1972

La Mort de près
1972

Deux Fauves
1973, comprenant

L'Assassin
roman, 1930

Gai-L'Amour
roman, 1932

Un homme et sa vie
1974, comprenant

Marcheloup
roman, 1934

Tête baissée
roman, 1935

Bernard
roman, 1938

AUX ÉDITIONS GRASSET

Raboliot
roman, prix Goncourt, 1925

La Boîte à pêche
1926

Les Mains vides
roman, 1928

AUX ÉDITIONS FLAMMARION

Au seuil des guitounes
1918

Jeanne Robelin
roman, 1920

Rémi des Rauches
roman, 1922

La Joie
roman, 1924

Cyrille
roman, 1929

Rroû
roman, 1931

Forêt voisine
1933

La Dernière Harde
roman, 1938

Les Compagnons de l'aubépin
récit pour les écoliers, 1938

L'hirondelle qui fit le printemps
contes pour les enfants, 1941

Laframboise et Bellehumeur
roman, 1942

Canada
1943

Éva Charlebois
roman, 1944

L'Écureuil du Bois-bourru
roman, 1947

Afrique blanche, Afrique noire
1949

Ceux de 14
1950, comprenant

Sous Verdun
1916

Nuits de guerre
1917

La Boue
1921

Les Éparges
1923

L'aventure est en nous
roman, 1952

Fatou Cissé
roman, 1954

Vlaminck
1954

AUX ÉDITIONS JULLIARD

La Perpétuité
1974

AUX ÉDITIONS CASTERMAN

Les Deux Lutins
contes pour les enfants, 1961